KB182758

11인의 독자에디터가 먼저 읽고 평가하다

"재건축 재개발 투자는 어렵고 투자금이 많이 들어간다고만 생각했다."

그러나 이 책을 읽으면서 그 생각이 모두 편견임을 알게 됐다. 이 책 덕분에 사업성을 분석하고 수익을 예측하는 과학적 투자를 할 수 있을 것 같다.

겸손 님 (30대 / 남 / 치과의사)

"늦기 전에 읽게 되어 감사하다."

재건축 재개발 투자에 있어 '감'이 아닌 팩트로 결정을 내리게 만들어주는 책. 수익률에 대한 고민을 줄여주고 바른 결정을 하게 해주는, 지갑을 살찌울 책이다.

동동팬클럽 님 (40대 / 여 / 주부)

"부록으로 제공하는 용적률표만으로도 책값은 뽑고도 남았다."

재건축 재개발 수익률을 분석하는 표는 많았지만, 이 책은 분담금까지 추산하는 사업성 분석의 완성형을 보여 주고 있다.

마구태 님 (30대 / 남 / 회사원)

"재건축 재개발 투자서의 바이블이 될 것임은 명약관화(明若觀火)."

이렇게 어려운 주제를 다루면서, 이렇게 구체적이고 명확한 기준을 제시할 수 있는 책이 또 있을까? 그 한 가지만으로도 이 책은 충분한 소장가치가 있다.

제네시스 님 (40대 / 남 / 직장인)

"앞으로 이 책 이후에 재건축 재개발 책을 쓰려면 한참을 주저해야 할 듯."

아직까지는 스티브 잡스의 아이폰을 뛰어넘는 스마트폰이 나오지 못한 것처럼, 당분간 이 책만큼 혁신적인 프레임을 가진 재건축 재개발 책을 접하기는 힘들 것 같다.

지니유니맘 님 (40대 / 여 / 자영업)

11인의 독자에디터는 2017년 2월부터 약 2개월간 본 책의 초안을 검토하고,
수정 및 편집 작업을 함께 해주셨습니다. 참여해주신 독자에디터 여러분께 깊은 감사를 전합니다.
수록 순서는 닉네임 가나다순입니다.

"'남들은 몰랐으면…. 나만 알았으면…' 하는 투자 비법들이 이 책에 있었다."

정글 같은 투자판에서 내 돈을 잃고 싶지 않다면 반드시 읽어야 하는 필독서! 이 한 권만 완벽하게 이해한다면 재건축 재개발 시장에서 실패하는 일은 없을 것 같다.

키즈리턴 님 (30대 / 여 / 프리랜서)

"일단 사면 언젠간 된다고 말하는 재건축 재개발 책이 아니다."

막연한 부분을 해소해 주고 투자의 기준을 알려준다.

풍백 님 (30대 / 여 / 주부)

"수학의 정석에 비견할 만하다."

실제 투자에서 각 상황마다 대입하고 결정하기에 손색이 없는 훌륭한 재건축 재개발 실전 투자 지침서!

하렌버핏 님(30대 / 남 / 직장인)

"고수들만 알고 있던 재건축 재개발 투자 비법을 쉽게 풀어줍니다."

읽으면서 '너무 알려지면 어떻게 해야 하지'라는 생각까지 듭니다. 책을 읽다가 중간중간 무릎을 탁 치실 것입니다.

하늘나는별 님 (40대 / 여 / 주부)

"'긴장하면 지고, 설레면 이긴다'라는 말이 있다."

재건축 재개발 투자에 막연한 두려움을 가졌던 이들에게 이 책은 새로운 확신과 설렘의 선물이 될 것이다. 미로처럼 얽혀 있는 재건축 재개발 투자의 세계를 헤쳐 나가는 데에 이 책은 나침반이자 길잡이로서 손색이 없다고 생각한다.

한결 님 (50대 / 남 / 직장인)

"재개발 재건축 투자의 필수 지침서가 될 것 같습니다."

그동안의 재개발 재건축 서적들을 통해 이론을 배웠다면, 이 책을 통해 바로 투자할 수 있는 실무를 배웠습니다. 조금 일찍 이 공식들을 알았더라면 그리고 앞으로도 혼자만 알 수 있다면 하는 아쉬움이 읽는 내내 크게 남았습니다.

현스러브 님 (40대 / 남 / 직장인)

한 권으로 끝내는

돈되는 재건축 재개발

한 권으로 끝내는
돈되는 재건축 재개발

초판 1쇄 발행 2017년 5월 2일
초판 63쇄 발행 2023년 11월 25일

지 은 이 이정열 (열정이넘쳐)

발 행 처 잇 콘
발 행 인 록 산
편 집 홍민지
마 케 팅 프랭크, 예디, 감성 홍피디
경영지원 유정은
디 자 인 design86 김유리
출판등록 2019년 2월 7일 제25100-2019-000022호
주 소 경기도 용인시 기흥구 동백중앙로 191
팩 스 02-6919-1886

ISBN 979-11-960731-0-7 13320
값 18,000원

열정이넘쳐(이정열) 지음

일러두기
본 자료에 수록된 내용은 신뢰할 만한 자료 및 정보로부터 가져온 것이나 당사 및 저자는 정확성이나 완전성을 보장할 수 없으며 이에 대한 직·간접적인 책임을 지지 아니하므로 투자 참고자료로만 활용하여 주시기 바랍니다.

들어가며_

실패 없는 투자를 위한 3개의 절대공식 활용법

저의 첫 번째 재개발 투자는 2006년으로 거슬러 올라갑니다. 재개발의 '재' 자도 몰랐던 저와 아내는 단순히 주변의 추천에 따라 재개발이 진행된다는 허름한 빌라를 사서 이사를 들어간 것입니다.

사실 뭔가 대단한 계획에 따라 투자를 했던 것은 아니었습니다. 재개발에 투자하면 돈을 번다는데, 어차피 살 집은 필요하니까 이왕이면 이 집을 사자는 단순한 마음이었습니다. 그렇게 엉성하게 시작한 저의 첫 번째 재개발 투자는 과연 성공적이었을까요?

수익률만 보면 그렇습니다. 이 지역이 실제로 재개발되면서 최소 340%라는 매우 큰 수익률을 얻게 됩니다. 게다가 우연인지 필연인지 저는 재개발 조합에서 일을 하게 되었고, 덕분에 재개발 투자가 무엇인지를 온몸으로 생생하게 배울 수 있었습니다. 이후 꽤 오랜 시간 동안 다양한 부동산 투자를 해오고 있지만, 그중에서도 유난히 재건축·재개발 투자에 애착을 가지고 연구를 지속했던 것도 아마 그 경험 덕분일 것입니다.

그렇지만 저는 첫 투자가 결코 성공한 투자라고 생각하지는 않습니다. 당시의 저는 이 사업장의 상황은 어떻고, 얼마의 투자금을 투입할 것이고, 향후 얼마의 수익을 기대할 것인지 등의 분석은 거의 해보지 않은 채 주변 사람들의 추천만 믿고 집을 매입했습니다. 지금 생각해보면 등골이 서늘합니다. 운이 좋았기에 망정이지 만약 사업이 제대로 진행되지 않았다면 어땠을까요? 눈을 감은 채 걸을 때는 몰랐지만 나중에 눈을 뜨고 돌아보니 자칫 낭떠러지로 떨어질 수도 있었던 것입니다.

이것은 비단 저만의 이야기가 아닌 듯합니다. 지난 10여 년 간 저는 비슷한 실수를 저지르는 투자자들을 많이 만났습니다. 나중에 얻게 될 수익은 얼마나 될지 구체적으로 계산해 보지도 않은 채 "여기가 돈이 된다더라"라며 남의 말에만 의지해서 투자를 결정하는 분들을 무척 많이 보았습니다. 나중에 "10년 동안 묶였다" 혹은 "분담금 폭탄을 맞았다"라고 토로하는 분들은 대부분 그렇습니다. 그때 가서 아무리 그 지역을 추천했던 사람을 원망해 봐야 무슨 소용이 있을까요?

시간을 돈으로 바꾸는 투자

재건축·재개발 투자는 어렵다고 생각하는 분들이 많습니다. 일반 아파트나 분양권, 빌라 투자에 비해서 투자 기간도 길고 투자금도 많이 들어간다는 것입니다. 그 말도 충분히 이해가 됩니다. 큰 틀에서 봤을 때는 사실이기 때문입니다. 그런데 한 번 생각해 봅시다. 그럼 일반 아파트나 분양권, 빌라 투자는 쉬운가요?

모든 투자는 기대수익이 클수록 리스크도 커집니다. 만약 누군가가 '리스크는 없고 투자 수익이 아주 좋은 물건이 있다'라고 추천한다면, 그것은 사기일 가능성이 아주 높습니다. 은행에 돈을 예금하면 매우 안전하긴 합니다. 하지만 이걸 투자라고 표현하기에는 애매합니다. 장기간 예금을 해놓으면 예금이자만큼의 수익이 발생한다고 생각하지만, 은행 예금금리가 물가상승률보다 낮기 때문에 사실은 예금이자와 물가상승률의 차이만큼 손해를 보고 있는 것입니다. 결국 리스크 없는 투자는 없습니다.

맞습니다. 재건축·재개발 투자는 투자금도 상대적으로 많이 들고, 투자 기간도 길고, 사업 진행 중에 이러저러한 일들이 일어나면 사업이 지연되는 일들도 생깁니다. 그러나 이런 인고의 시간이 지나고 나면 마지막에 돌아오는 투자 수익은 그 어떤 투자보다도 달콤합니다.

'시간을 돈으로 바꾸는 투자.'

재건축·재개발 투자를 한마디로 정의해 본다면 이것만큼 정확한 표현도 없다고 생각합니다. 오히려 투자에 따로 시간을 쓸 만한 여유가 없거나, 실거주용 집으로 몇 년 지낼 생각을 하는 이들에게는 재건축·재개발 투자만큼 좋은 것도 없습니다.

재건축·재개발 투자가 어려운 이유가 항상 투자 기간이 길고 투자금이 많이 들어가기 때문일까요? 저는 전혀 그렇지 않다고 생각합니다. 사업의 구조를 알고 투자하면 생각보다 어렵지 않습니다.

그러나 사람들은 대부분 사업구조를 이해하려고 힘들게 공부하는 것보다는 다른 사람의 이야기를 듣고 투자 결정을 내리기를 좋아합니다. 그런 사람일

수록 자신이 가진 물건의 가치에 대해 확신이 없으니 부동산 시장이 잠깐 흔들리면 너무 쉽게 매도를 해버립니다. 또는 장밋빛 희망에만 부풀어 있다가 막상 사업진행이 잘 안 되면 장기간 투자금이 묶이는 경험을 하게 됩니다. 지금도 제 이메일에는 이런 사연들이 자주 들어옵니다.

사업성을 분석하는 툴(tool)을 익히자

물론 이해는 됩니다. 재건축·재개발 투자를 잘만 하면 큰돈을 번다고는 하는데 막상 들여다보면 절차도 너무나 복잡하고, 속 시원하게 사업성이 이렇다고 알려주는 사람도 없으니 말입니다.

그러다보니 '대지지분이 크면 좋다더라', '용적률이 낮으면 좋다더라'라는 단순한 명제에만 의지해서 아슬아슬한 투자를 하게 됩니다. 게다가 대지지분이 크고 용적률이 낮은 물건을 만났다 해도 과연 얼마에 매입하는 게 적당한지 기준을 알기 어려워서 혼란스럽기도 합니다.

문제는 사업성을 분석하는 툴(tool)입니다. 분석 방법이나 공식이 있다면, 그래서 얼마가 들어가고 얼마를 벌 수 있을지 계산해 볼 수 있다면, 하다못해 개략적인 수치만이라도 알 수 있다면 이렇게 위험한 투자를 할 리가 없습니다.

과연 그것이 가능할까요? 네, 가능합니다. 10년이 넘게 재건축·재개발 투자를 연구하면서 저는 조합원분양가와 분담금을 예측할 수 있는 몇 가지 공식을 찾아냈습니다. 아직 관리처분계획이 나오지 않은 사업장이라도 정보만 몇 가지 조합해 보면 개략적인 조합원분양가와 분담금을 계산해 볼 수 있는 것입니다. 물론 실제 분양은 미래에 이뤄지는 것이니만큼 어느 정도 오차는 있지만, 오래 묶이거나 돈을 잃게 될 위험성을 줄이는 데에 엄청난 역할을 합니다.

이 책은 재건축·재개발 사업이 어떻게 진행되는지를 이해하고, 어떻게 투자해야 하는지 명확한 기준을 제시해 줍니다. 처음 읽을 때는 생소한 단어들이 낯설게 느껴질 수도 있지만, 기본 틀만 이해하면 어느새 재건축·재개발 사업의 큰 흐름이 한 눈에 들어오게 될 것입니다.

재건축 사업을 분석하는 3개의 절대공식

사업성 분석 공식에는 여러 가지가 있지만, 제가 가장 유용하게 활용하는 것은 세 개의 공식입니다.

세대당 평균 대지지분 : 흔히 용적률이 낮은 아파트에 투자하면 무조건 좋다고 믿는 분들이 많지만, 이는 상당히 위험한 접근법입니다. 소형평형으로 구성된 아파트 중에는 용적률은 낮은데 실제 사업성은 매우 떨어지는 곳들이 존재하기 때문입니다. 따라서 용적률을 보완할 만한 지표로 제가 고안한 것이 '세대당 평균 대지지분'입니다. 단지의 전체 대지면적을 그 단지의 총세대수로 나눈 것으로, 간단하지만 매우 강력한 힘을 발휘합니다. 왜 그러한지는 본문에서 자세히 다루겠습니다.

공사비(시공비)와 총사업비 비율 : 재건축 사업에서는 공사비가 총사업비의 약 75%를 차지하는 것이 일반적입니다. 그런데 이 사실은 사업성 분석을 위해 매우 중요한 단서가 됩니다. 저는 이 비율을 공식으로 만들어 다양하게 변형시킴으로써 조합원 건축원가를 계산하고, 나아가 분담금을 추산하는 데에 활용합니다. 어떻게 그것이 가능한지는 본문의 내용을 차근차근 따라가다 보면 쉽게 이해할 수 있습니다. 단, 재개발 사업의 경우에는 적용 방식이 약간 다른데, 이 역시 본문에서 자세히 설명하도록 하겠습니다.

일반분양 기여 금액 : 재건축의 사업성은 일반분양으로 얼마나 많은 수익을 올리느냐에 달렸다고 해도 과언이 아닙니다. 이것은 조합원 개인에게도 마찬가지입니다. 내가 일반분양에 기여하는 대지지분으로 얼마의 일반분양 수익을 올렸느냐에 따라 분담금이 줄어들기도 하고 전혀 줄어들지 않기도 합니다. 이렇게 조합원 개인이 일반분양 수익에 기여한 정도를 나타낸 것이 일반분양 기여 금액인데, 이것만 산출하면 바로 분담금을 계산할 수 있습니다. 본문에서는 보다 실용적으로 활용할 수 있도록 실제 진행되고 있는 재건축·재개발 사례를 활용해서 연습합니다.

이 책에는 그밖에도 다양한 분석 기술이 등장하는데, 숫자 계산을 싫어하는 분들께는 낯설게 느껴질 수도 있습니다. 하지만 너무 스트레스를 받지는 마시기 바랍니다. 위 공식을 편리하게 계산할 수 있는 엑셀 파일을 제가 이미 만들어 두었으니, 저의 블로그나 출판사 카페에서 다운받아 활용하시면 됩니다.

그러나 엑셀을 활용한다고 해도 재건축 투자가 어떤 구조로 수익을 얻는지에 대한 흐름은 반드시 익혀두시기 바랍니다. 재건축 투자는 사업장마다 다양한 변수가 존재합니다. 따라서 그 흐름을 이해하지 못한 채 단순히 엑셀 파일에만 의존한다면 계산에 큰 착오가 생길 수 있습니다.

저는 이 책이 단지 '재건축·재개발 투자를 하라'라고 부추기는 역할을 하지 않았으면 합니다. 정확한 근거도 없이 무조건 여기가 좋다고 말하는 것은 거짓말입니다. 이 책은 어떤 지역이 유망하다고 말하기보다는, 어느 지역을 가도 적용해 볼 수 있는 공식을 알려드리는 데에 초점을 맞추고 있습니다. 흔히 말하는 '물고기 잡는 법'을 알려드리려는 것입니다.

물론 이 책에는 현재 사업이 진행되고 있는 구역의 실제 사례들이 다수 등장하긴 합니다. 실제 조합창립총회 자료와 관리처분계획 자료를 이용해서 조합원 건축원가를 계산하고 분담금을 추산해 봅니다. 뿐만 아니라 몇 년 안에 사업이 진행될 것으로 보이는 목동이나 분당 등 투자자들의 관심이 집중되고 있는 지역들도 자세하게 들여다볼 것입니다.

그러나 이것은 독자들이 실용적으로 활용했으면 하는 의도일 뿐 여기가 좋으니 투자하라거나 피하라는 의미는 아닙니다. 사업성이 아무리 좋은 지역도 나와 맞지 않으면 투자할 수 없고, 반대로 사업성이 별로 좋지 않아도 틈새전략을 찾아낼 수 있습니다. 독자 여러분들이 이 책을 통해 찾아냈으면 하는 것들은 바로 그러한 통찰력입니다.

재건축·재개발뿐만 아니라 어떤 투자든, 사업성을 꼼꼼하게 따져보고 결정한 사람과 주먹구구식으로 대충 결정한 사람의 차이는 큽니다. 성공하는 투자보다 중요한 것은 실패하지 않는 투자가 아닐까요?

열정이넘쳐 **이정열 드림**

추천의 글_

이 한 권에 수천만 원, 수억 원이 담겨 있다

사람들은 항상 혼란스럽습니다. 실거주 혹은 투자를 위해 거액의 돈을 투입해서 아파트를 매입하는데 그것이 과연 잘하는 일인지 말입니다.

일단 아파트를 매입하고 나면 그 다음 다가올 시장에 주목하게 됩니다. 현재에도 좋지만 미래에 더 좋아질 대상과 지역에 관심을 가지게 됩니다. 그러나 관련 법규는 이해하기 어렵고, 실제 투자 적격성을 판단하기 또한 쉽지 않습니다.

과거 몇 년 동안 이런 저런 이유로 아파트를 구입한 사람들은 운 좋게도 적게는 수천만 원에서 많게는 수억 원에 이르는 수익을 낼 수 있었습니다. 부동산 상승장에서는 이른 흐름에 편승만 해도 돈을 버는 것이 사실입니다.

그러나 이제는 금리 인상이 목전에 다가와 있고, 대한민국의 대통령도 바뀌는 시점입니다. 이러한 시장의 흐름 속에서 부동산 정책은 부양보다 규제의 분위기가 우세합니다. 그동안 정부가 주도했던 2020 도시기본계획들이 속속 수정되어 2030 도시기본계획으로 새롭게 변모하면서 실거주자는 물론 투자자들도 부동산 정책의 안개 속을 거닐고 있는 것과 같습니다.
이러한 상황에서 재건축·재개발 시장은 대한민국 아파트의 미래라고 할 수 있습니다. 과거 개발독재 시절에 건설되었던 수많은 아파트들의 재건축 시점이 다가오면서 오래된 아파트와 구옥들이 신축 아파트로의 변모를 준비 중입니다.
그러나 그 누구도 재건축·재개발 시장을 제대로 쉽게 풀어주지는 못했습니다. 재건축과 재개발에 관해서는 법률이 정의한 비례율, 권리가액, 분담금, 조합원 자격 등등 반드시 알아야만 하는 용어들이 있고 과학적으로 사업성을 분석하는 기술도 필요합니다.
그동안 이런 것들을 쉽게 이해한다는 것은 좀처럼 허용되지 않았습니다. 재건축·재개발에서 가장 중요하다는 조합원분양가와 분담금에 관해서조차 그 누구도 체계적이며 합리적으로 설명한 적이 없었습니다. 게다가 실무적으로도 물고 물리는 내부자들끼리만 정보가 꼭꼭 숨겨져서 통용되었던 까닭에 사업성에 관한 최종결과를 예측한다는 것은 신의 영역에 가까웠습니다. 그래서 재건축·재개발 투자는 대략적인 감으로 이루어져 왔던 것이 현실입니다.

이 책만큼 재건축과 재개발 시장에 관해서 체계적으로 분석함과 동시에, 이론이 아닌 현장의 숨겨진 목소리를 쉽고 대중적으로 기술한 책은 없었습니다. 오랜 시간이 소요되는 재건축과 재개발 시장의 특성상, 어느 정도 부동산 투자를 잘 안다고 하는 사람들조차도 마지막 과정까지 눈으로 직접 확인한 사람은 많지 않습니다.
"해 보긴 해 봤어?"라는 고(故) 정주영 회장의 명언처럼, 실제로 도전해 본 사람과 이론으로만 알고 있는 사람의 차이는 큽니다. 이 책의 저자는 오랜 시간 동안 재건축·재개발 사업을 철저하게 분석하며 직접 투자해왔을 뿐 아니라 공인중개사로서 일반인들은 좀처럼 경험하기 힘든 수백 건의 물건들을 처리해 왔습니다. 그 풍부한 실전 경험을 통해 재건축·재개발의 모든 단계별 위험 요소 및 투자 포인트를 정확하게 짚어내고 있습니다.

이 책은 우리 눈앞에 성큼 다가온 재건축과 재개발의 큰 흐름 속에서 안내자의 등불 역할을 해 줄 것입니다. 부록으로 제공되는 '용적률 별 필요 대지지분표, 평당 시공비에 따른 조합원 건축원가표, 일반분양가에 따른 대지지분 1평당 일반분양 수익표, 서울시 아파트 주요 단지 용적률표'를 받아 본 순간, 이건 꼭꼭 숨겨둔 비급을 너무나 쉽게 얻게 되는 것은 아닌지 걱정이 앞설 정도입니다.

한 번 읽으면 사업 절차를 이해하게 되고,
두 번 읽으면 감정평가액을 추정하게 되고,
세 번 읽으면 분담금을 계산하게 될 것입니다.

각 절차별 투자 포인트를 정확하게 제시함으로써 수천만 원, 수억 원의 가치를 담고 있는 책입니다. 이 한 권의 책으로 대한민국 재건축과 재개발 시장을 평정할 것이라고 감히 단언하겠습니다.

호빵

부동산 투자 고수, 『호빵의 투자 다이어리』 저자
블로그 http://club_dubu.blog.me

목차

들어가며_ 실패 없는 투자를 위한 3개의 절대공식 활용법 · **4**

추천의 글_ 이 한 권에 수천만 원, 수억 원이 담겨 있다 · **11**

Chapter 1.
재건축 · 재개발 투자, 그거 어렵지 않나요?

왜 진짜 부자들은 재건축 · 재개발에 투자할까 · **22**

재건축 · 재개발 투자에 대한 오해와 진실 · **29**

재건축 vs 재개발, 무엇이 다를까 · **35**

꿀팁 도시 및 주거환경 정비기본계획 vs 지구단위계획 · 41

재건축과 재개발의 사업성 차이 · **43**

꿀팁 자주 쓰이는 용어 개념잡기 · 50

프리미엄, 분담금, 수익률의 삼각관계 · **52**

투자할 때 반드시 고민해야 할 2가지 · **58**

Chapter 2.
투자 전에 이것부터 체크하자

재건축 · 재개발의 진행 과정 · **68**

언제 매입하고, 언제 매도해야 할까 · **76**

부동산이 있다고 모두가 조합원은 아니다 · **81**

조합원 입주권은 몇 개까지 가질 수 있을까 · **86**

꿀팁 지역별 조합원 자격 규정을 확인하자 · 90

사업 책자만 제대로 읽어도 사업성이 보인다 · 93
총회 책자를 통해 실제 재건축 · 재개발 사례를 분석하자 · 99
꿀팁 재건축 · 재개발 정보 얻기 좋은 「하우징 헤럴드」 · 105

Chapter 3.
재건축 · 재개발 투자의 기본 구조 익히기
– 서울 A구역 재개발 실제 사례를 중심으로 –

공사비와 총사업비의 비율부터 파악하자 · 110
사업성을 보여주는 대표적 지표 '비례율' · 116
감정평가액은 어떻게 산출할까 · 124
꿀팁 공동주택 공시가격과 감정평가액 · 133
권리가액은 어떻게 계산할까 · 135
꿀팁 비례율을 맹신하면 안 된다 · 139
분담금과 추가부담금은 어떻게 계산할까 · 142
꿀팁 감정평가액이 높으면 무조건 좋은 걸까 · 146

Chapter 4.
재건축 수익률 분석, 단계별로 배워보자
– 서울 B아파트 재건축 실제 사례를 중심으로 –

기본 개념을 정리해두면 수익률 분석이 쉬워진다 · 152
핵심은 '일반분양 기여 금액' 구하기 · 160
B아파트의 실제 관리처분계획 들여다보기 · 166
꿀팁 일반분양 물량만 봐도 사업성이 보인다 · 176
분담금과 프리미엄을 예측해보자 · 178
반드시 외우자! 공사비와 총사업비 공식 · 185
꿀팁 전용면적 vs 공급면적 vs 계약면적 · 192

조합원 건축원가 직접 계산해 보기 · 194

₩ 꿀팁 평당 공사비에 따른 조합원 건축원가표 · 202

일반분양 기여 금액 산출하기 · 203

재건축 분석에 필수! 필요 대지지분표 활용하기 · 208

₩ 꿀팁 용적률, 어디까지 알고 있니 · 213

이제 분담금을 구해보자 · 216

₩ 꿀팁 한 방에 정리하는 분담금 산출 엑셀 시트 · 222

Chapter 5.
유망 지역 미리 찾아내는 '세대당 평균 대지지분'
– 분당 재건축 유망 단지를 중심으로 –

'용적률의 함정'에 빠지지 말자 · 228

세대당 평균 대지지분이란 무엇일까 · 236

사업성 좋은 지역을 미리 찾아내는 법 · 241

₩ 꿀팁 일반분양 물량을 볼 수 있는 곳 · 247

사업 시작 전의 분석은 어떻게 해야 할까 · 252

기준이 될 사업장부터 분석해보자 · 256

나의 상황에 맞게 조정하여 분담금 예측하기 · 263

사업성 좋은 지역을 선점하라 · 270

₩ 꿀팁 분당구 아파트의 세대당 평균 대지지분 비교표 · 272

Chapter 6.
남들보다 한 발 빠르게! 재건축 예상 단지 분석하기
– 목동 재건축 유망 단지를 중심으로 –

좋아질 지역은 미리미리 분석해둬야 한다 · 280

₩ 꿀팁 실거주와 재건축 투자의 두 마리 토끼 잡기 · 284

세대당 평균 대지지분으로 개략적 사업성 판단하기 · 285
타 사업장을 참고하여 분담금을 예측할 수 있다 · 290
일반분양가가 변하면 사업성은 어떻게 될까 · 297
공사비가 변하면 사업성은 어떻게 될까 · 399
기부채납비율이 변하면 사업성은 어떻게 될까 · 301
용적률이 변하면 사업성은 어떻게 될까 · 304
₩ 꿀팁 목동신시가지아파트 단지별 대지지분표 · 310

Chapter 7.
도전! 재개발 사업성 분석
– 경기도 C구역·D구역, 서울시 E구역 재개발 실제 사례를 중심으로 –
재건축 공식이 재개발에 통하지 않는 이유 · 318
조합 설립 단계에서의 분석 · 324
한 발 빠르게 감정평가액 예측해보기 · 330
₩ 꿀팁 감정평가액은 왜 시세보다 낮은 경우가 많을까 · 336
감정평가액 확정 단계에서의 분석 · 338
관리처분계획 단계에서의 분석 · 344
일반분양가의 변수 고려하기 · 351
₩ 꿀팁 비례율 상승이 기대되면 큰 물건 투자가 유리하다 · 355

Chapter 8.
틀을 깨는 투자가 필요하다
아직 투자하기에 늦지 않았을지도 모른다 · 362
또 하나의 투자 전략 '이주수요를 잡아라' · 364
'원 플러스 원' 투자에 주목하자 · 369

마치며_ 노하우는 있어도 왕도는 없다 · **375**

특별부록

01. 용적률 별 필요 대지지분표 · **380**

02. 평당 공사비에 따른 조합원 건축원가표 · **381**

03. 일반분양가에 따른 대지지분 1평당 일반분양 수익표 · **382**

04. 서울시 아파트 주요 단지 용적률표 · **383**

재건축 · 재개발 투자,
그거 어렵지 않나요?

01

미리보기

이번 챕터에서는 재건축·재개발 투자에 대한 총론을 이야기합니다. 재건축·재개발 투자에 대한 막연한 불안감은 어디에서 비롯된 것인지, 그것은 과연 근거가 있는지를 객관적으로 생각해보고 재건축·재개발 투자의 장점과 단점을 살펴봅니다.

또한 재건축과 재개발의 차이는 무엇이며, 재건축·재개발 투자는 어떤 식으로 수익을 내는지에 대해 큰 그림을 그려줍니다. 이러한 내용을 머릿속에 잘 새겨둔다면 앞으로 등장할 사업성 분석 이론도 쉽게 받아들일 수 있습니다.

특히 초보 투자자들이 저지르기 쉬운 실수에 대해 짚어봅니다. 이 장에서 이야기하는 두 가지 고려사항을 잘 숙지한다면 재건축·재개발 투자에서 실패하는 일은 없을 것입니다.

주요 개념 정리

조합원 : 재건축 조합 또는 재개발 조합의 구성원. 가지고 있는 부동산을 재건축·재개발 사업에 내놓는 대신 새로 지어질 아파트를 저렴한 가격에 분양받을 권리를 얻게 된다.

조합원분양과 일반분양 : 재건축·재개발 사업의 조합원에게는 새로 지어질 아파트를 원가 수준으로 싸게 분양해 주는데 이것이 조합원분양이다. 조합원분양을 하고 남은 아파트는 일반분양을 하게 된다. 흔히 조합원분양가는 일반분양가에 비해 10~20% 정도 저렴하다.

감정평가액 : 조합원이 가지고 있는 부동산의 가격을 객관적인 금액으로 평가한 것. 정해진 방법과 절차에 따라 감정평가사가 평가한다.

P(프리미엄) : 조합원의 물건을 매입할 때 그 물건의 감정평가액에 얹어주는 웃돈. 사업성과 입지가 좋은 지역일수록 P도 많이 붙는다.

기부채납 : 재건축·재개발 사업을 진행할 때 도로, 녹지, 공공시설물 등의 정비기반시설을 만들기 위해 지자체에 기부하는 땅.

왜 진짜 부자들은 재건축·재개발에 투자할까

저는 2006년에 처음으로 내 집 마련을 했습니다. 첫 번째 '마이홈'은 성남에 있는 오래된 빌라였습니다. 이 빌라를 매수하게 된 결정적 계기는 아내의 회사 동료들이 추천했기 때문이었지요. 당시 아내의 동료들 중에는 재건축·재개발에 관심을 갖고 투자를 하는 사람들이 많았는데 제 아내에게 성남 재개발 빌라에 투자해 보라고 권유했습니다. 그때의 우리 부부는 재개발이 뭔지도 잘 몰랐지만, 어쨌든 내 집이 있다는 것은 좋은 일 아니냐며 겁도 없이 빌라를 매수하게 되었고 이사까지 하게 된 것입니다.

다른 투자와 비교되지 않는 높은 수익률

그때 매입한 빌라 가격은 1억7,000만 원이었고, 대출을 뺀 실투자금은 5,000만 원이었습니다. 운 좋게도 우리가 매수한 빌라는 정말로 재개발이 이뤄지게 됐습니다. 당시 저희가 분양 신청한 25평형(전용면적 59㎡) 아파트의 조합원 분양가는 3억2,000만 원이었습니다. 결과부터 말씀드리자면 우리는 분담금 5,600만 원을 내고 새 아파트를 분양받게 되었습니다.

이 아파트의 일반분양 예정가는 4억 원이었는데, 빌라 매입가 1억7,000만 원과 분담금 5,600만 원을 합한 총 2억2,600만 원의 금액으로 25평형 신축 아파트를 분양받게 된 것입니다. 이미 분양받을 때부터 1억7,000만 원을 벌고 시작한 셈입니다. 실투자금이 5,000만 원이었으니 총수익률은 약 340% 정도라 할 수 있습니다. 이후 이 아파트는 일반분양이 이뤄진 후에도 가격이 계속 상승해서 수익률이 점점 오르는 기쁨을 안겨주었습니다.

요즘 인기가 하늘을 찌른다는 수익형 부동산은 수익률이 대략 연 5%를 넘으면 '괜찮은 수준'이라고 합니다. 레버리지를 최대한 활용해도 연 20% 정도면 훌륭하다고 말하지요. 물론 이것은 매매차익이 아닌 임대수익을 기준으로 한 것이고, 매매차익으로 치면 실투자금 대비 100%는 넘어야 괜찮은 투자라고들 하지요.

반면 저의 첫 재개발 투자의 수익률은 최소 340%입니다. '괜찮은 수익률'에 대해 절대적인 기준이 있는 것은 아니지만, 적어도 왜 사람들이 그렇게 재건축이나 재개발 투자를 선호하는지 알 만한 수치입니다. 제대로 알지도 못하고 덜컥 시작한 투자지만 '이래서 사람들이 재개발에 투자하라고 하는구나'라는 생각이 들었습니다.

이 물건이 유난히 기억에 남는 이유는 처음 투자하는 재개발 물건이었기 때문이기도 하지만, 그보다는 재개발의 과정을 생생하게 몸으로 겪을 수 있는 소중한 기회였기 때문입니다. 이 집으로 이사를 하면서 저는 재개발조합사무실에서 4개월간 일을 하기도 했습니다. 엄청 긴 시간은 아니었지만 이론으로만 배우는 것과 경험으로 배우는 것은 그 깊이의 차이가 엄청납니다. 짧은 시간 동안 많은 것을 배웠고 그때의 경험은 지금까지도 아주 유용하게 활용하고 있습니다.

이후 다양한 부동산 투자에 눈을 뜨게 되었고 공인중개사로까지 활동하게 되었지만, 지금도 가장 관심 있는 분야는 역시 재건축·재개발 투자입니다. 다른 부동산 투자와 비교했을 때 압도적으로 높은 수익률을 자랑하기 때문입니다.

모든 재건축·재개발이 오래 걸리는 건 아니다

2016년 초, 저는 재개발이 진행되고 있는 경기도의 빌라 하나를 매수했습니다. 이 지역은 오랫동안 사업이 지지부진하게 진행되다가 최근 부동산 시장의 호황기를 맞아 사업 속도에 탄력이 붙고 있었습니다.

빌라의 매입가는 1억2,000만 원이었는데, 문제는 세입자의 전세금이 3,500만 원밖에 되지 않는다는 것이었습니다. 오래 전에 전세를 계약한 후 전세금을 올리지도 않은 채 오랫동안 살고 계신 세입자였습니다. 매입가 1억2,000만 원에 전세금이 3,500만 원이면 실투자금은 8,500만 원이므로 결코 적은 돈이 아닙니다. 만약 후순위대출을 받는다면 투자금을 더 줄일 수 있을 것이라 생각됐지만 따로 대출을 받지는 않았습니다. 진행속도를 보았을 때 1년만 있으면 이주비가 나올 것으로 보였기 때문입니다.

아직 감정평가액이 나오지 않은 상황이었지만, 저는 이 빌라의 감정평가액을 8,000만 원에서 9,000만 원 사이로 예상했습니다. 그 이유는 이 구역에 인접한 다른 지역을 조사해보니 면적과 연식이 비슷한 물건이 대략 1억 원 정도에 거래되고 있었고 전세가는 7,000만 원 정도였기 때문입니다. 그래서 그 중간 정도에서 감정평가액이 결정될 것이라고 예상했던 것입니다. 감정평가액을 예상하는 방법에 대해서는 뒤에서 자세히 설명하도록 하겠습니다.

이 물건은 실제 2017년 1월에 감정평가액이 8,500만 원으로 평가되었다는 통보를 받았습니다. 매입가가 1억2,000만 원이었으므로 저는 이 물건에 P(프리미엄)를 3,500만 원 주고 산 셈이 됩니다. 그리고 바로 다음달, 저는 25평형 아파트에 조합원분양 신청을 했습니다. 25평형의 조합원분양가는 2억9,100만 원으로 책정되었기 때문에 제가 지불한 3,500만 원의 P를 더하면 저는 25평형 아파트를 3억2,600만 원 주고 산 셈이 됩니다.

현재 인근 지역 신축 4년차 아파트의 전세 시세는 3억7,000만 원, 매매가는 4억5,000만 원 수준입니다. 이 아파트를 분양받아 전세를 놓아도 이미 투자금이 모두 회수되고, 매매를 한다면 최소 1억2,000만 원 이상의 투자 수익이 가능할 것이라고 예상합니다. 투자금이 8,500만 원이었다는 것을 감안하면 예상 수익률은 140%를 넘는데, 만약 제가 후순위대출을 이용해서 투자금을 줄였다면 수익률은 약 220% 정도로 높아졌을 것입니다.

이 물건은 비교적 늦은 단계에 사업성이 거의 확정된 것을 보고 투자를 시작한 케이스입니다. 그만큼 수익률은 상대적으로 낮아졌지만, 대신 투자한 지 1년 만에 조합원분양을 신청하고 이주비를 받을 만큼 진행속도가 빠릅니다. 흔히 재개발 투자는 시간이 오래 걸린다고 생각하지만 타이밍을 잘 선택하면 1~2년 안에 결론을 낼 수 있다는 것을 기억하시기 바랍니다.

재개발도 무피투자가 가능하다

한 가지 사례를 더 보여드리겠습니다. 이번에는 재개발 구역 내에 위치한 빌라를 경매로 매입하게 된 경우입니다. 평소에 관심 있게 지켜보던 재개발 구역이 있었는데, 이미 P가 많이 붙어있는 상태라서 투자를 하기가 망설여지던 차에 빌라 하나가 경매에 나온 것을 보게 되었습니다.

이 물건을 보자마자 무조건 낙찰받아야겠다고 생각했습니다. 그 이유는 이미 이 구역의 재개발 사업성이 얼마나 좋은지 알고 있었기 때문입니다. 2015년도에 이 사업장에서 시공사를 선정할 때쯤 조합에서 배포하는 안내책자를 본 적이 있습니다. 저는 그 자료를 제 나름의 공식을 활용하여 분석했기 때문에 개략적인 사업성을 알고 있었습니다.

이 빌라에는 전세보증금 4,500만 원의 세입자가 살고 있었는데 세입자의 전입일자보다 은행의 근저당권이 먼저 설정되어 있었습니다. 경매 감정평가액은 1억1,500만 원이었지만 은행 근저당권 액수가 커서 그 금액에 낙찰이 된다고 해도 세입자는 보증금을 1,000만 원 정도밖에 돌려받지 못하는 상황이었습니다. 어쩌면 세입자가 자신의 보증금을 최대한 회수하기 위해서 직접 입찰을 할 수도 있는 상황이었습니다.

저는 이미 감정평가액보다 높은 금액인 1억2,000만 원에 입찰하려고 마음먹고 있었습니다. 이 구역의 사업성을 생각하면 앞으로 계속 P가 붙을 것이므로 결코 비싼 가격이 아니었고, 매물도 잘 나오지 않는 상황이었기 때문입니다. 게다가 세입자가 직접 입찰을 할 것이라는 생각에 공격적인 입찰을 했습니다.

결과는 단독낙찰이었습니다. 제가 세입자를 너무 과대평가했던 것입니다. 속이 살짝 쓰리긴 했지만, 후회하지는 않았습니다. 이 물건의 당시 시세는 1억3,000만 원이었으므로 1,000만 원 싼 가격에 산 것입니다.

게다가 일반매매로 샀을 때보다 경매로 낙찰받을 경우에는 투자금이 훨씬 적게 들어갑니다. 그 이유는 대출 때문입니다. 이 물건의 경우 경락잔금대출로 1억 원을 받았습니다. 그래서 투자금은 2,000만 원밖에 들어가지 않았습니다. 흔히 경매의 장점은 싸게 살 수 있다는 것이라고 생각하지만, 제가 생각하는 경매의 최고의 장점은 대출이 잘 나오는 것이라고 생각합니다.

명도를 끝내고 새로운 임차인을 들였는데 보증금 2,000만 원에 월세 25만 원에 계약을 했습니다. 투자금이 0원이 되는 이른바 '무피투자'가 된 것입니다. 물론 소유권 이전할 때에 들어간 취득세와 등기비용 약 300만 원은 지출이 되었습니다. 대출이자 역시 한 달에 약 35만 원 정도 지출되지만, 월세 25만 원으로 충당하면 저의 실제 지출은 월 10만 원씩입니다. 그렇다고 해도

500만 원이 채 되지 않는 돈으로 재개발 투자를 한 셈이 됩니다.

이 물건의 감정평가 예상액은 1억1,000만 원에서 1억2,000만 원 정도인데, 조합원분양가는 25평형의 경우 2억8,000만 원 정도로 예상합니다. 주변 아파트의 시세를 보면 입주한지 10년 된 25평형 아파트의 시세가 3억6,000만~3억7,000만 원 정도 되기 때문에 일반분양 시세를 아주 보수적으로 잡더라도 3억7,000만 원 이상일 것으로 예상합니다. 그렇다면 투자 수익은 최소 9,000만 원 이상이라고 예상할 수 있습니다.

9,000만 원이라는 수익이 얼마 안 되어 보인다고 생각할 수도 있지만, 실제 들어간 돈이 500만 원도 안 된다는 것을 생각하면 1800%가 넘는 대단한 수익률입니다. 재개발 투자는 돈이 많이 들어가서 안 될 거라고 생각하셨던 분들이 있다면 이 사례를 참고해 보시기 바랍니다.

재건축·재개발은 투자의 퀀텀 점프다

'퀀텀 점프(Quantum Jump)'라는 말을 들어보셨나요? 흔히 '차원이 다른 점프'라는 뜻으로 사용되지만, 본래는 양자물리학 용어입니다. 전자가 낮은 궤도에서 에너지를 쌓아 나가다가 어느 순간 높은 궤도로 점프하듯 자리를 바꾸는 현상을 말하지요. 에너지를 점점 축적하고 있지만 그것은 눈에 잘 보이지 않다가 어느 순간 폭발적 힘을 발휘하며 순식간에 단계가 뛰어오릅니다.

저는 재건축·재개발 투자야말로 부동산 투자의 퀀텀 점프라고 생각합니다. 앞서 사례들에서 살펴보았듯이 재건축·재개발 투자에 성공했을 때 얻게 되는 수익은 상당합니다. 소액으로 시작한 투자자라면 투자금 규모가 획기적으로 늘어나면서 투자의 일대 전환기를 맞이할 수 있습니다. 투자금이 1,000만 원일 때와 1억 원일 때의 차이가 얼마나 큰지는 투자자라면 누구나 알고 있을 것입니다.

실제로 오랜 시간 부동산 투자를 하면서 훌륭한 성과를 내고 있는 '진짜 부자들'을 만나 보면 대부분은 재건축 또는 재개발로 큰돈을 번 경험을 한두 번씩 가지고 있습니다. 그리고 그 이후부터 투자 규모가 획기적으로 달라졌다는 이야기도 종종 듣게 됩니다. 진짜 부자들이 왜 재건축·재개발에 투자하는지 이제 그 이유를 아셨을 것입니다. 아니, 정확히 말하면 재건축·재개발 투자를 잘하는 사람이 진짜 부자가 된다는 것이 맞을 것입니다.

재건축·재개발 투자에 대한 오해와 진실

재건축·재개발에 관심을 갖는 투자자는 많습니다. 하지만 적극적으로 뛰어드는 사람은 생각보다 적습니다. 그 이유는 첫째로 '묶일까 봐', 즉 오랜 시간 동안 사업이 진행되지 않을 수도 있다는 불안감 때문입니다. 사업 진행이 늦어지면 투자금 회수가 늦어지고, 그 기간 동안 다른 곳에 투자할 기회까지 날릴 수 있습니다.

두 번째 이유는 '손해 볼까 봐', 즉 얼마가 들어가서 얼마가 남을지 추산하는 것이 상대적으로 어렵기 때문입니다. 재건축·재개발의 투자금을 산정할 때에는 P(프리미엄)뿐 아니라 나중에 조합원으로서 내야 할 분담금까지 고려해야 합니다. 그러나 아직 사업이 초기단계일 경우에는 분담금이 얼마인지 알기가 어려우므로 불안한 것입니다.

세 번째 이유는 '투자금이 많이 들까봐'입니다. 재건축·재개발이 진행 중인 물건은 P가 붙은 가격으로 시장에 나오기 때문에 일반 물건보다 가격이 비쌉니다. 반면 전세 가격은 건물이 노후되어서 낮게 형성되기 때문에 전세가와 매매가의 차이(gap)가 큽니다. 그만큼 투자금이 많이 들어가는 것입니다.

그렇다면 재건축·재개발에 투자하는 사람들은 모두 이러한 리스크를 감수해야만 하는 것일까요? 수많은 경험을 통해, 이러한 리스크는 어느 정도 예측할 수 있다는 것을 말씀드리고 싶습니다. 그 방법을 구체적으로 다룬 것이 바로 이 책입니다.

묶이지 않는 투자

재건축·재개발 투자는 돈이 오래 묶인다는 인식은 과거 개발 붐이 일던 시절 '묻지마 투자'를 하던 사람들 때문에 생겨난 것입니다. 당시에는 재건축·재개발이 어떤 과정을 통해 진행되는지도 모른 채 이 구역이 재개발 구역으로 지정되었다는 소문만 들려오면 덜컥 사버리는 사람들이 많았습니다.

그러나 재건축·재개발 사업은 구역 지정부터 실제 건축하고 분양하고 입주하기까지 아무리 빨라도 10년 이상은 걸립니다. 곧 새 아파트가 들어서는 줄 알고 덜컥 사버린 사람들은 기다리는 시간 동안 당연히 볼멘소리를 할 수밖에 없을 것입니다. 하물며 중간에 사업이 무산되는 경우에는 오죽할까요.

재건축·재개발 투자의 진행 과정을 알아두면 이러한 일은 일어나지 않을 것입니다. 뒷부분에서 자세하게 다루겠지만, 재건축·재개발 사업은 정해진 단계를 거쳐 진행되고, 각 단계를 거칠수록 P가 붙으면서 물건의 가격이 조금씩 상승하게 됩니다. 초반에 매수하면 투자금은 적게 들겠지만 오랜 시간 묶여있을 것을 감안해야 하고, 후반에 매수하면 묶이는 시간은 줄어드는 대신 투자금이 많이 들어갈 것입니다.

사업이 무산되지 않을 정도의 단계, 어느 정도 분양이 가시화된 단계에서 매수하면 투자금이 묶이는 것을 막을 수 있습니다. 큰 욕심을 부리지 않는다면 초반에 매수해서 몇 단계 후에 P를 받고 매도하는 것도 좋은 전략입니다.

손해 보지 않는 투자

재건축·재개발 투자는 새 아파트를 분양가보다도 싼 조합원분양가로 분양 받음으로써 이익을 극대화하는 투자입니다. 조합원분양을 받기 위해서는 조합원이 되어야 하므로, 기존 조합원의 집을 매수해서 자격을 얻는 것입니다.

이때 고려해야 할 것은 먼저 P입니다. 관심 매물의 실제 가치, 즉 감정평가액에 얹어주는 웃돈입니다. P는 조합원 자격을 얻기 위한 값이라고 보면 됩니다.

뿐만 아니라 조합원분담금도 고려해야 합니다. 조합원분양가에는 건축비와 기타사업비가 포함되므로 기존에 가지고 있는 주택의 값보다는 분명 비쌀 것입니다. 그 차액만큼은 조합원이 직접 부담해야 합니다.

그런데 아직도 재건축·재개발이 진행된다고 하면 그냥 '내 집을 내놓으면 새 집으로 바꿔준다'는 식으로 생각하는 분들이 계십니다. 특히 나이가 지긋하시면서 부동산 투자에 별로 관심이 없는 어르신들은 그런 경우가 많습니다. 이런 분들은 나중에 분담금을 내야 한다는 사실에 충격을 받고 사업 자체를 반대하는 경우도 생깁니다.

투자를 하기 전에 감정평가액이 얼마나 나올지, 분담금은 대략 얼마나 될지를 가늠해보지 않으면 배보다 배꼽이 커지면서 손해를 보는 경우가 분명히 생깁니다. 재건축·재개발 투자를 해놓고 손해를 봤다면 바로 이런 경우일 것입니다.

물론 사업 초기에는 감정평가액이 얼마인지도 정확히 알 수 없고 분담금은 더더욱 추산하기가 어렵습니다. 그러나 방법이 없는 것은 아닙니다. 그 요령은 이 책을 통해 하나씩 배우실 수 있습니다.

투자금이 많이 들지 않는 투자

투자금이 많이 들어가는 것을 좋아하는 투자자는 없습니다. 가능하면 전세보증금이나 대출 등을 이용해서 내 투자금을 최소화하려고 하지요. 그러나 재건축·재개발은 상대적으로 투자금이 많이 들어가는 투자입니다. 이유는 앞서 말씀드렸듯이 감정평가액에 P가 붙기 때문입니다.

재개발이 추진되기 전에 매매가가 1억 원, 전세가가 7,000만 원인 빌라가 있다고 합시다. 재개발이 시작되면 이 빌라를 매입하려는 사람들이 P를 얹어주기 시작할 것이고 단계가 진행될수록 1억1,000만 원, 1억2,000만 원, 1억3,000만 원 하는 식으로 매매가는 오를 것입니다. 반면 전세가는 7,000만 원보다 높아질 가능성이 없습니다. 전세 세입자는 살던 집이 재건축·재개발 된다고 해서 좋을 것이 없고, 오히려 중간에 이사를 나가야 할 수도 있으므로 비싼 가격에 들어오려 하지 않습니다. 그래서 전세보증금과 매매가 사이에 갭(gap)이 커지면서 투자금이 많이 들게 됩니다.

대출도 생각보다 많이 나오지 않습니다. 대출금액을 평가할 때에는 감정평가액을 기준으로 하는데, 여기에 P는 많이 인정해주지 않기 때문입니다. 이처럼 P가 많이 붙을수록 투자금은 커지게 됩니다. 그렇다면 투자금을 줄일 수 있는 방법은 없을까요?

첫째는 아직 P가 붙지 않은 초창기에 매입을 해놓고 기다리는 것입니다. 이것은 재건축·재개발 사업이 완료되기까지 오랜 시간 기다려야 한다는 것이 단점이지만, 앞서 말했던 것처럼 끝까지 가져가지 않고 중간에 적당한 수익을 얻고 빠져나오는 것도 방법입니다.

둘째는 재건축보다 재개발 물건을 노리는 것입니다. 재건축 아파트의 경우 실제 재건축 사업이 진행되기도 전에 기대감 때문에 단기간에 급등하는 경향이 있습니다. 2016년도 강남권 재건축 아파트들의 경우는 1년 사이에 몇 억 원씩 급등을 했습니다. 한 번 급등한 아파트는 바로 급락하는 경우가 거의 없고, 약간의 조정기를 거치다가 재건축 사업이 본격적으로 진행되면 더 오르는 경향이 있습니다. 초기에 진입해도 투자금이 꽤 들어가는 것입니다.

재개발의 경우는 재건축에 대해 이해관계가 복잡하기 때문에 사업이 시작되었다 해도 중단되거나 기간이 길어지는 경우가 많이 있습니다. 이를 알고 있는 투자자들도 조심스럽게 접근하기 때문에 사업 초반에 가격이 급등하는 경우는 거의 없습니다.

반면 사업이 가시화되면 한 단계씩 사업이 진행되면서 계단식으로 상승하게 됩니다. 그래서 투자금에 여유가 있는 투자자들은 재건축 아파트를, 투자금이 적은 투자자들은 재개발 빌라를 선호합니다.

셋째는 경매를 통해 접근하는 것입니다. 경매 물건의 감정평가에는 현 시세도 어느 정도 반영되지만, 기본적으로 매각기일보다 몇 개월 전에 감정평가된 가격이기 때문에 상대적으로 쌉니다. 또한 경매로 낙찰받은 물건에 대해서는 비교적 대출이 잘 나오기 때문에 투자금을 줄이는 데에 도움이 됩니다.

'묻지마 투자'는 절대 금물

재건축·재개발 투자에 대한 오해는 이처럼 잘 모르는 상태에서 투자를 한 사람들이 많았기 때문에 빚어졌다고 생각합니다. 과거에는 요즘처럼 부동산에 대한 정보를 쉽고 빠르게 얻기가 어려웠으니 어쩔 수 없었을지 모릅니다. 그저 이웃사람의 말만 듣고, 혹은 중개사무소 소장님의 말만 듣고 투자를 결정했던 경우가 많았으니 말입니다.

하지만 요즘에는 재건축·재개발 사업에 대한 정보가 많이 공개되어 있고 그것을 분석해주는 전문가도 많아졌습니다. 투자를 결정하기 전에 충분히 리스크를 점검할 수 있는 시대입니다. 투자할 때 이런 리스크를 제대로 점검하지 않아서 손해를 봐놓고 무작정 "재개발이나 재건축은 위험해"라며 손사래를 치는 것은 옳지 않다고 봅니다.

물론 이러한 오해들도 전혀 근거 없이 만들어진 것은 아니라고 생각합니다. 그만큼 재건축·재개발 투자의 사업성 분석이 쉽지 않다는 뜻이겠지요. 그러나 앞으로 이 책에서 알려드릴 내용만 제대로 공부한다면 이러한 리스크를 최소화하거나 완전히 피해가는 것도 가능합니다.

다양한 공식과 도표가 나오므로 처음 접하는 독자들에게는 다소 어렵게 느껴질 수도 있습니다. 하지만 한두 푼도 아니고 소중한 내 돈을 투자하는데 어느 정도의 노력은 필요하지 않을까 생각해봅니다. 일단 한 번만 제대로 익혀두면 어떤 재건축·재개발 사업장에서도 활용이 가능하므로 평생 실패하지 않는 투자가 가능합니다. 그런 면에서 본다면 이 책을 읽는 시간이 절대 아깝지 않을 거라 확신합니다.

재건축 vs 재개발, 무엇이 다를까

재건축·재개발 투자를 하다 보면 아주 기본적인 사항조차 숙지하지 않은 채 여기가 개발된다는 이야기만 듣고 투자하려는 분들을 꽤 자주 만납니다. 이런 분들 중에는 심지어 재건축과 재개발의 차이조차 잘 모르는 분들이 많습니다. 단순히 '재건축은 아파트, 재개발은 빌라나 단독주택'이라고만 생각하는 분들도 계시지요.

그러나 재건축과 재개발은 분명히 다른 사업입니다. 재건축 투자냐, 재개발 투자냐에 따라 투자금 규모가 달라지고 전략이 달라집니다. 두 가지는 어떠한 차이점이 있을까요?

정비기반시설 괜찮은 곳은 재건축

먼저 재건축의 정확한 의미를 알아봅시다. 법에서 말하는 '주택재건축사업'의 정의는 다음과 같습니다.

주택재건축사업

정비기반시설은 양호하나 노후·불량 건축물이 밀집한 지역에서 주거환경을 개선하기 위하여 시행하는 사업.

여기에서 주목할 부분은 '정비기반시설은 양호'라는 대목입니다. 정비기반시설이라는 것은 도시생활에 편리함을 제공해주는 도로나 주차장 등의 교통시설, 광장이나 공원 등의 녹지, 학교나 문화체육시설, 공동구(전기, 가스, 통신시설 등 지하매설물을 공동수용할 수 있는 지하시설) 등 생활의 편의를 위한 다양한 시설을 말합니다.

다시 말하자면 재건축 사업은 꼭 공동주택, 즉 아파트 단지만을 대상으로 하는 것은 아닙니다. 다만 정비기반시설이 대체로 잘 갖춰져 있는데 단지 건물만 노후된 경우가 주로 아파트 단지에 많기 때문에 그런 것입니다.

재건축이 진행되는 지역의 예시

단독주택 재건축이 진행되는 지역의 예시

재건축에는 공동주택 재건축 외에 단독주택 재건축 사업도 있습니다. 현재 진행 중인 대표적인 단독주택 재건축 사업지는 서울시 서초구 방배동입니다. 7호선 내방역과 이수역 사이에 위치한 곳으로, 비교적 큰 규모의 단독주택과 빌라들이 모여 있습니다. 주변 환경을 둘러보면 도로폭도 넓고, 공원도 일부 조성되어 있어 비교적 환경이 쾌적한데 다만 주택들이 노후되어 있다는 것을 알 수 있습니다. 단독주택 재건축에 적합한 조건인 것이지요.

참고로, 2015년부터 재건축 가능 연한이 40년에서 30년으로 단축되었습니다. 지은 지 30년 된 아파트는 재건축이 가능하게 된 것이지요. 이에 따라 기존에 재건축 대상이 되지 못했던 많은 지역들이 재건축 대상에 포함되었습니다. 그러나 30년이 넘었다고 해서 반드시 재건축이 이루어지는 것은 아닙니다. 진행 단계별로 넘어야할 산들이 많이 있습니다.

정비기반시설 자체가 열악한 곳은 재개발

이번에는 재개발에 대해 알아봅시다. 법에서 말하는 '주택재개발사업'의 정의는 다음과 같습니다.

주택재개발사업

정비기반시설이 열악하고 노후·불량 건축물이 밀집한 지역에서 주거환경을 개선하기 위하여 시행하는 사업.

앞서 살펴본 재건축의 정의와 비교했을 때 재개발의 가장 큰 차이는 '정비기반시설이 열악'한 지역에서 이뤄진다는 점입니다. 즉 건물만 노후한 것이 문제가 아니라 정비기반시설이 열악해서 살기 불편한 지역이 바로 재개발 대상이 됩니다.

어떤 지역이 재개발 구역으로 지정되는지 「서울시 도시 및 주거환경 정비조례」를 기준으로 구체적 요건을 살펴봅시다. 우선 전체 면적이 1만㎡(1ha) 이상이 되어야 합니다. 단, 서울시 도시계획위원회가 심의하여 인정하는 경우에는 5,000㎡ 이상인 경우도 가능합니다. 그리고 아래 표의 선택항목 네 가지 요건 중 한 가지 이상에 해당되어야 재개발 구역으로 지정될 수 있습니다.

법적인 요건은 이와 같지만, 쉽게 생각하면 건축물이 전반적으로 노후해서 위험하고, 집과 집 사이의 길이 너무 좁아서 소방차나 응급차가 지나다니기도 어렵고, 침수 같은 재해가 자주 발생해서 살기 어려운 지역이 재개발 대상이 된다고 볼 수 있습니다. 요컨대 생활하기 불편한 지역이 있다면 재개발 대상이 될 수 있으므로 눈여겨보시기 바랍니다.

재개발 구역 지정 요건의 선택항목

구분		정비구역 지정 기준 「도시 및 주거환경 정비법」 및 「서울시 조례」 기준	지정요건
필수 항목	구역면적	사업면적 10,000㎡ 이상	필수항목 + 선택항목 1개 이상
	노후도	동수의 2/3 이상	
선택 항목	호수밀도*	60호/ha* 이상	
	과소필지	과소필지율 40% 이상	
	주택접도율*	40% 이하 (조건부 50% 이하)	
	노후도	연면적의 2/3 이상 (조례로 10%까지 완화 가능)	

* 1ha(헥타르) = 10,000㎡
* 호수밀도 = (구역 내 주택 호수 / 구역 내 토지 면적) × 100
* 주택접도율 = (전체 건축물 수 / 폭 4m 이상 도로에 접하는 건축물 수) × 100
* 과소필지 = 건축대지로서 효용을 다할 수 없는 작은 토지. 서울시의 경우 대지면적 90㎡ 미만.

재개발 구역으로 지정된 지역의 예시

서울시 도시 및 주거환경 정비조례

제4조(정비계획 수립대상 정비구역 지정 요건) ① 영 제10조제1항 관련 별표 1 제6호에서 위임된 정비계획 수립대상에 대한 정비구역 지정 요건은 다음 각 호와 같다 〈개정 2012.1.5, 2012.12.31〉

1. 주거환경개선구역은 호수밀도가 80 이상인 지역으로서 다음 각 목의 어느 하나에 해당하는 지역
   가. 노후·불량건축물의 수가 대상구역안의 건축물 총수의 60퍼센트 이상인 지역
   나. 주택접도율 20퍼센트 이하인 지역
   다. 구역의 전체 필지 중 과소필지가 50퍼센트 이상인 지역
   라. 삭제 〈2010.7.15〉
2. 주택재개발구역은 면적이 1만제곱미터(법 제4조제4항에 따라 서울특별시 도시계획위원회가 심의하여 인정하는 경우에는 5천제곱미터) 이상으로서 다음 각 목의 어느 하나에 해당하는 지역
   가. 구역의 전체 필지 중 과소필지가 40퍼센트 이상인 지역
   나. 주택접도율이 40퍼센트 이하인 지역(단, 법 제3조제6항에 따라 이 조례 시행 전에 고시된 2010 도시·주거환경정비기본계획상 주택재개발예정구역인 경우에는 50퍼센트 이하인 지역으로 한다)
   다. 호수밀도가 60 이상인 지역

② 제1항에 불구하고, 영 제10조제1항 관련 별표 1 제6호 후단에 따라 서울특별시 도시계획위원회의 심의를 통해 부지의 정형화, 효율적인 기반시설의 확보 등을 위하여 필요하다고 인정되는 경우 정비구역 면적의 100분의 110이하의 범위까지 정비구역을 확장하여 지정할 수 있다. 〈개정 2010.3.2, 2012.12.31〉

③ 삭제 〈2015.1.2〉

④ 영 제10조제1항 관련 별표 1 제3호 라목에서 "시·도 조례로 정하는 면적"이란 1만제곱미터 이상을 말한다. 다만, 기존의 개별 주택단지가 1만제곱미터 이상인 경우에는 서울특별시 도시계획위원회 심의를 거쳐 부지의 정형화, 효율적인 기반시설 확보 등을 위하여 필요하다고 인정하는 경우에 한한다. 〈신설 2012.7.30, 2015.1.2〉

⑤ 영 제10조제1항 관련 별표 1 제4호 마목에 따른 역세권 도시환경정비구역은 다음 각 호에 해당하는 지역에 수립한다. 〈신설 2015.1.2〉

1. 역세권은 철도역 중심(각각의 승강장의 중심점)으로부터 반경 500m 이내의 역세권 지역 중 「국토의 계획 및 이용에 관한 법률」 제2조제2호에 따른 도시기본계획의 중심지체계상 지구중심 이하에 해당하는 지역을 말한다.
2. 제1호에도 불구하고 다음 각 목의 어느 하나에 해당하는 지역은 제외한다. 다만, 시 도시계획위원회 심의를 거쳐 부득이 하다고 인정하는 경우에는 그러하지 아니하다.
   가. 전용주거지역·도시자연공원·근린공원·자연경관지구 및 최고고도지구(김포공항주변 최고고도지구는 제외한다)와 접한 지역
   나. 「경관법」 제7조에 따른 경관계획상 중점경관관리구역, 구릉지 및 한강축 경관형성기준 적용구역
3. 정비계획수립 후 용도지역의 노후도 기준은 다음 각 목과 같다.
   가. 준주거지역은 계획 부지 내 건축물 중 사용검사 후 20년이상 경과한 건축물이 전체 건축물수의 1/2 이상
   나. 제3종일반주거지역은 계획 부지 내 건축물중 사용검사 후 20년 이상 경과한 건축물이 전체 건축물수의 3분의 2 이상이거나, 2분의 1이상으로서 준공 후 15년 이상 경과한 다세대주택 및 다가구주택이 해당지역 건축물수의 10분의 3 이상

[전문개정 2009.7.30]

도시 및 주거환경 정비기본계획 vs 지구단위계획

재건축·재개발 사업은 거주민들이 원한다고 모두 이뤄지는 게 아니라 「도시기본계획」의 큰 틀 안에서 지자체의 정책에 따라 진행되는 것입니다. 따라서 재건축·재개발의 가장 첫 걸음은 바로 「도시기본계획」이라고 할 수 있습니다. 이것이 수립되면 그것을 기반으로 「도시관리계획」을 수립하게 되는데 여기에 「도시 및 주거환경 정비기본계획」과 「지구단위계획」이 포함됩니다.

도시 및 주거환경 정비기본계획

먼저 말씀드릴 것은 「도시 및 주거환경 정비기본계획(이하 정비기본계획)」입니다. 이것은 어떤 구역의 정비사업에 대해 지자체가 기본 방향과 목표 등을 제시해주는 종합계획입니다. 「정비기본계획」은 정비예정구역, 즉 아직 정비구역으로 지정되지는 않았지만 곧 지정될 예정인 구역을 앞으로 어떻게 바꿔나가면 좋을 것인지 기본 방향을 정해줍니다.

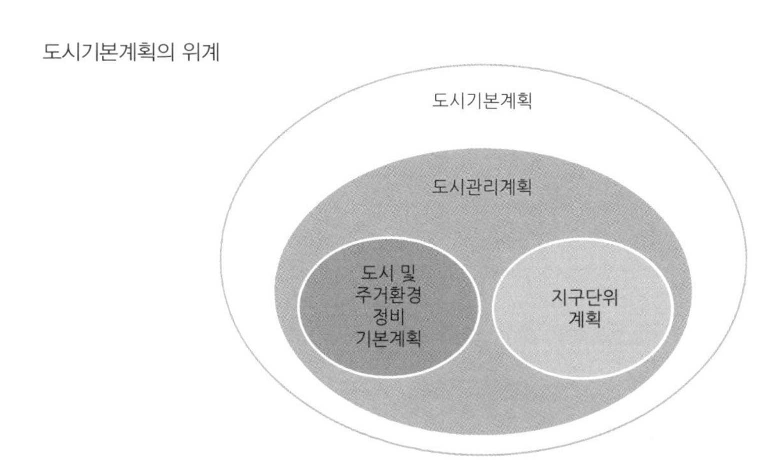

인구 50만 명 이상의 시에서는 10년 단위로 「정비기본계획」을 수립하고 5년마다 타당성 여부를 검토하여 그 결과를 다음 계획에 반영하도록 의무화되어 있습니다. 인구 50만 명 미만의 시 중에서도 도지사가 필요하다고 인정하는 경우 마찬가지로 「정비기본계획」 수립 대상이 됩니다.
이렇게 세워진 정비기본계획을 바탕으로 다시 「도시·주거환경 정비계획(이하 정비계획)」이 수립됩니다. 「정비계획」은 유형별 정비구역 지정 대상과 정비 방향을 구체적으로 설정하고 정비기반시설 기준, 개발밀도 기준, 정비 방법 등을 구체적으로 정해줍니다.

지구단위계획

「도시관리계획」을 수립하는 지역 가운데 일부 지역에 대해서는 「지구단위계획」이란 것을 수립합니다. 「지구단위계획」은 앞서 설명한 「정비기본계획」과 「정비계획」보다 더욱 구체적이고 세부적으로 세워지는 계획입니다. 「지구단위계획」은 건축을 할 때 용적률 및 건폐율뿐 아니라 건축한계선, 녹지 비율, 건축 허가 조건 등을 더욱 구체적으로 정해놓습니다. 특별히 합리적인 토지 이용이 필요하고, 기능을 증진시켜야 하며, 미관을 개선해야 할 이유가 있다고 판단되는 지역에 지정합니다.
최근 압구정동 재건축 사업을 「지구단위계획」으로 진행하겠다는 서울시 발표가 있었는데, 이에 대해 아파트 소유자들의 반발이 매우 심했습니다. 그 이유는 「지구단위계획」의 경우 쾌적한 환경을 만드는 것이 목적이다 보니 기부채납비율이 높아질 수밖에 없기 때문입니다. 기부채납이 많아지면 그만큼 아파트를 지을 부지가 줄어들기 때문에 수익성도 낮아질 수 있습니다. 그러나 역으로 생각하면, 일단 지어지고 난 후에는 아파트 단지의 주변 환경이 매우 뛰어나게 바뀐다는 것도 고려해야 합니다. 그만큼 입주 후 아파트의 가치가 높아질 수 있습니다. 따라서 「지구단위계획」으로 재건축을 진행하는 것이 꼭 조합원들에게 불리하다고만 볼 수는 없습니다.

재건축과 재개발의 사업성 차이

앞서 재건축 사업은 재개발과 달리 '정비기반시설이 양호'하다는 부분이 중요하다고 말씀드렸는데 이제 그 이유를 알아봅시다. 결론부터 말하면 정비기반시설이 양호하면 기부채납을 많이 하지 않아도 되지만, 정비기반시설이 열악하면 기부채납을 많이 해야 하기 때문입니다.

기부채납비율은 재건축이 더 적다

도로, 공원, 공용주차장, 비상시설 등의 정비기반시설이 대체로 잘 갖추어져 있다는 것은 재건축이나 재개발을 할 때 이런 시설들을 새롭게 만들지 않아도 된다는 뜻입니다. 반면에 정비기반시설이 열악하고 노후하다는 것은 재건축이나 재개발을 할 때 새로 만들어야 할 것들이 많다는 의미입니다. 만약 새롭게 만들어야 할 정비기반시설이 많다면 이러한 시설들을 짓는 데에 많은 땅이 할애될 것입니다.

이렇게 만들어진 정비기반시설은 개인의 소유가 될 수 없으므로 소유권은 지자체가 가져갑니다. 하지만 그 땅은 조합원들이 똑같은 몫으로 나눠서 내야 합니다. 이것이 바로 '기부채납'이라는 것입니다.

정리하자면, 정비기반시설이 어느 정도 확보되어 있는 재건축 사업의 경우에는 기부채납 해야 하는 부지가 적어집니다. 반면에 정비기반시설이 거의 없는 재개발 사업의 경우에는 기부채납 해야 하는 부지가 많아집니다.

개발이익은 재건축이 더 크다

기부채납 비율이 낮다는 것은 어떤 의미를 가질까요? 바로 개발이익이 커진다는 의미입니다. 기부채납 비율이 낮다는 것은 도로나 녹지로 기부해야 할 땅이 적다는 것이고, 그만큼 아파트를 지을 수 있는 대지 면적이 많아진다는 것입니다. 사업장의 총 면적이 똑같더라도 기부채납이 적을수록 더 많은 세대를 지을 수 있는 것입니다. 지을 수 있는 세대가 많아지면 조합원에게 한 채씩 분양하고 난 후의 일반분양 물량도 많아지고, 따라서 재건축 사업의 개발이익이 커집니다.

정비기반시설(도로 등)이 부족하면 기부채납이 많아지는 이유

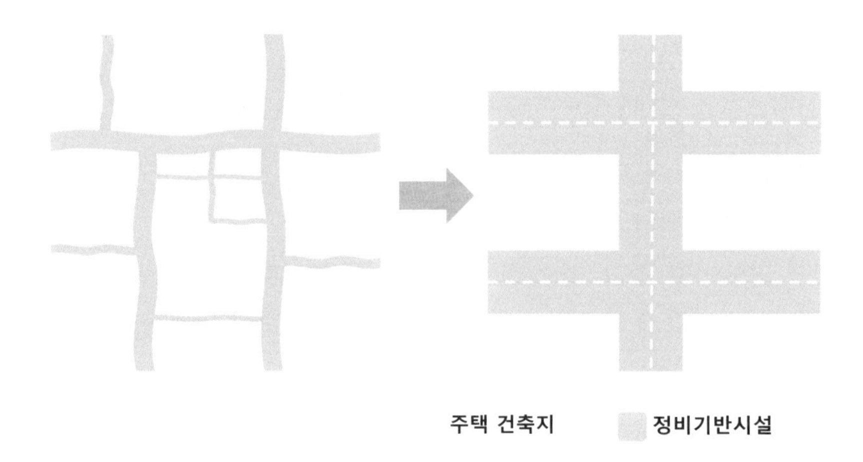

반대로 기부채납 비율이 높다는 것은 개발이익이 적어진다는 뜻이겠지요. 사업장의 총 면적이 똑같더라도 실제로 아파트를 지을 수 있는 면적은 줄어들기 때문에 전체 세대수를 많이 지을 수가 없습니다. 그러면 조합원분양 물량을 줄일 수는 없으니 일반분양 물량이 적어지게 됩니다. 아파트를 지을 때 들어가는 비용을 일반분양 물량으로 충당하기가 어렵고, 조합원들이 상당금액을 부담해야 하는 것입니다. 결국 기부채납 비율이 높으면 조합원 분담금도 상대적으로 많아집니다.

구체적인 수치를 통해 살펴보도록 하겠습니다. 아래의 표는 서울 모 지역의 실제 재건축 사업장에서 토지가 사용된 비율을 나타낸 자료입니다. '비고' 란에 '기부채납'으로 표시된 항목을 살펴보면 도로, 공원, 공공청사가 포함되어 있습니다. 이 세 가지를 합하면 전체 부지의 12.5%입니다. 공공청사 항목을 차지하고 있는 동사무소는 기존에 있던 동사무소를 철거하고 새로 지어서 기부채납을 하게 됩니다.

서울 모 지역 재건축 사업의 토지 이용 내역

구분		면적	비율	비고
총면적		83,387㎡	100.0%	
분양대상토지		72,987㎡	87.5%	
기반시설	합계	10,400㎡	12.5%	
	도로	4,022㎡	4.8%	기부채납
	공원	5,578㎡	6.7%	기부채납
	공공청사 (동사무소)	800㎡	1.0%	기부채납 (기존 동사무소 500.1㎡ 포함)

정리하자면, 이 아파트는 재건축 대상인 전체 토지 중에서 기부채납 비율 12.5%를 제외한 87.5%에 실제 아파트가 지어지게 됩니다. 총 8만3,387㎡ 중에서 순수하게 아파트 단지가 차지하는 토지가 7만2,987㎡라는 뜻입니다.

이번에는 재건축이 아닌 재개발 사업장의 사례를 살펴봅시다. 아래의 표는 경기도 모 지역의 실제 재개발 사업계획 중 일부를 발췌한 것입니다. 표를 살펴보면 재개발 사업 후 도로, 공원, 주차장, 녹지 등 기반시설에 할애되는 비율이 전체 토지 면적의 24.7%임을 알 수 있습니다. 앞에서 살펴본 재건축 아파트의 기반시설 비율이 12.5%였던 것과 비교하면 확연히 차이가 납니다.

이 지역의 기부채납 비율이 왜 이렇게 높은지 자세히 살펴보면, 도로 부지가 16.4%를 차지한다는 것을 알 수 있습니다. 기존 도로가 너무 좁고 집들이 다닥다닥 붙어있다 보니 새로 도로를 만들기 위한 대지가 많이 필요한 것입니다. 사실 기존 도로가 그렇게 좁지 않았다면 재개발 구역으로 지정되지도 않았을 테지만 말입니다.

경기도 모 지역 재개발 사업의 토지 이용 내역

구분		면적	비율	비고
총면적		108,423㎡	100%	
아파트부지		81,696㎡	75.3%	
기반시설	합계	26,727㎡	24.7%	
	도로	17,740㎡	16.4%	기부채납
	공원	4,874㎡	4.5%	기부채납
	주차장	3,150㎡	2.9%	기부채납
	녹지	963㎡	0.9%	기부채납

결국 이 지역에서 실제로 아파트가 지어질 아파트용 대지의 비율은 전체 부지의 75.3%뿐입니다. 사실 이 정도 수치는 그나마 재개발 지역 중에서도 괜찮은 편에 속합니다. 어떤 지역은 기부채납 비율이 35% 정도 되어서 아파트용 대지의 비율이 65%까지 떨어지는 경우도 있습니다. 아파트를 많이 짓지 못하면 사업성도 상대적으로 떨어질 것이라고 추측할 수 있습니다.

재건축은 세입자 주거이전비·상가영업보상비가 없다

그밖에도 재건축과 재개발은 몇 가지 차이점이 있습니다. 먼저 '세입자주거이전비'와 '상가영업보상비'입니다. 재건축은 조합이 세입자주거이전비와 상가영업보상비를 지급하지 않아도 되지만, 재개발은 둘 다 지급해야 합니다. 그래서 재개발은 '사업외보상비'가 많이 발생합니다.

또한 의무적으로 공급해야 하는 소형임대주택의 비중도 다릅니다. 서울시의 경우 재건축의 용적률을 법정상한용적률까지 끌어올리기 위해서는 늘어나는 용적률의 50%를 소형임대주택으로 공급해야 합니다. 단, 이 비율은 시·도별 조례에 따라 다르기 때문에 별도로 확인해 보셔야 합니다. 재개발의 경우 국계법상 임대주택비율을 전체 세대수의 15% 이하로 정해놓고 있지만, 이 또한 시·도지사가 결정할 수 있도록 법이 개정되었습니다.

재건축은 재개발보다 투자금이 많이 들어간다

지금까지 살펴본 바에 의하면 재개발보다는 재건축이 사업 과정도 덜 복잡하고, 사업성도 좋아 보입니다. 그렇다면 모두가 재건축에만 투자할 것이지 굳이 재개발에 투자할 사람이 있겠느냐고 생각할 수도 있습니다.

하지만 모든 것이 그렇듯 여기에도 일장일단(一長一短)이 있습니다. 재개발이 재건축보다 좋은 점은 투자금이 상대적으로 적게 들어간다는 점입니다. 재건축 사업성이 높게 나오는 저층아파트의 경우 대지지분이 커서 매입가는 높은 반면 전세가는 매우 낮습니다. 그나마 중층 재건축 아파트의 경우는 저층아파트보다 상대적으로 전세가율이 높기 때문에 실투자금이 줄어들 수 있지만, 그래도 재개발에 비해 투자금이 많이 필요한 것은 사실입니다.

반면에 재개발의 경우는 사업지 내에 단독주택, 빌라, 아파트, 근린상가 등 다양한 건축물이 존재하는데 그중에서 상대적으로 금액이 저렴한 빌라는 실투자금이 적게 들어가기 때문에 투자자들에게 인기가 많습니다. 최근 재개발 투자에 대한 인기가 높아지면서 빌라 역시 투자금 규모가 다소 커지긴 했지만, 재개발 지역에 위치하면서 투자금이 적은 빌라가 있다면 잘 살펴봐야 할 물건입니다. 서울 일부 재개발 지역과 서울과 인접한 경기도, 인천 지역의 재개발 구역을 잘 찾아보면 5,000만 원 이하로 투자할 수 있는 물건이 아직도 많이 있습니다.

오른쪽의 표는 지금까지 살펴본 재건축과 재개발 사업의 특징을 하나로 정리한 것입니다. 같은 듯 다른 재건축과 재개발의 차이점을 잘 알아두셔야 나중에 실수할 일이 없습니다.

재건축과 재개발의 차이점

	재건축	재개발
근거법령	도시 및 주거환경 정비법	
정비기반시설	양호함	열악함
안전진단 실시 여부	실시함 (단, 단독주택 재건축은 실시하지 않음)	실시하지 않음
조합원 조건	구역 내 소재한 건축물 및 부속 토지를 동시에 소유해야 함	구역 내 소재한 토지 또는 건축물 소유자, 지상권자*
임대주택 건설 의무	상한용적률*과 법정상한용적률*의 차이의 50% (시·도 조례에 따라 다름)	전체 세대수의 15% 이상 (시·도 조례에 따라 다름)
개발 부담금	재건축부담금 부과 (재건축 초과이익 환수법에 따름, 2017년까지 유예 중)	해당 없음
현금청산자 비율	비교적 적음	예측 어려움
주거이전비 및 영업보상비	해당 없음	지급해야 함
기반시설 기부채납	상대적으로 적음	상대적으로 많음
실투자금	상대적으로 많음	상대적으로 적음
투자 수익 예측	예측 가능	예측 어려움
사업진행의 원활함	상대적으로 쉬움	상대적으로 어려움

* 지상권 : 타인의 토지에 건물이나 기타 공작물, 수목 등을 소유하기 위하여 그 토지를 사용할 수 있는 권리
* 용적률 = (건축물연면적/대지면적) x 100
* 상한용적률 : 토지를 공원, 광장, 도로 등의 공공시설로 기부채납하는 경우 추가로 부여되는 용적률
* 법정상한용적률 : 「국토의 계획 및 이용에 관한 법률」에서 정한 용적률로 용도지역에 따라 2종일반주거지역은 250% 이하, 3종일반주거지역은 300% 이하.

자주 쓰이는 용어 개념잡기

₩ 비례율

재건축·재개발 사업성을 나타내는 지표. 100보다 높을수록 사업성이 좋다고 본다. 구하는 방법은 일반분양 수입과 조합원분양 수입을 합한 '종후자산평가액'에서 '총사업비'를 빼고, 이것을 다시 조합원들이 종전에 보유하고 있던 자산들의 평가액 총합인 '종전자산평가액'으로 나눈다.

비례율 = (종후자산평가액 - 총사업비) / 종전자산평가액 x 100

₩ 종후자산평가액

사업이 완료된 후 이 사업장이 가지게 된 전체 자산의 총액이다. 조합원분양 수입에 신축 아파트와 상가 등의 일반분양 수입을 합한 금액.

종후자산평가액 = 조합원분양 수입 + 일반분양 수입

₩ 총사업비

사업을 진행하는 데에 들어간 비용의 총액. 공사비(시공비)와 기타사업비(금융비용, 보상비, 기타비용 등)의 합으로 이뤄진다.

총사업비 = 공사비(시공비) + 기타사업비

₩ 종전자산평가액

조합원들이 종전에 보유하고 있던 자산들, 즉 현재 소유한 토지 및 건축물들의 감정평가액을 모두 합한 것.

₩ 감정평가액

절차에 따라 감정평가사에 의해 평가된 종전자산의 평가금액.

₩ 권리가액

조합원들이 주장할 수 있는 권리의 가치. 감정평가액에 비례율을 곱한 금액.

권리가액 = 감정평가액 × 비례율

₩ 조합원분양가

조합원들에게 분양하는 아파트의 분양 가격. 사업비에 따라 달라지지만 통상 일반분양가보다 10~20% 정도 저렴하게 책정된다.

₩ 일반분양가

조합원에게 분양하고 남은 아파트를 일반에게 분양할 때의 아파트 분양 가격.

₩ 분담금

조합원들이 조합원분양을 받기 위해 추가로 부담해야 할 금액. 조합원분양가에서 권리가액을 빼서 계산한다.

분담금 = 조합원분양가 - 권리가액

프리미엄, 분담금, 수익률의 삼각관계

집을 사는 방법에는 여러 가지가 있습니다.

첫째는 부동산 중개사무소를 통해 매수하는 방법입니다. 가장 일반적인 방법이자 손쉬운 방법입니다. 복잡한 것은 공인중개사가 거의 다 챙겨주기 때문에 골머리를 썩을 일도 거의 없습니다. 이 경우 대부분은 시세대로 매수하게 되지만, 좋은 공인중개사를 만난다면 싸게 나온 급매물을 살 수도 있습니다. 시세보다 1,000만 원 싸다면 1,000만 원을, 2,000만 원 싸다면 2,000만 원을 벌어들인 셈입니다. 나중에 시세대로 매도하면 그만큼의 수익이 더 남기 때문입니다.

둘째는 경매나 공매를 통해 낙찰 받는 방법입니다. 일반적으로 경매나 공매는 시세보다 낮은 가격으로 낙찰받을 수 있기 때문에 나중에 매도했을 때 상대적으로 수익이 큽니다. 일반매매에 비해 대출도 용이합니다. 다만 복잡한 권리관계를 분석해야 한다는 것과 살고 있는 사람을 명도(내보내는 일)해야 한다는 부담감이 있습니다.

셋째는 분양권을 사는 것입니다. 대부분의 아파트는 지어지기 전 가격인 일반분양가보다 지어지고 난 후의 매매 시세가 오릅니다. 그래서 신축 아파트를 일반매매로 사는 것보다 분양받는 것이 조금 더 쌉니다. 이렇게 형성되는 프리미엄(P) 수익을 얻기 위해 분양권에 전문적으로 투자하는 사람도 있습니다. 단, 아파트를 분양받기 위해서는 일정한 자격을 갖추어야 하며, 입지가 좋은 곳은 청약 경쟁률이 높기 때문에 분양을 받기가 쉽지 않습니다.

그중에서 우리가 다루고 있는 재건축·재개발 투자는 분양권과 밀접한 관련이 있습니다. 분양권 투자가 시세보다 저렴한 일반분양가로 새 아파트를 얻는 방법이라면, 재건축·재개발 투자는 그보다 더 저렴한 조합원분양가로 새 아파트를 얻는 방법입니다. 그만큼 수익이 더 큰 것입니다.

그런데 조합원분양가로 아파트를 분양받기 위해서는 조합원 자격을 얻어야 하는데, 이를 위해서는 자격이 있는 물건을 매입해야 합니다. 그러려면 역시 부동산을 통해 물건을 매수하거나 경·공매로 낙찰을 받아야 합니다. 결국 재건축·재개발 투자는 세 가지 매입 방법과 모두 관련이 있는 것입니다.

프리미엄(P)이 얼마인지 생각하라

모든 투자가 그렇지만 재건축·재개발 투자의 핵심도 역시 '싸게 사서 비싸게 파는 것'입니다. 그런데 재건축·재개발 투자에서는 '싸게 사는 것'의 의미가 조금 다릅니다. 시세보다 저렴하다고 무조건 싼 것이 아니고, 시세보다 높다고 무조건 비싼 것도 아닙니다. 그 이유는 재건축·재개발 투자 물건의 가격을 결정하는 중요 요인이 바로 P이기 때문입니다.

원래 1억 원이면 매입할 수 있었던 주택이었는데 재건축이나 재개발이 진행된다는 이유로 가격이 1억2,000만 원까지 올랐다면 그 2,000만 원이 바로 투자자가 부담해야 할 P입니다. 이 지역이 개발된 후의 사업성이 좋다고 생각될수록, 그리고 사업이 많이 진행되어 곧 가시적 성과가 나타날 것 같을수록 P는 많이 붙습니다. 그만큼 매입 가격도 올라가게 됩니다.

2,000만 원의 P는 어디에서도 돌려받을 수 없는, 말 그대로 사라져 버리는

비용입니다. 그럼에도 투자자들이 P를 붙여가며 물건을 매입하는 이유는 나중에 돌려받을 수 있는 투자 수익이 2,000만 원보다 훨씬 클 것이라고 예상하기 때문입니다. 비록 2,000만 원이 더 비싼 물건이지만, 나중에 1억 원을 더 벌 것이 확실하고 그렇게라도 이 물건을 잡아야겠다는 생각이 들면 과감하게 투자할 수 있는 것입니다.

그러나 때로는 너무 과감한 투자를 해서 낭패를 보는 분들도 만나게 됩니다. P가 지나치게 많이 붙게 되면 어느 순간 배보다 배꼽이 커지는 시기가 오게 됩니다. 역시나 직접 수익성을 따져보지 않고 그저 "여기는 사두면 무조건 오른다"는 주변 이야기만 듣고 '묻지마 투자'를 감행하다가 빚어지는 일들입니다.

예를 들어 설명해 보겠습니다. 김대충 씨는 모 지역이 재개발 된다는 소식을 듣자마자 묻지도 따지지도 않고 1억 원에 일단 빌라를 매입했습니다. 사업이 진행되면서 이 빌라의 감정평가액은 6,000만 원으로 평가되었습니다. 뒤에서 자세히 다루겠지만 감정평가액은 권리가액이라는 것에 영향을 미치고, 이 권리가액은 다시 분담금에 영향을 미치게 됩니다.

이 사례에서는 감정평가액이 곧 권리가액과 같다고 가정하겠습니다(권리가액 = 감정평가액×비례율 100%). 그렇다면 김대충 씨가 매입한 물건의 본래 가치는 감정평가액인 6,000만 원이므로, 이 빌라를 1억 원에 매입한 김대충 씨는 결국 4,000만 원의 P를 준 셈이 됩니다.

아무리 매입가가 저렴해도 이처럼 감정평가액이 낮게 나오면 싸게 산 것이 아닙니다. 만약 조합원분양가와 일반분양가의 차이가 5,000만 원이라고 하면 김대충 씨는 일반분양을 받은 사람보다 딱 1,000만 원 싼 금액으로 아파트를 산 것과 다름없습니다.

만약 김대충 씨가 재건축·재개발 투자를 제대로 공부했다면 이 물건의 본래 가치(감정평가액)가 얼마인지 개략적으로나마 알아보고, 현재 붙어있는 P가 4,000만 원 정도라는 것을 미리 파악했어야 합니다. 그리고 이 물건이 과연 4,000만 원이라는 돈을 투자할 만한 가치가 있는지 고민해 봤어야 합니다.

조합원분양가와 일반분양가의 차액을 생각하라

P를 반드시 생각해야 하는 이유는 이것이 수익률에 영향을 미치기 때문입니다. 대부분의 조합원분양가는 일반분양가보다 저렴합니다. 앞에서 예를 들었던 김대충 씨가 25평형 아파트를 신청했는데 이 아파트의 조합원분양가는 3억 원, 일반분양가는 4억 원이라고 합시다.

김대충 씨가 이 아파트를 얼마에 팔 수 있을지는 불분명합니다. 그러나 부동산 경기가 안 좋아서 심각한 미분양이 발생하지만 않는다면 대부분의 아파트는 일반분양 이후에 조금씩이나마 시세가 오릅니다. 따라서 김대충 씨도 최소한 일반분양가에는 팔 수 있을 것입니다. 그럴 경우 김대충 씨가 최종적으로 얻게 되는 수익은 얼마일까요?

조합원으로서 3억 원에 분양받은 아파트를 4억 원에 파는 것이므로 1억 원의 차액이 남는 것은 분명합니다. 그러나 앞서 김대충 씨가 4,000만 원의 P를 주었다는 것을 감안하면 실제 투자 수익은 1억 원이 아니라 6,000만 원이라고 할 수 있습니다.

투자 수익 = (매도가 - 조합원분양가) - 프리미엄
= (4억 원 - 3억 원) - 4,000만 원
= 6,000만 원

만약 이 아파트의 시세가 일반분양가보다 더 오르고, 김대충 씨도 더 비싼 가격에 매도한다면 투자 수익은 그만큼 커질 것입니다. 반대로 이 아파트가 미분양이 되거나 일반분양가가 낮아진다면 김대충 씨의 투자 수익은 적어집니다.

일반분양가가 높으면 분담금이 줄어든다

또 하나 중요하게 고려해야 할 것은 분담금입니다. 김대충 씨는 이미 감정평가액 6,000만 원짜리 집을 재개발 사업에 내놓긴 했지만, 조합원분양을 받을 아파트의 가격은 3억 원입니다. 2억4,000만 원의 돈이 추가로 필요한 것입니다. 이 돈이 바로 '분담금'입니다.

김대충 씨의 재개발 투자 흐름도

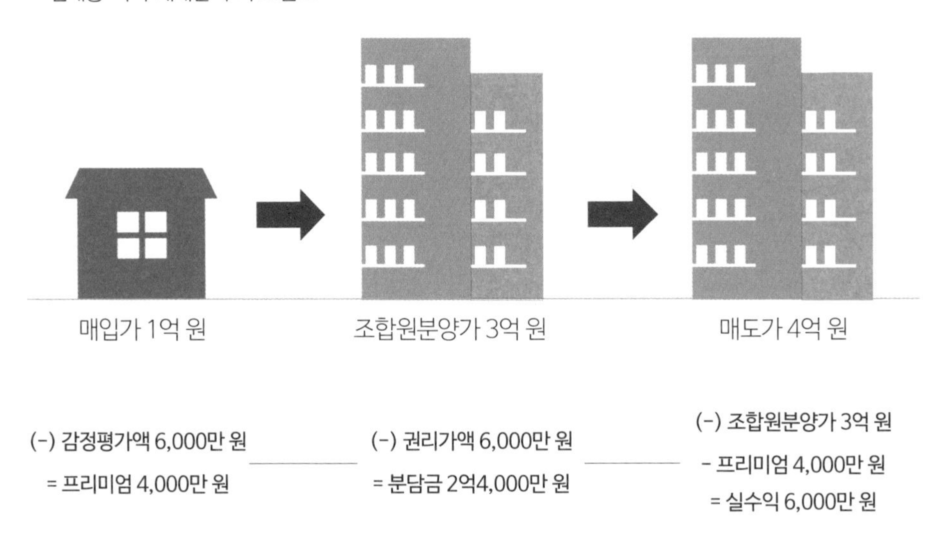

앞으로 분담금을 산출하는 방법에 대해 차근차근 알아볼 예정이지만, 여기에서는 결론부터 알려드리겠습니다. 바로 '일반분양 수익이 높을수록 분담금이 줄어든다'는 점입니다. 일반분양을 통해 얻는 수익은 원래 조합원들이 내놓은 자산을 통해 벌어들인 것이기 때문에 조합원들에게 '분담금 감소'라는 형태로 다시 돌려주기 때문입니다.

일반분양가가 높을수록 조합원의 분담금이 줄고, 반대로 일반분양가가 낮거나 미분양이 되면 조합원의 분담금이 늘 수 있다는 사실을 꼭 기억하시기 바랍니다. 그렇게 되는 이유에 대해서는 다음 장에서부터 차근차근 살펴볼 예정입니다.

참고로, 재건축·재개발 사업에서는 이 분담금을 낼 여력이 안 되는 조합원들을 위해 주로 집단대출이라는 것을 활용합니다. 아파트 담보대출과 같은 형식이지만 조합원들이 집단으로 대출받기 때문에 상대적으로 조건이 까다롭지 않습니다. 다만 최근 정부가 가계부채 증가의 주범으로 이 집단대출을 겨냥하면서 규제가 강화되는 추세이므로 흐름을 주시할 필요가 있습니다.

투자할 때 반드시 고민해야 할 2가지

저는 "이 지역이 정비구역으로 지정됐다더라"라는 이야기만 듣고 사업성 분석도 없이 '묻지마 투자'를 하시는 분들을 많이 봐왔습니다. 그런 분들 중에는 정비구역으로 지정된다는 것이 정확히 어떤 의미인지 정확히 모르거나, 심지어 재건축과 재개발이 어떤 차이가 있는지조차 모르는 분들도 있었습니다.

그런 분들 중에도 큰 수익을 올리는 분들이 분명 있습니다. 하지만 그것은 어디까지나 운일 뿐, 다음번 투자에도 그 운이 따라준다는 보장은 없습니다. 오히려 '지난번에도 쉽게 수익이 났으니 이번에는 더 크게 베팅해 보자'라며 몇 억 원이나 되는 큰돈을 투자했다가 10년, 20년씩 묶이고 나서 크게 후회하는 경우를 많이 봤습니다.

그런 실수를 하지 않기 위해서는 투자를 결정하기 전에 두 가지를 반드시 생각해보시기 바랍니다. 첫째는 내가 생각하는 수익을 낼 때까지 과연 얼마의 기간이 걸릴 것이냐이고, 둘째는 이 사업장이 객관적으로 봤을 때 정말 사업성이 좋은 곳이냐입니다.

첫째, 얼마의 기간이 걸릴 것인가

재건축·재개발 투자가 일반 주택 투자에 비해 높은 수익을 가져다준다는 것은 알고 계실 것입니다. 하지만 많은 투자자들이 그 높은 수익을 과연 '몇 년 만에 얻게 되느냐'를 간과합니다.

재건축·재개발 투자를 통해 실제 수익을 얻으려면 짧게는 2~3년, 길게는 10년이 걸릴 수도 있습니다. 1억 원을 투자해서 5억 원이라는 높은 수익을 얻는다고 한들, 그러기 위해서 20년을 기다려야 한다면 과연 현명한 투자라고 할 수 있을까요?

모든 투자가 그렇듯이 재건축·재개발 투자도 타이밍이 중요합니다. 어떤 단계에 들어가서 어떤 단계에 빠져나올지가 중요하다는 뜻입니다.

아직 가격이 많이 오르지 않은 초기 단계에 투자를 시작하면 당연히 후반 단계에서 팔았을 때 많은 수익을 기대할 수 있습니다. 하지만 10년 가까이 걸리는 투자 기간을 생각하면 차라리 그동안 적은 수익을 올리더라도 여러 군데에 투자하는 것이 더 나을 수도 있습니다. 또, 초기 단계에서는 아직 사업 진행 가능성과 사업성이 불확실하기 때문에 정확한 투자 수익을 예측하기도 어렵습니다. 다소 불안한 투자가 될 수도 있다는 말입니다.

그렇다고 모든 것이 확실해질 때까지 기다렸다가 후반부에 투자를 시작하면 어떨까요? 불확실성은 줄어들겠지만 투자 수익은 적어지게 될 것입니다. 이미 가격이 많이 오른 후에 매입을 하게 되기 때문입니다. 투자금도 많이 들어갈 수밖에 없습니다.

저에게 재건축·재개발 투자를 문의하시는 분들을 보면 대부분 사업시행인가 단계에 들어가는 것을 선호합니다. 이것 역시 일장일단이 있습니다. 사업시행인가가 나면 대부분의 정보가 확실해진 상황이므로 투자 수익 예측이 비교적 쉽고 수익을 실현하기까지의 시간도 상대적으로 짧은 편입니다. 그러나 이 단계에서는 이미 많은 사람들에게 정보가 공유되어 있기 때문에 매입가격이 많이 올라있다는 것이 단점입니다.

초기 단계에 투자를 하셨다면 사업이 한 단계씩 진행되면서 가격이 계단식으로 오를 때 매도하는 것도 고려해 볼 만합니다. 예를 들면 정비구역으로 지정되었을 때 아주 싸게 매수해서 오래 보유하고 계셨던 분이 사업시행인가가 이뤄지고 난 후 몰려드는 투자자들에게 매도한다면 충분히 수익을 실현할 수 있을 것입니다. 반드시 분양을 받아야만 수익이 나는 것은 아닙니다.

일반분양 시장이 활기를 띨 때에는 일반분양가가 높아지므로 조합원들의 분담금이 줄어들 수 있습니다. 이때에는 조합원분양을 받음으로써 추후 높은 수익을 기대해 볼 수도 있습니다. 혹은 일반분양 청약에서 떨어진 실수요자에게 조합원 입주권을 매매할 수도 있겠지요.

이처럼 매수와 매도 타이밍은 각자의 상황과 투자 전략을 고려해서 정해져야 합니다. 다만 분명한 것은 부동산 시장이 활황일 때는 재건축·재개발 투자의 투자 수익도 커진다는 점입니다. 부동산 시장이 침체되어 있으면 재건축·재개발 사업이 원활하게 진행되지 않을 뿐만 아니라 진행되던 사업도 중단되곤 합니다. 그러므로 전체 시장의 흐름을 고려해서 재건축·재개발 투자의 황금 타이밍이 언제일지 판단하는 것이 현명한 투자 방법입니다.

둘째, 객관적으로 수익성이 좋은가

앞서 2006년도에 했던 저의 첫 재개발 투자에 대해 설명했던 것을 기억하시나요? 1억7,000만 원에 매수한 빌라에 5,600만 원의 분담금을 내고 일반분양 4억 원짜리 아파트를 받게 된 사례 말입니다. 당시 저의 실투자금은 5,000만 원이었고, 투자금 대비 수익률은 최소 340%였습니다.

제가 운이 좋았던 이유는 감정평가액보다 낮은 금액으로 빌라를 매수했기 때문입니다. 당시 매입한 빌라의 감정평가액은 2억2,000만 원으로 평가되었고, 여기에 비례율 120%를 적용해서 권리가액은 2억6,400만 원이 되었습니다(2억2,000만 원×120%). 비례율과 권리가액에 대해서는 다음 장에서 자세히 설명하겠습니다.

요점은 제가 권리가액보다 9,000만 원 정도 싸게 매입했다는 점입니다. 대부분 재개발 지역에서는 감정평가액에 P가 붙은 가격으로 사는 것이 일반적인데, 저는 오히려 그보다 훨씬 저렴한 가격으로 산 것입니다.

그런데 재개발이 점점 진행되면서 이 지역에도 서서히 거품이 모습을 드러내기 시작했습니다. 제가 이 빌라를 매수한 지 딱 1년이 지난 시점에 같은 조건의 매물이 무려 3억3,000만 원에 거래되기 시작한 것입니다. 1년 만에 1억6,000만 원이 올랐습니다.

만약 3억3,000만 원에 매수한 물건에 저와 동일한 조건으로 분담금 5,600만 원을 낸다고 가정하면, 이 사람은 결국 저와 같은 물건을 3억8,600만 원에 산 셈입니다. 이 아파트의 일반분양가가 4억 원이라는 것을 생각해보면 일반분양가와 거의 차이가 없는 금액으로 매수한 것이 됩니다. 이것이 과연 현명한 투자일까요?

당시에는 재건축·재개발 사업을 할 때 '감정평가액'이나 '비례율'이라는 개념이 널리 알려져 있지도 않았고, 예측할 만한 자료나 참고서적도 별로 없었습니다. 일단 재건축·재개발이라고 하면 매입하고 보는 '묻지마 투자'자 성행했습니다.

지금이라고 사정이 별로 나아진 것 같지는 않습니다. 현재도 재건축·재개발은 무조건 황금알을 낳는 거위라고 생각하는 분들이 많습니다. 하지만 정확한 사업성 분석 없이 투자했다가 오히려 손해를 보거나, 장기간 사업이 지연되면서 적게는 수천만 원에서 많게는 수억 원까지 엄청난 투자금이 오랫동안 묶이는 경우가 지금도 종종 발생합니다.

성공적인 투자에는 반드시 노력이 필요하다

재건축·재개발 투자를 하다 보면 기본적인 공부도 없이 누군가가 추천하거나 친구가 샀다고 해서 투자를 하는 경우가 많습니다. 물론 신축 아파트 청약이나 구축 아파트 일반매매와 달리 재건축·재개발은 공부해야 할 내용이 많기 때문에 그것을 다 알고 투자한다는 것이 쉽지는 않습니다.

그렇지만 공부하기가 어렵다고 해서 큰돈이 들어가는 일을 너무 쉽게 결정하는 경향이 있지는 않은지 한 번 돌아볼 필요가 있습니다. 백화점에 옷을 사러 갈 때는 가격이 저렴하면서 품질도 좋은 옷을 고르기 위해 몇 시간 동안 돌아다니면서, 부동산 투자는 그보다 몇 백 배의 돈을 쓰면서도 오히려 적은 노력을 하는 것 같습니다.

재건축·재개발 투자는 반드시 사전에 공부가 되어 있어야 합니다. 단지 주위 사람들이 "여기가 좋다더라" 하는 말에 혹해서 부동산을 매입했다가는 나중에 일반분양을 받는 것보다 오히려 돈이 많이 들 수도 있습니다. 재건축·재개발이 추진되고 있다는 사실만으로 이미 이 물건에는 P가 붙어 있을 텐데, 감정평가액이 낮게 나와서 분담금까지 많이 내게 된다면 투자 수익은커녕 오히려 손해를 볼 수도 있습니다. 그래서 재건축·재개발에 투자하는 분들은 항상 분담금을 예측하는 데에 신경을 곤두세우고 공부를 해야 합니다.

사업이 어느 정도 진행되어서 감정평가액이 나왔을 경우 P가 얼마나 붙었는지는 공인중개사에게 물어보면 알 수 있지만, 사업초기 단계에서는 감정평가액이나 분담금이 얼마나 나올지 직접 따져보는 수밖에 없습니다. 그러나 그 방법을 제대로 알고 있는 사람이 적고 어렵기 때문에 재건축·재개발 투자는 곧잘 '묻지마 투자'로 전락하는 것입니다.

이 책이 앞으로 중점적으로 다룰 내용은 바로 이 부분입니다. 예상 감정평가액이나 분담금을 구체적인 수치로 분석해 봄으로써, 백 프로 정확하지는 못하더라도 어느 정도 투자의 방향성을 가늠하는 것입니다. 예상 감정평가액이나 분담금을 개략적으로 예상해보는 것만으로 이 투자를 해야 하는지 말아야 하는지 판단할 수 있기 때문입니다.

Chapter 01 Key Point

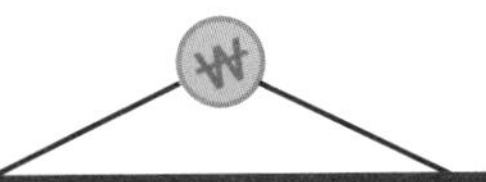

1 재건축은 정비기반시설은 양호하지만 건물만 노후된 지역에서, 재개발은 정비기반시설 자체가 불량한 지역에서 진행된다.

2 재건축에 비해 재개발 사업은 기부채납비율이 높다. 이는 부족한 정비기반시설을 만들기 위한 대지가 많이 필요하기 때문이다.

3 기부채납비율이 높으면 사업성은 상대적으로 낮아진다. 순수하게 아파트를 지을 수 있는 대지면적이 줄어들기 때문이다.

4 재건축·재개발 물건을 매입할 때에는 P가 지나치게 많이 붙어 있지는 않은지, 추후 내야 할 분담금이 지나치게 많지는 않을지를 꼼꼼히 따져봐야 한다.

투자 전에 **이것부터 체크하자**

02

미리보기

이번 챕터에서는 본격적인 사업성 분석을 배우기에 앞선 워밍업 단계의 지식들을 배웁니다. 반드시 알아야 할 재건축·재개발 사업의 절차를 익히고, 각 단계는 어떤 특징을 가지고 있는지 포인트를 짚어봅니다.

또한 조합원이 되기 위해 갖춰야 할 요건을 일목요연하게 정리해 봅니다. 집을 여러 채 가지고 있으면 조합원 자격도 여러 개 받을 수 있는 것인지, 원 플러스 원 분양을 받기 위한 조건은 무엇인지에 대해서 알려드립니다.

마지막으로, 사업성 분석의 기본이 되는 책자 읽기 훈련도 이번 챕터에서 이뤄질 것입니다. 중요한 것은 모든 용어를 달달 외우는 것이 아니라 용어와 일단 친숙해지는 것입니다. 기본적인 개념을 알고 난 후 자꾸만 접하다 보면 어느 순간 어려운 재건축·재개발 용어도 친근하게 다가올 것입니다.

주요 개념 정리

사업시행인가 : 조합이 추진하고 있는 정비사업에 관한 일체의 내용을 시장·군수·구청장이 최종적으로 확정하고 인가하는 행정절차. 사업시행인가가 이루어지면 본격적으로 사업이 시작된다고 볼 수 있다.

관리처분계획 : 사업이 어느 정도 진행되고 이제 분양 및 이주·철거를 앞둔 시점에서, 구체적인 철거 및 건설 계획과 분양 계획 등을 최종적으로 수립하는 단계. 일반분양가를 제외한 대부분의 비용이 확정된 상태이므로 수익성을 자세하게 추산할 수 있다.

매도청구 : 재건축 구역에 부동산을 가지고 있는 구분소유자가 조합원이 되기를 원치 않는 경우 조합이 구분소유자에게 부동산을 매도해 줄 것을 청구할 수 있다. 이를 매도청구라고 한다. 이때 보상가격은 시가가 기준이다.

현금청산 : 재개발 구역 내에 부동산을 소유하고 있지만 조합원 자격을 충족하지 못하거나 조합원이 되기를 원하지 않을 경우 조합원 자격을 포기할 수 있다. 그럴 경우 조합은 「공익사업을 위한 토지 등의 취득 및 보상에 관한 법률」에 따라 감정평가액 기준으로 보상해 주는데, 이를 현금청산이라 한다.

재건축·재개발의 진행 과정

재건축·재개발 투자를 꺼리는 분들이 흔히 이야기하는 것이 "재건축·재개발은 돈이 너무 오래 묶인다"라는 점입니다. 경우에 따라 다르지만, 실제로 재건축·재개발 사업은 정비기본계획 수립부터 입주까지 약 10년 정도 걸리는 것이 사실입니다. 그렇다면 재건축·재개발 투자를 하려면 그 10년이라는 기간 동안 꼼짝없이 기다려야 할까요?

중요한 것은 그 10년이라는 과정 중에서 어느 단계에 투자를 하고, 어느 단계에 빠져나올 것인지를 결정하는 일입니다. 반드시 초기단계에 들어갈 필요도 없고, 반드시 분양이 이뤄질 때까지 기다릴 필요도 없습니다. 문제는 살 타이밍과 팔 타이밍을 잘 판단하는 것입니다.

그러기 위해 기본적으로 알아야 할 것이 재건축·재개발 사업의 절차입니다. 오른쪽 표는 재건축·재개발 사업의 주요 과정을 시간대순으로 정리해둔 것으로, 투자를 하시려면 꼭 머릿속에 담아두셔야 합니다. 가로는 시간의 흐름을 나타내고, 세로는 각 단계가 진행됨에 따른 가격을 나타냅니다.

재개발 사업은 단계가 진행됨에 따라 부동산 가격이 계단식으로 상승한다고 보시면 됩니다. 반면 재건축 사업은 기대심리가 미리 반영되어서 한 번에 가격이 급등하는 경우가 많습니다. 현재 강남권과 목동에서 이뤄지고 있는 재건축 시장을 생각하면 이해되실 겁니다. 너무 가격이 오른 물건을 매입할 때에는 나중에 남는 수익이 적을 수 있다는 것을 미리 감안하셔야 합니다.

재개발·재건축의 추진 절차

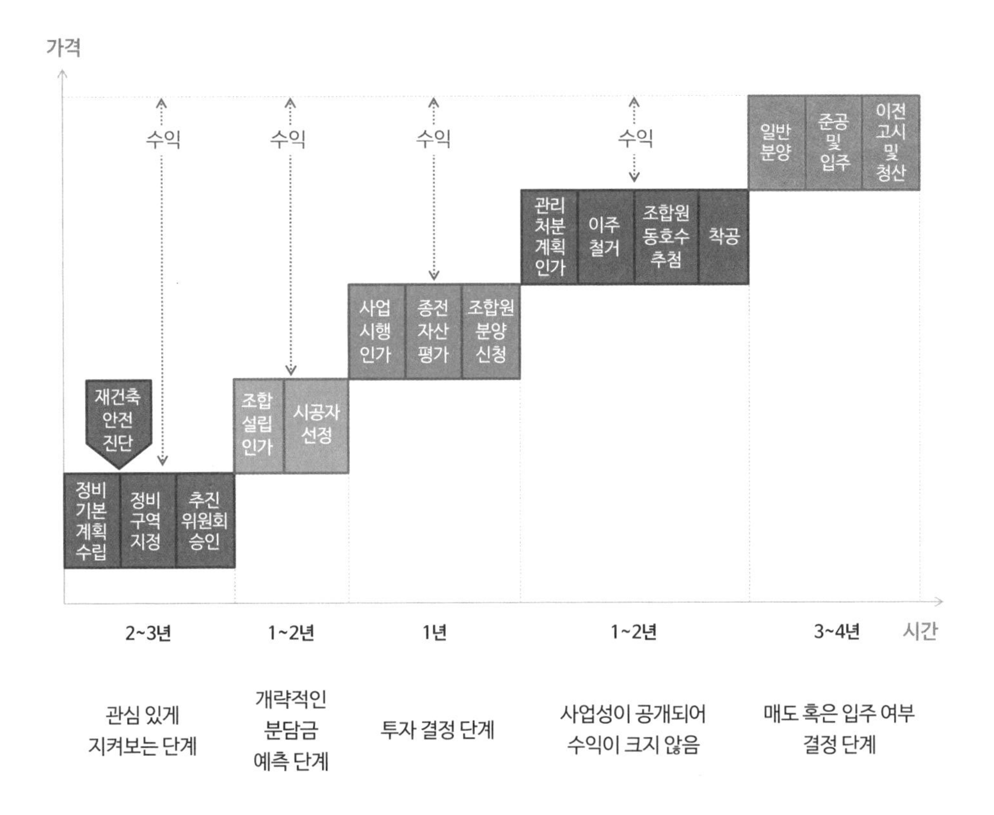

1단계 : 정비기본계획 - 정비구역 지정 - 추진위원회 승인

재건축·재개발 사업의 시작은 '정비기본계획 수립'입니다. 정비기본계획이 수립된 후, 재건축의 경우는 안전진단을 하게 됩니다. 앞에서 설명했던 바와 같이 재건축은 기반시설은 양호하지만 건물이 노후하고 불량할 때 이뤄지기 때문에 정말로 건물이 노후하고 불량한지를 검사하는 것입니다. 반면 재개발은 안전진단 단계가 없습니다.

다음으로는 '정비구역 지정'이 이뤄지고, '추진위원회'를 구성하고 승인을 받습니다.

추진위원회는 조합의 전 단계입니다. 조합이 설립되기 전에는 조합원이 되기에 적합한 부동산을 가진 예비 조합원을 '토지등소유자'라고 하는데, 추진위원회가 승인되려면 토지등소유자의 과반수 동의가 필요합니다. 추진위원회 구성에 동의한 토지등소유자는 나중에 있을 조합 설립에도 동의한 것으로 봅니다. 단, 조합설립인가 신청 전에 별도로 조합 설립에 반대의사를 표시한 경우에는 그렇지 않습니다.

이 단계까지 대략 2년에서 3년이 걸립니다. 이 시기는 재건축·재개발 사업의 초창기에 해당하므로 아직까지는 가격이 오르지 않은 상황입니다. 하지만 그만큼 사업진행이 무산될 가능성이 높기 때문에 아직은 관심을 가지고 지켜봐야 할 단계입니다.

2단계 : 조합 설립 - 시공자 선정

추진위원회가 승인되면 조합 설립을 위해 주민들에게 조합 설립 동의서를 받기 시작합니다.

조합 설립 동의 요건은 재개발과 재건축이 조금 다릅니다. 재개발의 경우는 토지등소유자의 4분의 3 이상, 토지 면적의 2분의 1 이상의 동의를 받아야 합니다. 재건축의 경우는 전체 구분소유자의 4분의 3 이상, 그리고 각 동별로 과반수의 동의를 받아야 합니다.

조합설립 동의 요건을 충족하면 추진위원회는 시·군·구에 조합설립인가 신청을 하게 되고, 특별한 하자가 없으면 조합설립인가가 나옵니다. 조합설립인가가 나온 날부터 30일 내에 조합사무소가 소재할 지역에 법인 등기를 하면 정식 조합이 설립됩니다. 즉, 이제부터는 법인 성격을 가진 조합이 사업을 이끌게 되는 것입니다. 조합이 설립되면 추진위원회는 모든 업무와 자산을 조합에 인계하고 해산합니다.

조합이 설립되면 이제 시공자 선정을 할 차례입니다. 조합은 공개경쟁입찰 방식으로 시공자를 선정해야 합니다. 즉, 시공자들이 입찰을 하게 되고 그중에서 조합원들의 투표를 통해서 선정하는 것입니다.

서울시의 경우는 시공자 선정이 조합설립인가 후가 아니라 사업시행인가 후에 이뤄집니다. 이는 서울시가 실시하는 공공지원제도에 따른 것입니다. 서울시 공공지원 제도란 정비사업의 투명성 강화 및 효율성 제고를 위해 시장·군수 또는 자치구의 구청장 및 공공지원을 위탁받은 자가 정비사업의 행정적·재정적 지원을 하는 제도입니다. 이때 지자체는 공공지원에 소요되는 비용만 부담하며, 사업비는 기존과 마찬가지로 주민이 부담합니다.

공격적인 투자자들은 조합설립총회 때 받은 안내책자를 분석해서 일찌감치 부동산을 매입해 놓기도 합니다. 뒷부분에서 자세히 다루겠지만, 안내책자만 자세히 살펴봐도 개략적인 사업성 분석이 가능하고 분담금을 예측할 수 있기 때문입니다.

저의 경우는 이 시기에 사업성이 어떠한지를 예측해 보고, 정말 싸게 나온 물건이 있다면 매수하기도 합니다.

하지만 아직은 수익성이 정확히 예측되는 것도 아니고, 사업진행 자체가 중단될 수 있다는 리스크가 존재합니다. 따라서 이 시기에는 개략적인 사업성 분석을 해보고 분담금을 산출해 보면서 일단 추이를 지켜보는 것도 나쁘지 않습니다.

3단계 : 사업시행인가 - 종전자산 평가 - 분양신청

'사업시행인가'란 조합이 추진하고 있는 정비사업에 관한 일체의 내용을 시장·군수·구청장이 최종적으로 확정하고 인가하는 행정절차입니다. 사업시행인가 과정에서 총대지면적, 용적률, 건폐율, 기부채납 면적, 건축면적 및 평형 구성, 신축 아파트의 세대수, 임대아파트 세대수 등 대부분의 내용이 결정됩니다. 즉, 사업시행인가가 이루어지면 본격적으로 사업이 시작된다고 볼 수 있습니다.

사업시행인가 고시가 있으면 조합은 종전자산 감정평가를 실시합니다. 종전자산이란 기존에 가지고 있었던 자산, 즉 각 소유자별로 가지고 있는 부동산의 가치를 평가하는 것입니다. 종전자산이 얼마인지에 대한 감정평가 결과가 나오면 여기에 일반분양가, 사업비 등을 따져보면서 조합원들이 분담해야 할 분담금이 개략적으로 산출됩니다.

종전자산, 즉 감정평가액이 높으면 새 아파트를 받기 위해 내야 할 분담금도 줄어듭니다. 따라서 감정평가액이 얼마로 평가되느냐에 따라 세대별로 희비가 엇갈립니다.

조합은 사업시행인가 고시가 된 날부터 60일 내에 개략적인 분담금의 내역 및 분양신청 기간 등을 토지등소유자에게 통지하여야 합니다. 서울시의 경우에는 시공사와 계약을 체결한 날부터 60일 이내입니다.

개략적인 분담금 내역을 통보받았다면, 이제 조합원들이 분양신청을 할 차례입니다. 이때는 희망평형만 신청하는 것이지 조합원분양 계약을 진행하는 것이 아닙니다. 계약은 나중에 이뤄집니다. 일단 조합원분양 신청이 완료되어 조합원분양 세대수와 일반분양 세대수가 정해지면 이를 바탕으로 관리처분계획을 작성하는 것입니다. 이 과정에서 어떤 사람은 분양을 포기하고 현금청산을 하기도 합니다.

투자자들이 가장 선호하는 투자 타이밍은 바로 이 시점입니다. 사업시행인가가 이뤄졌다는 것은 중간에 사업이 중단될 가능성이 거의 없어졌다는 뜻이고, 개략적인 분담금이 산출되면서 어느 정도 투자 수익을 예측할 수 있기 때문입니다.

4단계 : 관리처분계획 - 이주·철거 - 동·호수 추첨 - 착공

'관리처분계획'이란 정비사업 시행자가 분양신청 기간이 종료된 후에 수립하는 계획을 말합니다. 이제 분양신청이 이뤄졌으니 어느 정도 사업성에 대한 자료가 나온 것이므로, 이에 따라 계획을 수정·보완하는 것입니다.

이 단계에서는 구체적으로 투자 수익을 분석할 수 있습니다. 조합원분양을 통한 수익은 얼마나 되고 일반분양을 통한 수익은 얼마나 되는지, 임대아파트는 몇 세대인지가 결정됩니다. 그리고 추정비례율이 결정되면서 각 조합원별 권리가액이 결정되고, 그에 따라 조합원들의 분담금이 결정됩니다. 이렇게 기존의 부동산을 어떻게 바꿔서 처분할 것인지에 대한 종합적 계획을 수립하는 과정이 바로 관리처분계획입니다.

관리처분계획은 조합원 사이에서 분쟁이 가장 많이 일어나는 단계이기도 합니다. 구체적인 추정비례율, 권리가액, 분담금이 나오기 때문에 조합원마다 이해관계가 엇갈리고, 조합의 자금운영에도 영향을 미치기 때문입니다. 따라서 관리처분계획은 재건축·재개발 사업의 성공 여부를 가늠하는 중요한 단계라 할 수 있습니다. 조합은 이렇게 세워진 관리처분계획을 시·군·구에 제출하고 인가를 받게 됩니다.

다사다난한 관리처분계획 인가 과정이 끝나게 되면 이제 본격적으로 철거를 위한 이주가 시작됩니다. 이주 기간은 통상 6개월에서 1년 정도 잡습니다. 빨리 이주를 해야 철거를 진행하고 일반분양을 빨리할 수 있고 그만큼 금융비용이 줄어들기 때문에 조합에서는 이주를 독려하게 됩니다.

이 단계에서는 이미 수익성이 거의 공개되기 때문에 사실 크게 매력적인 투자 타이밍은 아닙니다. 하지만 사업 진행의 불확실성이 제거되었기 때문에 실수요자라면 관심 있게 지켜볼 만합니다. 좋은 입지와 차별성으로 주목받는 단지가 분명히 있기 마련이고, 이런 단지는 향후에 분명 큰 수익을 가져다줄 수 있습니다.

5단계 : 일반분양 - 준공 및 입주 - 이전고시 및 청산

이주 및 철거가 완료되면 조합은 착공 신고를 하고, 비로소 일반분양을 할 수 있습니다. 그에 앞서 2~3개월 전에 조합원 동호수 추첨 및 계약이 진행됩니다. 일반분양이 진행되면 성공적인 분양을 위해 분양대행사에서 여러 매체를 통해 광고를 하게 되고, 실수요자나 분양권 투자자들이 관심을 갖게 됩니다.

이때는 조합원 입주권 거래가 가장 활발하게 이루어지는 시기이기도 합니다. 일반분양 청약에서 떨어진 실수요자와 분양권 투자자들 중에서 조합원 입주권에 관심을 보이는 사람이 있기 때문입니다. 특히 입지와 환경이 아주 우수해서 주목받는 단지들은 P(프리미엄)도 많이 붙을 수밖에 없습니다.

이제 기존 조합원들은 입주를 할 것인지, 아니면 입주권을 매도할 것인지 결정할 시기입니다. 입주권을 매도해서 수익을 실현할 수도 있고, 입주를 하고 난 후 나중에 수익 실현을 할 수도 있습니다.

준공인가가 이뤄진 후 실제 입주가 이뤄지면 몇 개월 내에 이전고시 절차가 진행됩니다. 이전고시란 공사가 완료되었음을 고시하고, 정식으로 대지를 측량해서 분할하고, 그에 따라 분양받은 사람들에게 소유권을 정식으로 이전하는 절차입니다. 이전고시가 나야 비로소 건물의 등기가 진행됩니다.

그리고 마지막으로 사업이 최종 청산되면 재건축·재개발 사업의 모든 절차가 완료됩니다. 이 모든 절차는 대략 10년 정도 걸린다고 보시면 됩니다. 다만 입주하고 난 후에도 추가부담금 문제나 소송에 휘말려서 이전고시가 몇 년씩 늦어지는 경우도 간혹 발생할 수 있습니다.

언제 매입하고, 언제 매도해야 할까

과거 2006년에서 2007년 재건축·재개발 붐이 일어났을 때를 돌아보면, 이제 겨우 정비구역으로 지정되었거나 지정된다는 소문만 나도 앞뒤 구분 없이 투자를 하는 사람들이 많았습니다. 다음날이면 가격이 오르고, 그 다음날이면 또 오르는 과열 사태까지 보였습니다. 그렇게 무턱대고 투자를 했다가 2008년 9월 금융위기가 터지면서 평당 가격이 반토막으로 주저앉는 상황이 벌어졌고 많은 투자자들이 망연자실했습니다. 그때 투자자들이 앞 다투어 매입했던 그 재건축·재개발 지역은 10년이 지난 지금에서야 다시 사업이 본격적으로 진행되고 있습니다. 정말 황당하고 안타까운 일이지요.

그때는 저 역시 재건축·재개발의 사업성 분석에 대한 개념이 전혀 없었습니다. 경험과 공부가 부족했기 때문이기도 하지만, 당시에는 사업성을 분석하기 위한 참고자료를 쉽게 찾을 수가 없었기 때문입니다. 그때만 해도 관리처분계획 자료 같은 것을 찾아보기가 쉽지 않았습니다. 사실 그때는 자료를 봤다 해도 제대로 해석하지 못했을 것입니다.

그때는 지금처럼 인터넷을 통해 부동산 정보가 활발히 공유되지 않았습니다. 겨우 파악할 수 있는 것은 정비구역의 면적과 용적률, 그리고 세대수와 조합원수 정도였으므로 이를 활용해서 개략적으로 추산하는 것이 고작이었습니다. 일반분양 물량만 겨우 산출해보고 일반분양 물량이 많다 싶으면 사업성이 있겠다고 생각하고 일단 투자했던 것입니다. 그러나 시간이 지나고 난 후에 확인해 보면 주변 환경으로 인한 제약이나 예측하지 못한 다양한 문제들로 인해 사업이 진행되지 못하거나 실제 사업성은 별로 높지 않은 경우도 있었습니다.

조합설립인가 : 사업성의 떡잎을 가늠해볼 시기

과거의 이런 경험 덕분에, 지금은 정비구역으로 지정됐다고 해서 무조건 투자를 감행하지는 않습니다. 이 단계에서 투자를 한다면 최소 10년이 소요되고 상황에 따라서는 더 길어질 수도 있다는 것을 알기 때문이지요.

그러면 어느 단계에서 투자를 하는 것이 좋을까요? 정답은 없습니다. 진행되는 상황이나 해당 지역의 입지조건에 따라 다를 수 있습니다. 확신이 들지 않는 곳은 기다렸다가 구체적인 자료가 나오면 투자를 결정하고, 누가 봐도 좋은 입지라면 좀 더 이전 단계에서 과감히 투자할 필요도 있겠지요. 앞에서 재건축·재개발의 과정을 훑어본 이유는 각 과정마다 나름의 특징을 짚어 봄으로써 투자 포인트를 찾아내기 위한 것입니다. 그 포인트에 따라 의사결정을 하는 것은 어디까지나 투자자 본인의 몫입니다.

저의 경우에는 조합설립인가 단계부터 관심을 가집니다. 조합을 설립할 때는 개략적인 분담금에 관한 내용을 담은 안내책자를 배포하는데, 이것을 가지고 나름의 공식을 통해 비례율도 산출해 보고, 감정평가액도 예측해 보고, 일반분양 시세도 가늠해 보면서 수익이 얼마나 발생할지 유추해 봅니다.

관리처분계획이 나와야 수익성을 예측해 볼 수 있다더니, 조합설립인가 단계에서 미리 수익성을 예측한다는 것은 무슨 말일까요? 뒷부분에서 자세히 다루겠지만, 오랜 경험을 통해서 저는 나름의 투자 수익 공식을 만들었습니다. 독자 여러분도 이것을 알면 재건축·재개발 투자가 쉬워질 것입니다. 그 구체적인 방법은 잠시 후에 알려드리겠습니다.

사업시행인가 : 투자 여부를 결정할 타이밍

이처럼 조합설립인가 단계에서의 분석을 토대로 어느 정도 떡잎이 남다르다 싶은 지역은 꾸준히 눈여겨보며 관심을 가집니다. 그리고 그 지역이 드디어 사업시행인가를 받게 되면 그때 과감하게 투자 여부를 결정합니다.

사업시행인가가 나오면 사업 내용의 세부내역이 확정됩니다. 몇 세대를 지을 수 있는지, 그중에서 조합원분양과 일반분양과 임대아파트 세대수는 각각 얼마나 되는지도 알 수 있고, 이미 감정평가액이 나온 상황이므로 수익성을 계산할 수 있습니다. 적정한 일반분양 가격도 개략적으로 예상해 볼 수 있지요.

그리고 이 단계에는 조합원에게 구체적인 분담금 내역을 알려줍니다. 그 정보를 이용해서 구체적인 비례율을 계산해 볼 수 있게 됩니다. 물론 이러한 것들을 계산하기 위해서는 방법을 알아야 합니다. 그 공식도 역시 다음 장에서 차차 알려드리도록 하겠습니다.

관리처분계획인가 : 구체적 사업성이 나오는 시기

관리처분계획은 실제 공사를 하고 분양을 하기 위한 최종설계도 같은 것입니다. 따라서 관리처분계획이 인가되었다는 것은 공사비(시공비)와 기타사업비 등 사업을 진행하기 위한 비용이 구체적으로 결정되었다는 뜻이고, 조합원분양가도 거의 결정되었다는 뜻입니다.

문제는 아직 일반분양가가 확정되지 않았다는 점입니다. 실제 사업성이 확정되려면 일반분양가가 나와야 하는데 말입니다. 일반분양가가 확정되려면 관리처분계획인가가 나온 후에도 1~2년의 시간이 더 걸립니다.

다만 일반분양가를 개략적으로 예상할 수는 있지요. 인근에 있는 비슷한 조건의 아파트가 얼마에 거래되는지를 참고하면 이 아파트의 일반분양가도 대략 짐작할 수 있습니다. 문제는 일반분양을 진행하려고 하는 시점에 하필 부동산 시장이 침체되거나 어떤 이유 때문에 일반분양가가 떨어지게 될 수도 있다는 것입니다. 그렇게 되면 관리처분계획인가를 받았을 당시보다 투자 수익이 하락할 수도 있다는 점에 유의해야 합니다.

일반분양 단계 : 투자 수익이 최종 확정되는 시기

일반분양 단계에서는 투자를 해야 할 시기가 아니라, 이미 투자한 물건의 성과를 정리해 보거나 투자 물건을 정리할지를 결정해야 할 단계입니다. 일반분양 가격이 나옴으로써 총분양수입이 확정되었으므로 사업의 결과가 거의 확정된 단계입니다.

사업이 지연되어서 공사비와 금융비용 등이 추가되지 않는다면 총분양수입에서 사업비를 뺌으로서 수익이 결정될 것입니다. 종전자산평가액은 이미 확정된 상태이므로 이제는 앞으로 추가부담금이 발생할지, 오히려 환급을 받을 수 있을지를 알 수 있습니다.

만약 관리처분계획 당시보다 일반분양이 높은 가격으로 이뤄졌다면 일반분양 수입은 늘어났을 것입니다. 문제는 일반분양 수입이 늘어났다고 해도, 이 수익을 과연 조합원에게 환급해 주느냐입니다. 이것은 전적으로 조합에 달려 있습니다. 어떤 조합은 이 돈을 조합원에게 배분해 주겠지만 그렇지 않은 조합도 있다는 점입니다.

추가된 수익금은 분양이 더욱 잘 되게 하기 위해 단지특화를 하거나, 일반분양을 조기 완료하기 위해 관리처분계획 때에는 없었던 일반분양분 중도금 무이자 혜택 등을 주는 데에 사용될 수 있습니다. 그러면 늘어난 일반분양수입은 조합원들에게 배분되는 대신 이러한 곳에 사용될 수도 있습니다. 늘어난 수익이 조합원들에게 합리적으로 배분될 수 있도록 조합은 철저히 노력했으면 하는 바람입니다.

부동산이 있다고 모두가 조합원은 아니다

재건축·재개발 구역 내에 위치한 부동산을 매입하기만 하면 무조건 조합원이 된다고 생각하는 투자자들이 의외로 많지만, 실제로는 그렇지 않은 경우도 있습니다. 이제부터 조합원 자격에 대해 구체적으로 살펴봅시다.

재건축은 건물과 토지를 동시에 소유해야 한다

재건축 사업의 조합원이 되기 위한 자격은 아래의 두 가지입니다.

① 정비구역 내 건축물과 그 부속토지의 소유자일 것
② 재건축 사업에 동의한 자일 것

즉, 재건축 사업은 건축물과 부속토지를 함께 소유해야만 조합원으로 인정받을 수 있습니다. 건물만 소유하거나 땅만 소유하는 경우에는 조합원으로 인정받을 수 없다는 뜻입니다.

또한 재건축 사업은 사업 진행에 동의한 사람만 조합원이 될 수 있습니다. 동의는 조합원분양 신청 전까지 이뤄져야 합니다. 재건축 사업에 동의하지 않은 사람의 주택은 협의매수나 매도청구를 통해 조합이 매수하게 되는데,

이때 필요한 자금은 시공사나 금융기관에서 대여합니다. 이렇게 대여한 자금의 현재 금리는 약 4~6% 정도로 결코 적지 않습니다.

이렇게 조합이 매수한 아파트는 일반분양 물량에 포함됩니다. 흔히 조합원 분양 가격보다 일반분양 가격이 더 높기 때문에, 조합원 자격을 포기하는 사람이 많을수록 수익이 커지는 것 아니냐고 생각하는 분들도 계십니다. 하지만 대부분의 경우에는 일반분양을 통해 얻는 이득과 시공사 및 금융기관에서 대여한 자금의 이자 득실을 따져봤을 때 손해가 더 큽니다. 그래서 조합은 최대한 많은 세대를 조합원으로 가입시키기 위해서 노력을 하는 것이지요.

재개발은 따로따로 소유해도 된다

재개발의 조합원 자격은 다소 복잡합니다. 재개발은 조합이 설립되면 토지 등소유자가 모두 자동으로 조합원이 되지만, 충족해야 할 조합원의 자격요건이 있습니다. 오른쪽 표를 통해 알아보도록 하겠습니다.

먼저 토지와 건물을 함께 소유한 경우에는 별다른 조건 없이 자동으로 조합원이 됩니다. 부동산이 크든 작든, 1주택자이든 다주택자이든 상관없습니다. 대부분의 주택이나 아파트나 빌라는 이 경우에 속할 것입니다.

소유권 분리는 언제 이뤄졌는가

그러나 간혹 토지만 소유하거나 건물만 소유하는 경우가 있는데 이때는 조건이 붙습니다. 우선 토지와 건물의 소유권 분리가 「서울시 도시 및 주거환경정비조례」 시행일인 2003년 12월 30일 이전에 이뤄져야만 인정합니다(시도별로 조례에 따라 다름). 이것은 입주권을 여러 개 받기 위해 일부러 토지와 건물의 소유권을 분리하는 편법을 막기 위해서입니다.

토지의 크기가 너무 작지는 않은가

조례시행일 이전에 소유권이 분리되었다면, 건물만 소유한 경우에는 별도 조건이 붙지 않습니다. 하지만 토지만 소유한 경우에는 토지의 크기도 중요합니다. 서울시 기준으로 90㎡ 이상을 소유해야 조합원으로 인정됩니다.

단, 토지는 소유했으나 무주택자인 경우는 2010년 7월 30일 이전에 구역지정이 되었다면 토지 면적이 30㎡ 이상 90㎡ 미만인 경우에도 자격이 인정됩니다. 다만 이때도 지목과 현황이 모두 도로인 경우는 인정되지 않으며, 2010년 7월 30일 이후에 신규로 구역지정이 된 곳에서는 무주택자라도 조합원 자격을 인정받을 수 없도록 서울시 조례가 변경되었습니다.

재개발 조합원 자격 조건

	토지+건물 소유	건물만 소유	토지만 소유		무허가 건축물 소유
소유권 분리일[1]	–	2003년 12월 30일 이전	2003년 12월 30일 이전	2003년 12월 30일 이전	관계없음
최소 면적[1]	관계없음	관계없음	90㎡ 이상	30㎡ 이상 ~ 90㎡ 미만	관계없음 (무허가 건축물로 인정받을 것)
주택 소유 여부	관계없음	관계없음	관계없음	반드시 무주택자[2]	관계없음
지목	관계없음	–	관계없음	지목[3]과 현황[4] 모두 도로면 자격 없음	관계없음

1) 서울시 기준임. 시도조례에 따라 다름.

2) 2010년 7월 30일 이후에 신규로 구역지정이 된 곳에서는 무주택자라도 30㎡ 이상 ~ 90㎡ 미만의 토지 소유자는 조합원 자격을 인정받을 수 없다.

3) 지목 : 토지의 주된 이용목적에 따라 토지의 종류를 구분하고 표시하는 등기부상의 분류.

4) 현황 : 공부와 상관없이 실제로 이용되고 있는 상태. 예컨대 등기부상의 지목이 '전'이나 '답'이라도 현재 대지로 이용되고 있다면 현황지목은 '대지'가 된다.

30㎡ 미만의 토지 소유자는 조합원 자격이 주어지지 않고 현금청산을 받게 됩니다. 현금청산을 받고 싶지 않다면 조합원 분양신청 전까지 부족한 면적을 추가로 매입해서 면적 요건(90㎡ 이상)을 맞추거나, 반대로 그런 분들에게 매도를 할 수도 있습니다. 반드시 붙어있는 토지가 아니라도 보유하고 있는 토지의 전체 면적만 맞추면 조합원으로 인정받을 수 있습니다.

무허가 건축물이라면 대장에 등재되어 있는가

한편, 토지와 건축물 중 어느 것에도 해당되지 않는 경우가 있습니다. 이른바 '뚜껑'이라 불리는 무허가 건축물을 소유한 경우입니다. 무허가 건축물은 합법적으로 허가는 되지 않았지만 소유권 자체는 인정됩니다.

다만 모든 무허가 건축물이 인정되는 것은 아니고, 반드시 1981년 12월 31일 현재 '무허가건축물대장'에 등록되어 있거나 1981년 촬영한 제2차 항공사진에 나타나 있어야 합니다. 따라서 무허가 건축물은 반드시 이러한 증빙서류가 있는지 확인해서 조합원 자격을 분명히 한 후에 매입하셔야 합니다.

경매로 재건축·재개발 물건을 낙찰 받을 때 주의점

재건축·재개발 대상 물건을 취득할 때는 반드시 조합원 자격이 있는 물건인지 확인한 후에 매입하셔야 합니다. 간혹 경매로 진행되는 물건 중에는 조합원 자격을 갖추지 않아 현금청산 대상인 경우가 있는데, 이것을 모른 채 무조건 조합원 자격이 되는 줄 알고 덜컥 낙찰받는 경우를 가끔 보게 됩니다.

감정평가서에 '현금청산 대상'이라는 내용이 나오는 경우도 있지만 그렇지 않은 경우도 많습니다. 따라서 사업시행인가 후 조합원 분양신청이 끝난 지역의 물건이 경매에 나왔다면 반드시 조합에 문의해서 조합원 자격이 되는지 확인해보고 입찰하셔야 합니다.

순서도로 정리해본 재개발 조합원 자격

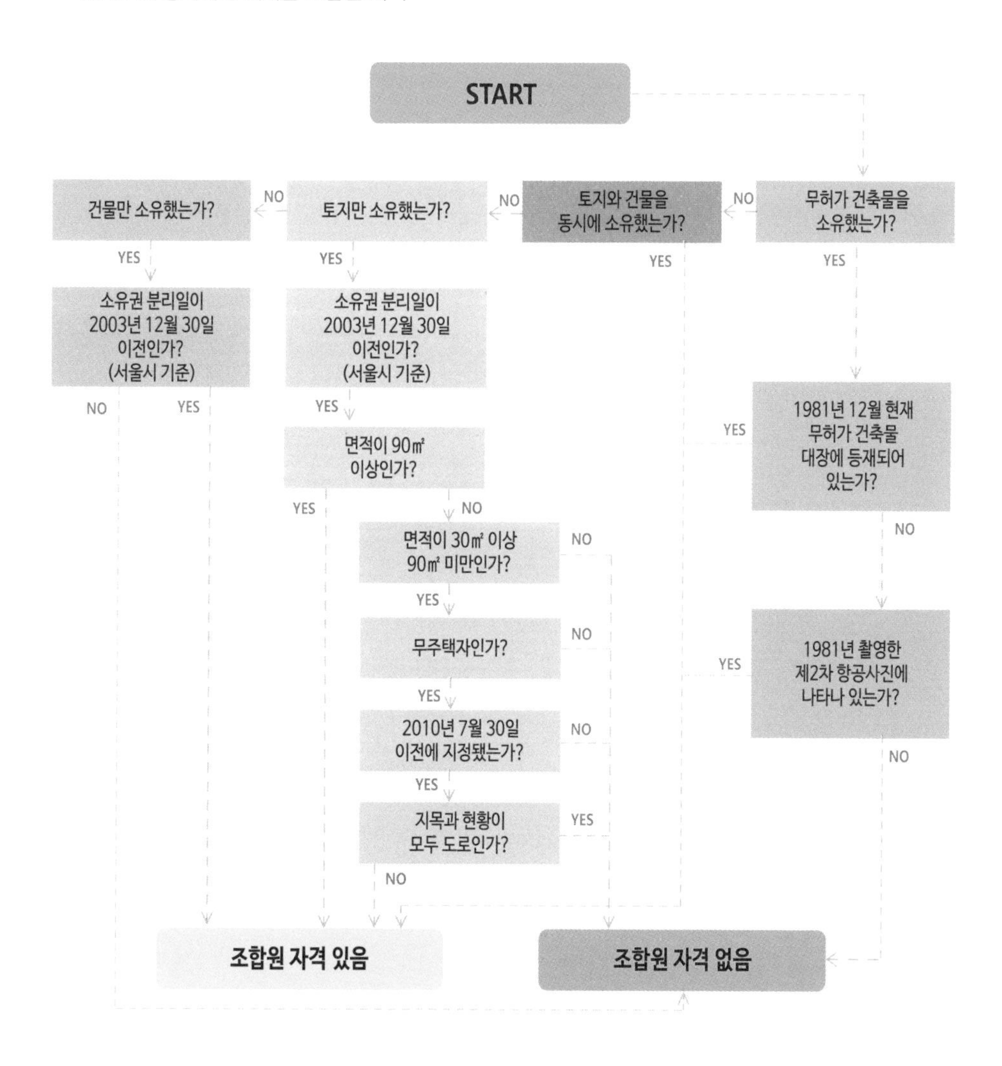

조합원 입주권은 몇 개까지 가질 수 있을까

최투자 씨는 모 지역의 아파트가 재건축될 것이라는 정보를 입수하고 이 단지의 아파트만 5채를 매입했습니다. 그렇다면 최투자 씨는 입주권도 5개를 받을 수 있을까요?

정답은 '그럴 수도 있고, 아닐 수도 있다'입니다. 지역에 따라 소유한 부동산의 개수만큼 입주권을 인정하는 곳도 있지만, 인정하지 않는 곳도 있습니다.

재건축의 입주권 개수 기준

입주권의 보유 개수 기준은 도시 및 주거환경정비법에서 정해 놓은 '주택 공급 기준'입니다. 이 법의 제48조(관리처분계획의 인가)를 보면 그 내용이 5개 항목으로 구분되어 있습니다. 하나하나 살펴보도록 합시다.

1. 재건축 시 소유한 주택 수만큼 공급할 수 있는 기준

(1) 과밀억제권역이 아닌 주택재건축사업의 토지등소유자

(2) 근로자숙소, 기숙사 용도로 주택을 소유하고 있는 토지등소유자

(3) 국가, 지방자치단체, 주택공사 등

(4) 「국가균형발전 특별법」 제18조에 따른 공공기관 지방이전시책 등에 따라 이전하는 공공기관이 소유한 주택을 양수한 자

수도권은 대부분 과밀억제권역에 해당되므로 첫 번째 항목은 주로 지방에 해당되는 이야기입니다. 두 번째 항목은 개인이 아니라 회사에서 직원복지용으로 사택이나 기숙사 용도로 사용하는 주택을 의미하고, 세 번째와 네 번째 항목은 공공기관과 관련이 있는 부동산이라고 보면 됩니다.

2. 재건축 시 과밀억제권역에서 투기과열지구가 아닌 주택재건축사업의 경우 3주택 이하로 공급할 수 있다.

과밀억제권역이라고 해도 투기과열지구가 아니라면 3개까지는 입주권을 받을 수 있다는 뜻입니다. 만약 최투자 씨가 투자한 지역이 투기과열지구에 해당하지 않는다면 5개 중에서 2개의 주택은 조합 설립 전에 매도하는 것이 현명합니다. 왜냐하면 입주권을 3개까지 밖에 받을 수 없기 때문입니다.

3. 재건축 시 종전자산평가액 또는 주택의 주거전용면적의 범위에서 2주택을 공급할 수 있다. 이중 1주택은 전용면적 60㎡ 이하로 한다. 단, 이전고시일 다음날부터 3년 이내에 전매가 제한된다.

일명 '원 플러스 원(1+1)' 분양이라고 하는 것이 여기에 속합니다. 쉽게 말해서, 내가 가지고 있던 부동산의 종전자산평가액이나 주거전용면적이 크다면 입주권을 2개 받을 수도 있다는 뜻입니다. 다만 2개의 입주권 중 하나는 전용면적 60㎡ 이하의 소형주택이어야 합니다.

이때 추가로 받은 전용면적 60㎡ 이하의 소형주택은 이전고시일 다음날부터 3년 이내에 전매가 제한됩니다. 주의할 점은 이전고시일은 준공인가일이나 입주일과 다르다는 점입니다.

이전고시는 통상 입주하고 몇 달이 지나서 하게 되는데, 이전고시가 이루어져야 아파트 보존등기를 할 수 있습니다. 쉽게 생각해서 아파트 보존등기가 된 후 3년 동안 전매가 되지 않는다고 보시면 됩니다. 준공인가일이나 입주 후 3년이 아니라는 사실에 주의하시기 바랍니다.

재개발의 입주권 개수 기준

그렇다면 만약 최투자 씨가 재건축 구역이 아닌 재개발 구역에서 5채의 주택을 샀다면 어떨까요?

재개발은 재건축과 달리 주택의 보유 개수만큼 입주권을 주는 것이 아니라, 보유한 주택의 종전자산평가액을 합산해서 1개의 입주권만 받을 수 있습니다. 이것을 모르고 여러 채의 주택을 매입하시는 분도 가끔 보게 됩니다.

부부 또는 가족이 각각의 명의로 주택을 매입해도 마찬가지입니다. 재개발 입주권을 계산할 때에는 개인이 아니라 세대원 전체의 보유 주택을 모두 합치기 때문입니다. 이때 부부의 주민등록이 따로 되어 있다고 해도 마찬가지로 한 세대로 봅니다. 즉, 최투자 씨는 주택을 5채 샀지만 원칙적으로 입주권은 1개만 받을 수 있습니다.

다만 5채의 종전자산평가액을 합산한 금액이나 주거전용면적이 '원 플러스 원'으로 받을 분양가액의 합산금액이나 주거전용면적보다 크다면 '원 플러스 원'으로 입주권을 받을 수 있습니다. 즉, 최투자 씨가 매입한 5채를 모두 합쳤을 때 종전자산평가액이나 주거전용면적이 얼마인지, 그리고 분양받게 될 아파트의 분양가액이나 주거전용면적이 얼마인지에 따라 최투자 씨는 2개의 입주권을 받을 수도 있고 받지 못할 수도 있다는 뜻입니다.

다른 경우도 있습니다. 주택을 1채만 보유했지만 그 집이 커서, 종전자산평가액이나 주거전용면적이 원 플러스 원으로 받을 아파트의 분양가액이나 주거전용면적보다 크다면 마찬가지로 2개의 입주권을 받을 수 있습니다. 따라서 일반분양 물량이 많은 재개발 사업장의 경우는 원 플러스 원 입주권을 염두에 두고 미리 종전자산평가액이나 주거전용면적이 큰 매물을 매수하는 것도 좋은 투자 방법입니다.

단, 여기서 주의할 점은 추가로 받을 소형평형에 대한 신청자가 많아 조합원끼리 경합이 발생할 경우, 우선권은 1주택 신청자에게 돌아간다는 사실입니다. 소형평형을 신청한 조합원이 많아서 남는 소형평형이 없다면 비록 종전자산평가액이나 주거전용면적의 합이 커도 원 플러스 원 분양을 받을 수 없기 때문에 조심하셔야 합니다.

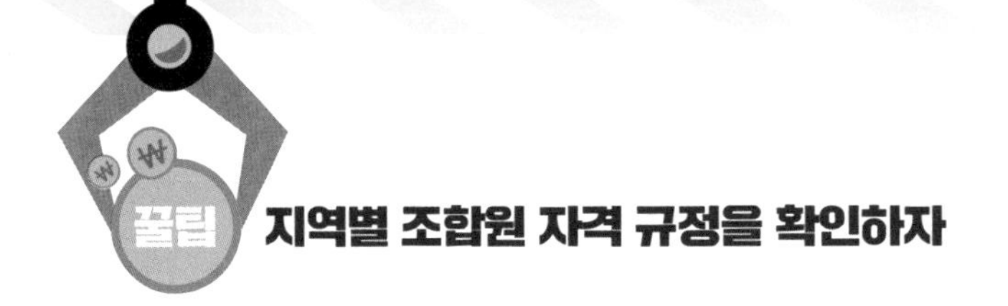

지역별 조합원 자격 규정을 확인하자

조합원 자격은 시·도별로 조금씩 차이가 있습니다. 아래 내용은 「도시 및 주거환경정비법」 상의 조합원 자격과 「서울시 도시 및 주거환경 정비조례」 상의 조합원 자격에 대한 내용입니다. 시·도 별로 정비조례가 조금씩 다르고 조합원 자격도 조금씩 다를 수 있으므로 재개발 투자를 결정하시기 전에 반드시 그 지역의 조례를 확인하시기 바랍니다.

[도시 및 주거환경정비법 상 조합원 자격]

제19조(조합원의 자격 등)

① 정비사업(시장·군수 또는 주택공사 등이 시행하는 정비사업을 제외한다)의 조합원은 토지등소유자(주택재건축사업과 가로주택정비사업의 경우에는 주택재건축사업과 가로주택정비사업에 각각 동의한 자만 해당한다)로 하되, 다음 각 호의 어느 하나에 해당하는 때에는 그 수인을 대표하는 1인을 조합원으로 본다. 다만, 「국가균형발전 특별법」 제18조에 따른 공공기관지방이전시책 등에 따라 이전하는 공공기관이 소유한 토지 또는 건축물을 양수한 경우 양수한 자(공유의 경우 대표자 1인을 말한다)를 조합원으로 본다. 〈개정 2005.3.18., 2009.2.6., 2012.2.1., 2016.1.27.〉

1. 토지 또는 건축물의 소유권과 지상권이 수인의 공유에 속하는 때
2. 수인의 토지등소유자가 1세대에 속하는 때(이 경우 동일한 세대별 주민등록표 상에 등재되어 있지 아니한 배우자 및 미혼인 20세 미만의 직계비속은 1세대로 보며, 1세대로 구성된 수인의 토지등소유자가 조합설립인가 후 세대를 분리하여 동일한 세대에 속하지 아니하는 때에도 이혼 및 20세 이상 자녀의 분가를 제외하고는 1세대로 본다)
3. 조합설립인가 후 1인의 토지등소유자로부터 토지 또는 건축물의 소유권이나 지상권을 양수하여 수인이 소유하게 된 때

② 「주택법」 제63조 제1항의 규정에 의한 투기과열지구(이하 "투기과열지구"라 한다)로 지정된 지역 안에서의 주택재건축사업의 경우 제16조의 규정에 의한 조합설립인가 후 당해 정비사업의 건축물 또는 토지를 양수(매매·증여 그 밖의 권리의 변동을 수반하는 일체의 행위를 포함하되,

상속·이혼으로 인한 양도·양수의 경우를 제외한다. 이하 이 조에서 같다)한 자는 제1항의 규정에 불구하고 조합원이 될 수 없다. 다만, 양도자가 다음 각호의 1에 해당하는 경우 그 양도자로부터 그 건축물 또는 토지를 양수한 자는 그러하지 아니하다. 〈신설 2003.12.31., 2005.3.18., 2009.2.6., 2013.12.24., 2016.1.19.〉

1. 세대원(세대주가 포함된 세대의 구성원을 말한다. 이하 이 조에서 같다)의 근무 또는 생업상의 사정이나 질병치료·취학·결혼으로 인하여 세대원 전원이 당해 사업구역이 위치하지 아니한 특별시·광역시·특별자치시·특별자치도·시 또는 군으로 이전하는 경우
2. 상속에 의하여 취득한 주택으로 세대원 전원이 이전하는 경우
3. 세대원 전원이 해외로 이주하거나 세대원 전원이 2년 이상의 기간 동안 해외에 체류하고자 하는 경우
4. 그밖에 불가피한 사정으로 양도하는 경우로서 대통령령이 정하는 경우

③ 사업시행자는 제2항 각호 외의 부분 본문의 규정에 의하여 조합설립인가 후 당해 정비사업의 건축물 또는 토지를 양수한 자로서 조합원의 자격을 취득할 수 없는 자에 대하여는 제47조의 규정을 준용하여 현금으로 청산하여야 한다. 〈신설 2003.12.31., 2009.2.6.〉

[제목개정 2003.12.31.]

[법률 제13912호(2016.1.27.) 부칙 제2조의 규정에 의하여 이 조 제1항 단서는 2018년 1월 26일까지 유효함]

[서울시 도시 및 주거환경 정비조례 상 조합원 자격]

제27조(주택재개발사업의 분양대상 등)

① 영 제52조 제1항 제3호에 따라 주택재개발사업으로 건립되는 공동주택의 분양대상자는 관리처분계획기준일 현재 다음 각 호의 어느 하나에 해당하는 토지등소유자로 한다. 〈개정 2010.3.2., 2010.7.15., 2011.5.26.〉

1. 종전의 건축물 중 주택(주거용으로 사용하고 있는 특정 무허가 건축물 중 조합정관 등에서 정한 건축물을 포함한다)을 소유한 자
2. 분양신청자가 소유하고 있는 종전토지의 총면적이 90㎡ 이상인 자
3. 분양신청자가 소유하고 있는 권리가액이 분양용 최소규모 공동주택 1가구의 추산액 이상인 자. 다만, 분양신청자가 동일한 세대인 경우의 권리가액은 세대원 전원의 가액을 합산하여 산정할 수 있다.
4. 사업시행방식전환의 경우에는 전환되기 전의 사업방식에 따라 환지를 지정받은 자. 이 경우 제1호부터 제3호까지 규정은 적용하지 아니할 수 있다.

5. 「도시재정비 촉진을 위한 특별법」 제11조 제4항에 따라 재정비촉진계획에 따라 기반시설을 설치하게 되는 경우로서 종전의 주택(사실상 주거용으로 사용되고 있는 건축물을 포함한다)에 관한 보상을 받은 자

② 제1항에도 불구하고 다음 각 호의 어느 하나에 해당하는 경우에는 수인의 분양신청자를 1인의 분양대상자로 본다. 〈개정 2010.7.15., 2014.5.14.〉

1. 단독주택 또는 다가구주택을 권리산정기준일 후 다세대주택으로 전환한 경우
2. 법 제19조 제1항 제2호에 따라 수인의 분양신청자가 1세대에 속하는 때
3. 1주택 또는 1필지의 토지를 수인이 소유하고 있는 경우. 다만, 권리산정기준일 이전부터 공유로 소유한 토지의 지분이 제1항 제2호 또는 권리가액이 제1항 제3호에 해당하는 경우에는 그러하지 아니하다.
4. 1필지의 토지를 권리산정기준일 후 수개의 필지로 분할한 경우
5. 하나의 대지범위 안에 속하는 동일인 소유의 토지와 주택을 건축물 준공 이후 토지와 건축물로 각각 분리하여 소유하는 경우. 다만, 권리산정기준일 이전부터 소유한 토지의 면적이 90㎡ 이상인 자는 그러하지 아니한다.
6. 권리산정기준일 후 나대지에 건축물을 새로이 건축하거나 기존 건축물을 철거하고 다세대주택, 그밖에 공동주택을 건축하여 토지등소유자가 증가되는 경우

③ 제1항 제2호의 종전 토지의 총면적 및 제1항 제3호의 권리가액을 산정함에 있어 다음 각 호의 어느 하나에 해당하는 토지는 포함하지 아니한다. 〈개정 2010.7.15.〉

1. 「건축법」 제2조 제1항 제1호에 따른 하나의 대지범위 안에 속하는 토지가 여러 필지인 경우 권리산정기준일 후에 그 토지의 일부를 취득하였거나 공유지분으로 취득한 토지
2. 하나의 건축물이 하나의 대지범위 안에 속하는 토지를 점유하고 있는 경우로서 권리산정기준일 후 그 건축물과 분리하여 취득한 토지
3. 1필지의 토지를 권리산정기준일 후 분할하여 취득하거나 공유로 취득한 토지

④ 제1항부터 제3항까지 규정에 불구하고 사업시행방식전환의 경우에는 환지면적의 크기, 공동환지 여부에 관계없이 환지를 지정받은 자 전부를 각각 분양대상자로 할 수 있다.

[전문개정 2009.7.30.]

사업 책자만 제대로 읽어도 사업성이 보인다

흔히 재건축·재개발 사업은 일단 진행되기만 하면 돈을 번다고 생각하는 분들이 많습니다. 그러나 모든 사업이 그렇지는 않습니다. 그중에는 분명히 엄청난 수익을 남겨주는 사업장도 있지만, 겉보기에만 좋아보였을 뿐 뚜껑을 열어보면 오히려 투자를 안 하느니만 못한 사업장도 분명 존재합니다.

이 두 가지를 어떻게 구분할 수 있을까요? 방법은 하나, 철저한 사업성 분석입니다. 재건축·재개발 사업은 어렵다며 지레 겁을 먹는 분들도 많지만 차근차근 해보면 그리 어려운 일도 아닙니다. 이제부터는 그 방법을 하나하나 알아보고자 합니다.

조합의 책자 속에 사업성의 열쇠가 있다

사업성은 대체 어떻게 분석할 수 있을까요? 가장 기본은 바로 조합이 발행하는 책자를 꼼꼼히 살펴보는 일입니다. 그것만으로도 앞으로 우리 사업장에서 어떤 곳에 얼마만큼의 돈을 쓸 것인지, 이 사업에 문제가 될 소지가 있는지 없는지를 개략적으로 파악할 수 있습니다.

조합창립총회 책자나 관리처분계획 책자를 보면 정비사업비 추산액이 나와 있습니다. 정비사업을 위해 얼마의 비용을 쓸 예정인지를 항목별로 정리해놓은 부분입니다. 어려운 용어가 많아서 처음 본 사람들은 겁을 먹을 수도 있지만, 하나하나 살펴보면 별 것 아니라는 사실을 알게 되실 겁니다.

여기에서는 다양한 항목 중에서 눈여겨봐야 할 것 몇 가지만 집중적으로 다뤄보도록 하겠습니다. 한 가지 알아두셔야 할 것은, 금액 못지않게 중요한 것이 바로 비율이라는 사실입니다. 사업장마다 규모가 다르기 때문에 그중에서 이 항목이 차지하는 비율이 얼마인지를 꼭 살펴봐야 합니다.

공사비(시공비)

공사비는 신축 아파트 건축을 하는 데에 들어가는 비용입니다. 대지 토목공사, 주거 공간 및 부대시설 공사는 물론 기존 건축물을 철거하는 비용까지 포함됩니다.

특히 전체 공사비뿐 아니라 '평당 공사비(평당 시공비)'도 눈여겨보시기 바랍니다. 평당 공사비가 얼마로 책정되어 있느냐에 따라 총사업비가 얼마나 나오게 될지 추산해 볼 수 있습니다.

보상비

보상비는 말 그대로 보상을 해주기 위한 비용으로, 조합원 자격을 충족시키지 못하거나 조합원 분양을 원치 않는 사람들에게 현금청산을 해주기 위한 금액입니다. 보상비에는 현금청산자에 대한 현금청산금과 세입자주거이전비, 상가영업보상비가 있습니다.

재건축에서는 해당 부동산을 협의매수하거나 매도청구소송을 통해 매입합니다. 반면 재개발은 「공익사업을 위한 토지 등의 취득 및 보상에 관한 법률」에 따라 강제수용하게 됩니다. 이 때문에 재건축에서는 없었던 세입자주거이전비와 상가영업보상비를 지급하도록 하는 것입니다.

이 돈은 주로 조합이 시공사나 금융기관으로부터 차입해서 사용하기 때문에, 이 항목이 크면 그만큼 금융비용이 증가하게 됩니다.

공과금

공과금 항목에서 주의 깊게 봐야할 항목은 법인세입니다. 조합은 법인이기 때문에 수익이 발생하면 법인세를 내야 합니다. 뒤에서 자세히 나오겠지만, 흔히 사업성을 나타내는 지표인 '비례율'이 100%를 넘으면 수익이 난다는 뜻이고 조합은 그에 해당하는 법인세를 내야합니다. 만약 이 항목을 많이 잡았다면 조합은 비례율이 높게 나올 것으로 예상한다는 뜻입니다.

금융비용

금융비용은 조합이 내는 각종 이자를 뜻합니다. 일반분양을 통해 분양수익이 들어오기 전까지 조합은 돈을 차입해서 사업을 진행할 수밖에 없습니다. 여기에는 이주비 금융비용과 시공사 및 금융기관으로부터 대여한 대여금 금융비용이 해당됩니다.

이주비는 이주를 하기 위한 일정금액을 조합원에게 무상으로 대여해주는 것이지만, 사실은 이주비의 이자비용을 조합에서 대신 납부하고 있습니다. 이 금액이 이주비 금융비용입니다. 또한 사업진행시 필요한 기타 부대비용 등은 시공사나 금융기관에서 차입하고 있는데, 이에 대한 비용이 대여금 금융비용입니다.

예비비

예비비는 특별히 정해진 항목 없이, 사업을 진행하다가 어떤 일이 생길지 모르기 때문에 이에 대비하기 위해 잡아놓은 예산입니다. 대부분 총사업비의

1% 정도를 예비비로 잡아놓는 것이 일반적입니다.

만약 예비비가 유난히 높다면, 이 사업장은 추가비용이 발생해도 예비비에서 충당이 가능하기 때문에 비례율이 하락할 가능성이 적다고 보시면 됩니다.

미분양대책비

기타사업비는 말 그대로 기타 다양한 부분에 필요한 금액인데, 그중에 '미분양대책비'를 눈여겨보시기 바랍니다. 이 돈은 일반분양에서 미분양이 발생할 경우를 대비하여 중도금 이자후불제나 중도금 무이자 또는 일반분양가 인하 등의 조치를 취할 수 있도록 책정해놓은 비용이라고 보시면 됩니다.

사실 이 항목은 반드시 잡아놓지 않아도 될 예비비이기 때문에 사업성이 좋지 않은 구역은 이 항목을 전혀 잡지 않기도 합니다. 만약 이 항목이 포함되어 있다면 앞으로 비례율이 낮아질 가능성이 적다고 볼 수 있습니다.

이주촉진비

조합이 정한 기한 내에 이주를 완료하는 조합원에게 주는 이사비로, 말 그대로 이주를 촉진하기 위한 비용입니다. 이 항목 역시 반드시 포함해야 하는 것은 아니기 때문에 사업성이 좋지 않은 구역에서는 책정하지 않는 곳도 많습니다.

수입추산액

이 사업을 통해 얻게 될 수입을 미리 추산해본 금액입니다. 조합원분양 수입과 일반분양 수입을 합쳤을 때 나오는 금액입니다.

조합원분양가는 관리처분계획 때 확정이 되지만, 일반분양가는 관리처분계획 때에도 어디까지나 예상가일 뿐이고 실제 확정은 일반분양 시 부동산 시장 상황에 따라 정해집니다.

추정비례율

일반분양이 이뤄지지 않은 상태이기 때문에 비례율은 변동될 수 있습니다. 그래서 추정비례율이라고 합니다.

뒤에서 자세히 다루겠지만, 비례율 공식은 '(종후자산평가액 – 총사업비) / 종전자산평가액×100'입니다. 즉, 기존에 조합원들이 보유하고 있던 종전자산의 가치에 대비해서 얼마를 벌어들였는지를 나타내는 수치입니다. 주로 100%보다 높으면 사업성이 높다고 보고, 그보다 낮으면 사업성이 낮다고 봅니다.

앞서 언급한 항목들 중 차후 상황에 따라 변동되는 것들이 생기면 비례율은 달라질 수 있습니다. 따라서 사업 초기 단계에서는 개략적인 참고만 하시고 절대적인 수치라고 생각하지는 마시기 바랍니다. 참고로, 비례율이 100%를 넘으면 조합은 법인세를 내야 하기 때문에 가능하면 100%에 맞추려는 경향이 있습니다.

그리고 비례율은 일반분양가, 조합원분양가, 종전자산평가액, 총사업비등을 조정하면 얼마든지 바꿀 수 있기 때문에 맹신하시면 안됩니다. 그래서 관리처분계획 책자에 나오는 정비사업비 추산액을 꼼꼼히 보셔야 합니다.

중요한 것은 앞으로의 상황을 유추하는 것

지금까지 살펴본 내용을 종합해 보면, 조합이 발행한 책자를 통해 알 수 있는 것은 단순히 얼마가 들고 얼마를 벌 수 있느냐가 아닙니다. 그보다 중요한 것은 앞으로 이 사업장의 비례율이 높아지거나 낮아질 가능성이 있는지를 추산해보는 것입니다.

미분양에 대비하기 위해 예비비를 많이 책정해 두었다면 비례율이 최초 관리처분계획 때보다 낮아질 가능성은 적다고 보시면 됩니다. 책정해 둔 예비비를 사용하지 않는다면 사업비가 줄어들기 때문에 비례율이 올라갈 수도 있습니다.

반대로 꼭 필요한 항목을 책정해 놓지 않으면 일반분양 시점에 부동산 시장이 안 좋아졌을 경우를 대비하기 어렵습니다. 분양이 잘 되도록 하기 위해 분양가를 낮추거나 중도금 무이자 등의 혜택을 제공해야 하는데, 이 경우 사업비가 증가하여 비례율이 낮아질 수 있고 추가부담금이 나오게 될 수도 있습니다.

이처럼 책자를 검토해보는 것만으로도 개략적인 사업성을 가늠해볼 수 있습니다. 비례율이 내려가서 추가부담금이 나올지, 비례율이 올라가서 분담금이 줄어들지, 같은 내용만 파악해도 이 사업장에 대한 투자를 결정하는 데에 큰 도움이 될 것입니다.

총회 책자를 통해 실제 재건축·재개발 사례를 분석하자

이번에는 실제 총회 책자를 통해 배웠던 내용을 복습하고, 어떻게 적용하면 되는지 훈련해봅시다. 여기에 활용할 자료는 경기도에서 실제 진행되고 있는 모 구역의 재개발 조합창립총회 책자를 일부 발췌한 것입니다.

조합창립총회 책자의 내용은 기본적으로 관리처분계획 책자에 비해 상당히 허술합니다. 사업이 시작되는 단계이기 때문에 아직 확정되지 않은 부분이 많으므로 개략적인 추산액만 표시되어 있기 때문입니다. 관리처분계획 책자가 일반분양가 등 몇 가지만 빼고 대부분 확정된 상태인 것과는 많이 다릅니다.

그럼에도 불구하고 아예 분석해보지도 않고 투자하는 사람과 어느 정도 가닥을 잡고 투자하는 사람은 분명한 차이가 있습니다. 사업장마다 조금씩 다르긴 하지만, 조합창립총회 자료에도 사업성을 추측해볼 만한 단서들이 꽤 많이 존재합니다. 여기에서는 조합창립총회 책자에서 무엇을 중심으로 보아야 하는지 살펴보겠습니다. 단, 이 구역의 사례를 든 것은 절대로 사업성이 좋으니 투자하시라거나 사업성이 나쁘다고 비판하려는 의도가 아니며, 분석에 적합한 내용이라 판단되어 가져온 것임을 미리 밝힙니다.

총사업비

먼저 총사업비를 살펴봅시다. 책자에는 '정비사업비 총액(총사업비)'이라고 나와 있는데, 뒷장의 표는 그 부분을 발췌한 것입니다. 합계는 약 7,343억 원입니다. 그중에서 '신축비'와 '철거비'의 합계액은 약 5,559억 원인데, 이는 총사업비의 75.7%에 해당합니다. '기타사업비'는 1,784억 원으로 24.3%입니다. 대략 3대 1의 비율입니다.

그 아래에는 '신축비 및 철거비 산출내역'이 있습니다. 이것을 자세히 살펴보면 평당 신축비는 385만 원, 평당 철거비는 5만 원이므로, 이 둘을 합한 평당 공사비(평당 시공비)는 390만 원임을 알 수 있습니다. 최근에는 아파트에 대한 기대치가 높아지면서 고급 아파트를 짓기 위해 평당 공사비를 420만 원 이상으로 높게 잡는 편인데, 그에 비하면 이 수치는 다소 적은 편으로 보입니다.

참고로, 총사업비에는 현금청산자에게 지급할 현금청산비용과 세입자 주거이전비, 상가영업보상비가 제외되어 있습니다. 아직은 조합설립 단계로 사업 초기에 해당하기 때문에 이 항목은 자료에 포함되어 있지 않지만 나중에는 추가될 것입니다. 사업이 진행될수록 이 비용이 어떻게 책정될지 지켜보는 것도 좋을 듯합니다.

정비사업비 총액 (총사업비)

(단위 : 천 원)

구 분	금 액	비 고
신 축 비	548,777,357	인근지역 시공자 선정 입찰단가를 참고하여 산정
철 거 비	7,126,979	향후 계약 조건에 따라 변경되며, 선정되는 시공자 제시
기타사업비	178,458,441	신축비 및 철거비를 제외한 모든 항목 포함
합 계	734,362,777	

가. 신축비 및 철거비 산출내역

1) 인근 지역에서 시공자로 선정된 도급공사비를 참고하여 공사비를 산정하였으며, 조합설립인가 이후 선정되는 시공자의 입찰단가 및 계약조건에 따라 변경 및 확정됩니다.

ㅇ 신축비 산정 : 신축연면적 × 평당 3,850,000원

2) 철거비는 「도시 및 주거환경정비법」 제11조 제4항에 의거 선정된 시공자가 공사비에 포함하여 제안을 하며, 인근 구역의 단가를 참고로 하여 산출하였습니다.

ㅇ 철거비 산정 : 신축연면적 × 평당 50,000원

아파트 분양수입

이번에는 '총분양수입'을 살펴봅시다. 총분양수입은 조합원분양을 통해 얻은 수입과 일반분양을 통해 얻은 수입을 합쳐서 계산합니다.

아래 표는 '분양수입' 부분을 발췌한 것인데 이를 보면 이 지역은 조합원에게 분양할 1,491세대, 일반분양 1,493세대, 임대아파트 616세대를 합쳐 총 3,600세대를 신축할 계획임을 알 수 있습니다.

조합원들의 평당 분양가는 평형마다 조금씩 다르긴 하지만 대략 평당 1,200만 원대 중반으로 나와 있습니다. 25평형을 기준으로 보면 조합원분양가는 약 3억2,340만 원이라고 나와 있는데, 이 평형이 총 457세대이므로 이 평형을 통해 얻는 조합원분양 수입은 약 1,480억 원입니다.

분양수입

	평형	세대수	평단가(천 원)	분양가(천 원)	분양수입(천 원)
조합원 분양	20.5	240	12,694	260,659	62,558,063
	22.6	262	12,694	287,039	75,204,288
	25	457	12,694	323,404	147,795,522
	30	152	12,429	378,781	57,574,747
	34	341	12,429	419,315	142,986,308
	39	39	12,165	477,664	18,628,880
일반분양	20.5	241	15,867	325,824	78,523,582
	22.6	262	15,867	358,800	94,005,599
	25	458	15,867	404,256	185,149,247
	30	152	15,537	473,478	71,968,656
	34	341	15,537	524,144	178,733,104
	39	39	15,206	597,080	23,286,120
임대	15	153	7,650	111,066	16,993,098
	18	280	8,027	143,223	40,102,440
	21	183	8,166	167,686	30,686,538
합계		3,600		분양수입	1,224,196,192

일반분양가는 평당 1,550만 원에서 1,580만 원대입니다. 그중에서 25평형의 일반분양가는 약 4억426만 원인데, 458세대를 분양하므로 이 평형을 통해 얻는 일반분양 수입은 약 1,851억 원입니다.

이렇게 모든 평형의 조합원분양 수입과 일반분양 수입을 계산한 후 합하면 총 1조2,242억 원 정도가 나옵니다. 이것이 예상되는 아파트의 분양수입입니다. 여기에는 부대복리시설 수입 약 603억 원이 빠져 있습니다.

참고로 조합원분양가와 일반분양가의 차이도 알아두면 좋을 것입니다. 25평형의 경우 조합원분양가와 일반분양가의 차이는 약 8,000만 원입니다.

종전자산평가액

종전자산이란 사업을 하기 이전의 자산, 즉 토지등소유자들이 가지고 있는 부동산의 가치를 모두 합한 것입니다. 즉, 조합원이 될 수 있는 토지등소유자들 개개인의 감정평가액을 모두 합한 금액과 같습니다. 아래 표는 책자 중에서 '종전자산평가액' 부분을 발췌한 것으로 책자를 보면 종전자산평가액은

종전자산평가액 〈산정기준〉

(단위 : 천 원)

구 분	금 액	산출근거
총 분양수입(A)	1,284,541,198	조합원 분양, 일반분양 및 부대복리시설 수입
총 사업비용(B)	734,362,777	
개발이익(C)	550,178,421	A – B
종전자산평가 총액(D)	405,517,188	

$$\frac{1,284,541,198 - 734,362,777}{405,517,188} \times 100 \fallingdotseq \mathbf{135.67\%}$$

※ 상기 금액은 추산액으로서 사업추진 과정에서 변경될 수 있습니다.

4,055억 원으로 나와 있습니다. 참고로, 재개발에서는 조합이 설립됨과 동시에 토지등소유자 모두가 자동으로 조합원이 되지만, 재건축에서는 조합설립에 동의한 사람만 조합원이 됩니다.

비례율

총사업비용, 총분양수입, 종전자산평가액을 알았으므로 이제 비례율을 개략적으로 계산해 볼 수가 있습니다. 비례율은 이 사업의 사업성을 한눈에 알아보기 위한 지표로서 아래 공식을 이용해서 구합니다.

비례율 = (총분양수입 – 총사업비용) / 종전자산평가액 × 100

앞에 나왔던 '종전자산평가액' 표를 보면 이 구역의 총수입은 1조2,845억 원이라고 나와 있습니다. 이것은 앞서 계산했던 아파트 분양수입에 '부대복리시설 수입'을 포함한 것입니다. 여기에 총사업비는 7,343억 원이고, 종전자산평가액은 4,055억 원이므로, 비례율은 약 135.67%로 추산됩니다. 이러한 수치는 실제로 앞의 표에도 나와 있습니다.

비례율 = (총분양수입 - 총사업비용) / 종전자산평가액 × 100
= (1조2,845억 원 - 7,343억 원) / 4,055억 원 × 100
= 135.67%

비례율이 100%를 넘으면 사업성이 좋다고 보는데, 이 사업장은 그보다 훨씬 높으므로 사업성이 매우 우수하다고 짐작할 수 있습니다.

일반분양 물량에 주목하자

이 구역의 사업성이 이처럼 우수할 수 있는 이유는 조합원수에 비해 일반분양이 많기 때문입니다. 이 구역의 토지등소유자의 총수는 1,707명인 반면, 일반분양은 1,493세대입니다. 일반분양 세대수가 기존의 토지등소유자 수의 무려 74.8%에 달합니다. 그만큼 사업성이 좋을 수밖에 없는 것입니다.

물론 이 자료를 백 퍼센트 믿을 수는 없습니다. 이 자료는 조합설립추진 단계에서 만들어진 것으로, 이후 사업 진행 과정에서 사업비와 분양가격이 조정될 수 있기 때문입니다.

게다가 추진위원회 중에서는 간혹 조합설립 동의서를 빨리 받아내기 위해서 사업성을 좋게 포장하는 경우가 있습니다. 따라서 이 자료는 어디까지나 참고자료로만 활용하시고, 이 지역의 다른 사업장과 인근 아파트 시세를 조사해서 좀 더 자세한 분석을 한 후 투자 결정을 하시기 바랍니다.

재개발·재건축 정보 얻기 좋은 「하우징 헤럴드」

요즘은 재건축·재개발에 대한 다양한 정보를 온라인으로 얻을 수 있는 곳이 많습니다. 그 중에서 제가 주로 이용하는 사이트 중 하나가 재건축·재개발 전문 언론사인 「하우징 헤럴드」입니다. 이곳 홈페이지(www.housingherald.co.kr)에서는 재건축·재개발 사업과 관련된 많은 뉴스를 보실 수 있습니다. 일간지보다 더 구체적인 뉴스와 정보가 수록되어 있고, 재건축·재개발 지역을 조사할 때 참고할 만한 양질의 기사들이 많습니다.

그중에서 제가 시간이 있을 때마다 확인하는 것은 '입찰' 코너에 올라오는 입찰공고문입니다. 어떤 지역에서 어떤 공고문이 올라오는지 꾸준히 지켜보다 보면 그 지역의 사업 진행 단계와 구역 면적 및 용적률, 신축세대 수, 임대 비율, 일반분양 비율 등을 확인할 수 있어서 투자 지역을 찾는 데에 많은 도움이 됩니다.

Chapter 02 Key Point

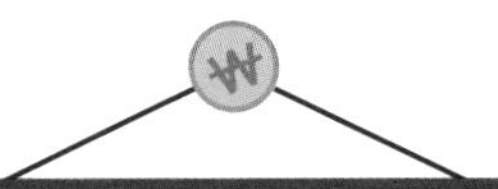

1 재건축·재개발 사업은 절차가 단계별로 진행될수록 매매가가 오르기 때문에 진입할 타이밍과 빠져나올 타이밍을 잡는 것이 중요하다.

2 초기에 진입할 경우에는 가격이 저렴하다는 장점이 있지만, 사업이 완료되기까지 기간이 오래 걸리고 사업 진행에 대한 불확실성이 크다. 반면 후반부에 진입할 경우에는 사업 완료까지의 기간이 오래 걸리지 않고 불확실성이 적어지지만, 상대적으로 높은 가격에 매수하게 된다.

3 재건축 사업은 주택과 토지를 동시에 소유할 경우 조합원이 될 수 있다. 재개발 사업은 토지 또는 주택의 소유 여부, 토지의 크기, 소유권 분리일 등 다양한 조건에 따라서 조합원 자격이 결정된다.

4 조합에서 발간하는 다양한 책자들은 사업성 분석에서 중요한 역할을 한다. 조합창립총회 책자, 관리처분총회 책자 등을 분석하면 수익성을 예측하는 다양한 열쇠를 발견할 수 있다.

재건축·재개발 투자의 **기본 구조 익히기**

서울 A구역 재개발 실제 사례를 중심으로

미리보기

이번 챕터부터는 본격적인 사업성 분석 방법을 이야기합니다. 사업성 분석의 핵심은 분담금을 추산하는 것입니다. 이를 위해 반드시 알아야 할 감정평가액, 권리가액, 비례율의 개념은 물론 이를 직접 계산하는 방법에 대해 배웁니다.

이들 개념은 분담금을 추산하기 위해 반드시 필요한 기본지식일 뿐 아니라 보다 복잡한 사업성 분석을 위한 기초가 되기도 합니다. 집을 지을 때에도 기초가 튼튼해야 흔들리지 않듯이, 이들 개념만 확실히 새겨두어도 재건축·재개발 사업의 흐름을 꿰뚫는 데에 큰 도움이 됩니다.

주요 개념 정리

감정평가액 : 사업 구역 내에 보유하고 있는 부동산의 평가금액. 감정평가사가 정해진 방법과 절차에 의해 평가하여 통보한다. 빌라나 아파트 등의 집합건물은 거래 사례 비교법으로, 단독·다가구주택은 토지 가치와 건물 가치를 따로 평가하여 합하는 방식으로 평가한다.

비례율 : 재건축·재개발의 사업성을 나타내는 지표. 100%보다 높으면 사업성이 좋고, 100%보다 낮으면 사업성이 좋지 않다고 본다. 단, 필요에 따라 조정이 가능하기 때문에 맹신해서는 안 된다.

권리가액 : 조합원이 보유한 부동산에 대해 권리를 주장할 수 있는 실제 금액.

권리가액 = 감정평가액 × 비례율

분담금 : 조합원분양을 받기 위해 조합원이 내야 할 금액.

분담금 = 조합원분양가 - 권리가액 = 조합원분양가 – (감정평가액 × 비례율)

공사비와 총사업비의 비율부터 파악하자

재건축·재개발 투자는 새로 지을 아파트를 일반분양가보다도 저렴한 조합원분양가에 분양받아서 시세차익을 거둬들이는 투자 방식입니다. 그러나 아무리 조합원분양가가 저렴하다고 해도 투자금이 많이 들어가야 한다면 현명한 투자라고 보기는 어렵습니다.

이때의 투자금은 당장 얹어줘야 할 P(프리미엄)뿐 아니라 나중에 조합원분양을 받기 위해 내야 할 분담금까지 포함해야 합니다. 집단대출을 활용하든, 본인의 자금력을 동원하든 추후 분담금을 감당할 여력이 되는지도 중요한 요소가 될 수 있습니다. 따라서 재건축·재개발 투자의 핵심은 바로 이 P와 분담금을 예측하는 것에 있다고 해도 과언이 아닙니다.

이제부터는 본격적으로 사업성 분석의 툴(tool)을 알려드리려고 합니다. 처음 접하는 분들에게는 다소 복잡하고 어렵게 느껴질 수 있지만, 한 번 끝까지 읽어보고 나면 결코 어렵지 않다는 것을 알게 되실 것입니다. 오히려 한 번 배워둠으로써 다양한 재건축·재개발 사업에서 유용하게 사용할 수 있는 평생 무기를 얻게 되실 거라 확신합니다.

이번 챕터에서는 최근 일반분양을 진행한 서울시 A구역의 재개발 사업장을 사례로 들어 설명하겠습니다. 이 구역을 사례로 든 것은 수익성이 뛰어나므로 투자하시라고 권유하거나, 반대로 수익성이 나쁘다고 강조하려는 것이 아님을 유념해 주시기 바랍니다. 다만 비교적 최신의 사례이고, 재개발 사업의 특징을 잘 보여주는 곳이기 때문에 사례로 들게 되었음을 미리 밝힙니다.

먼저 관리처분계획 책자를 통해 사업의 내용을 개략적으로 살펴보겠습니다. 이 구역은 현재 일반분양이 완료되었고, 2019년 입주를 목표로 공사가 진행 중입니다. 이 책에서는 관리처분계획 책자의 일부를 발췌해서 출간에 적합한 형태로 편집하였음을 미리 밝힙니다.

재개발은 기타사업비의 비중이 높다

뒤쪽에 등장하는 표는 A구역의 실제 관리처분계획 책자 중 '정비사업비 추산액' 부분을 옮겨온 것입니다. 관리처분계획 책자에 나온 이 구역의 '소요비용 추산액'의 합계(총사업비)는 약 2,448억 원입니다(❶). 그중에서 '건축시설공사비'는 약 1,625억 원인데, 여기에 '건축시설공사비 부가세'와 '건축물 철거비'까지 모두 합하면 '공사비'가 나옵니다(❷). 금액으로는 약 1,641억 원이고, 비중으로는 총사업비의 67.03%를 차지합니다.

총사업비에서 공사비를 뺀 나머지 금액은 통상 '기타사업비'라고 합니다. 즉, 이 표에서는 총사업비 약 2,448억 원에서 공사비 약 1,641억 원을 뺀 나머지 금액인 약 807억 원이 '기타사업비'가 되며, 비율로는 총사업비의 32.96%를 차지합니다.

비율을 따져보면 대략 '공사비 : 기타사업비 = 67% : 33%'의 비율이 나온다는 것을 알 수 있습니다. 그런데 나중에 자세히 설명하겠지만, 재건축 사업의 경우 일반적으로는 '공사비 : 기타사업비 = 75% : 25%'의 비율이 나오는 것이 일반적입니다(이 비율은 매우 중요하므로 기억해 두시기 바랍니다). 그에 비하면 이 표에는 기타사업비의 비중이 매우 높은 편입니다.

A구역 관리처분계획 정비사업비 추산액

구분	항목		금액	비율	
소요비용추산액	계		244,767,362,534	100.00%	❶
	조사측량비		230,000,000	0.09%	
	설계비		1,180,108,166	0.48%	
	감리비	건축 전기 감리비 등	3,700,000,000	1.51%	
		소방 통신 감리비	555,500,000	0.23%	
		건축물 철거(석면 해체 포함) 감리비	244,500,000	0.10%	
		정비사업전문관리업비	1,256,600,000	0.51%	
	공사비	건축시설공사비	162,508,777,258	66.39%	❷
		건축시설공사비 부가세	1,565,000,000	0.64%	
		건축물 철거비		0.00%	
	지장물 정비	지장물 철거 및 이설비	865,700,000	0.35%	
		인입공사비	500,000,000	0.20%	
	보상비	손실보상비: 토지 및 건축물 보상비	36,000,000,000	14.71%	❸
		이주비: 주거이전비	4,000,000,000	1.63%	
		이주비: 기타이주보상비	1,300,000,000	0.53%	
	관리비	조합운영비	1,872,000,000	0.76%	
		등기비	250,000,000	0.10%	
		변호사 및 기타수수료	600,000,000	0.25%	
	부대경비	감정평가수수료(국공유지 등)	120,183,800	0.05%	
		감정평가수수료(종전/종후평가)	471,557,900	0.19%	
		감정평가수수료(청산자)	200,000,000	0.08%	
		정비기반시설 설치 공사비	2,500,000,000	1.02%	
		회계감사비	100,000,000	0.04%	
		정비기반시설 산출 용역비	16,500,000	0.01%	
		임대부지건축 산출 용역비	100,000,000	0.04%	
		국공유지 무상양여 용역비	16,500,000	0.01%	
		교통영향평가비	129,000,000	0.05%	
		문화재 지표조사	13,800,000	0.01%	
		촉진계획 변경 용역비	333,000,000	0.14%	
		촉진계획 변경 설계 용역비	153,979,353	0.06%	
		범죄예상 설계 용역비	44,000,000	0.02%	
		에너지 총량제 용역비	33,000,000	0.01%	
		석면조사 용역비	198,550,000	0.08%	
		장애물 없는 생활환경 인증 용역비	44,000,000	0.02%	
		교육환경보고 용역비	45,100,000	0.02%	
		기부채납도로 설계 용역비	44,000,000	0.02%	
		사전재해영향성검토 용역비	38,500,000	0.02%	
		기부채납공원설계 용역비	24,200,000	0.01%	
		연결녹지설계 용역비	11,000,000	0.00%	
		친환경 인증 관련 용역비	124,600,000	0.05%	
		분양가상한제 용역비	100,000,000	0.04%	
		수용재결 및 이주관리 용역비	400,000,000	0.16%	
		범죄예방(공가관리)용역비	357,500,000	0.15%	
		지반조사비	60,000,000	0.02%	

소요비용추산액	기타경비	대여금이자	5,500,000,000	2.25%	❹
		이주비금융비용	6,000,000,000	2.45%	
		친환경인증 수수료	40,448,000	0.02%	
		하수도원인자부담금	418,000,000	0.17%	
		학교용지부담금	1,400,000,000	0.57%	
		분양보증수수료	710,000,000	0.29%	
		추진위원회투입비용	1,426,608,157	0.58%	
		납부부가세	250,000,000	0.10%	
		국공유지매입비	459,326,500	0.19%	
		각종제세공과금	100,000,000	0.04%	
		분양촉진비	3,000,000,000	1.23%	
		총회비용	600,000,000	0.25%	
		기타예비비	2,555,823,400	1.04%	❺

이유가 무엇일까요? 이 사업장에 뭔가 문제가 있는 것일까요? 그 이유는 이 사업장이 재건축이 아니라 재개발 사업장이기 때문입니다. 재건축 사업장에서는 이변이 없는 한 '75 : 25'의 비율이 거의 대부분 지켜지지만, 재개발에서는 기타사업비의 비중이 커지기 때문에 그 비율이 잘 맞지 않습니다.

재개발에서 기타사업비의 비중이 커지는 이유는 무엇일까요? 바로 재건축에는 없는 '보상비' 항목이 재개발에는 추가되기 때문입니다. 앞의 관리처분계획 자료를 다시 한 번 살펴보면 '보상비' 항목이 있습니다(❸). 모두 합치면 금액은 약 413억 원이고 비율로는 총사업비의 16.87%를 차지합니다. 꽤 큰 비중이라는 것을 알 수 있지요.

보상비 중에서도 가장 큰 부분은 '손실보상비'로 약 360억 원이 책정되어 있습니다. 손실보상비는 조합원으로서 권리 행사를 포기한 사람들, 즉 현금청산자들에게 지급되는 비용입니다. 조합은 이 돈을 시공사나 금융기관으로부터 빌려와서 지급합니다.

그 밑에 보면 두 가지의 '이주비'가 있습니다. 하나는 '주거이전비', 즉 세입자에 대한 이주비입니다. 다른 하나는 '기타이주보상비', 즉 상가영업자에 대한 보상비입니다. 재건축과 달리 재개발에서는 세입자 주거이전비와 상가영업보상비를 지급해야 합니다. 이 돈 역시 조합이 일단 시공사나 금융기관으로부터 빌려와서 지급합니다.

재건축의 경우는 '공사비 : 기타사업비 = 75% : 25%'라는 비율을 기억하시고, 재개발의 경우는 기타사업비의 비중이 그보다 더 커지기 때문에 대략 '공사비 : 기타사업비 = 65% : 35%'까지 조정된다는 것을 기억하시기 바랍니다. 다만 재개발의 경우는 워낙 변수가 많기 때문에 위 공식이 정확하게 지켜지지 않을 수 있다는 점도 반드시 기억하시기 바랍니다.

보상비·이주비가 많아지면 금융비용도 늘어난다

이번에는 기타사업비 중에서 '기타경비' 항목을 살펴보겠습니다. 여러 가지 항목이 나와 있지만 그중에서 주목할 것은 '대여금이자'와 '이주비금융비용'입니다(❹). 이것은 앞서 설명한 '손실보상비'와 '이주비'를 지급하기 위해서 조합이 시공사나 금융기관에서 빌려온 돈에 대한 이자입니다.

재건축과 재개발의 총사업비 구성비율 비교

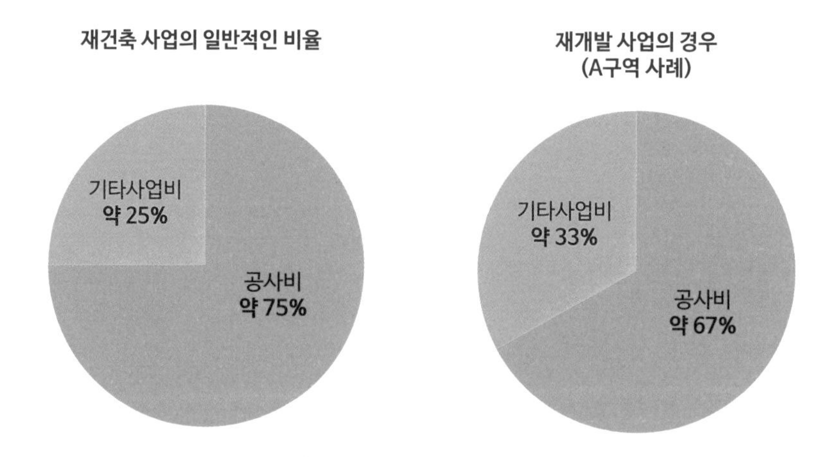

표를 보면 '대여금이자'는 55억 원, '이주비금융비용'은 60억 원으로 이 두 가지만으로 약 115억 원이 책정되어 있습니다. 참고로, 나중에 살펴볼 서울시 B아파트의 재건축 사업에서는 대여금이자가 약 8억 원으로 책정되어 있습니다. 이것만 보더라도 재개발과 재건축 사업이 분명 다르다는 것을 알 수 있을 것입니다.

또 하나 살펴볼 것은 '기타예비비'입니다(❺). 금액으로는 약 26억 원이고 비율로는 총사업비의 약 1% 정도입니다. 기타예비비는 예기치 않은 문제를 해결하기 위해 마련해 둔 비용으로, 재건축과 재개발 사업 모두 1% 정도에서 책정하는 게 일반적입니다. 만약 기타예비비가 넉넉하게 책정되어 있다면 만일의 사태에 대비할 만한 여력이 충분하다는 뜻입니다.

지금까지 A구역 재개발 사업의 실제 관리처분계획 내용을 통해서 재개발의 사업비가 어떤 구조로 이뤄지는지 개략적으로 살펴보았습니다. 책자를 살펴보는 것은 사업성 분석의 기본 중의 기본이므로 어렵더라도 기회가 있을 때마다 들여다보는 습관을 가지면 좋습니다.

물론 전문가가 아니라면 사업비 항목의 모든 내용을 알아보기는 쉽지 않을 것입니다. 그러나 다른 것은 모두 놓치더라도 '공사비(시공비)'만큼은 반드시 챙겨봐야 합니다. 공사비는 재건축·재개발 사업에서 가장 많은 비중을 차지하는 항목이고, 공사비를 뺀 나머지의 합인 '기타사업비'와의 비율을 통해 많은 것을 알아낼 수 있기 때문입니다.

사업성을 보여주는 대표적 지표 '비례율'

이번에는 '비례율'에 대해서 알아보겠습니다. 이미 앞에서 여러 차례 언급한 것처럼 비례율은 사업성을 나타내는 대표적인 지표입니다. 흔히 비례율이 100%보다 높으면 사업성이 좋고, 100%보다 낮으면 사업성이 나쁘다고 봅니다. 엄밀히 따지면 이 말이 항상 들어맞는 것은 아닙니다. 하지만 대부분의 경우에는 비례율이 높으면 조합원들의 권리가액도 늘어나므로 조합원분담금이 줄어들고, 따라서 조합원들에게 유리한 것은 사실입니다.

비례율을 구하는 공식은 다음과 같습니다.

비례율 = (종후자산평가액 – 총사업비) / 종전자산평가액 x 100

공식을 보면 종후자산평가액이 클수록, 총사업비가 적을수록, 종전자산평가액이 적을수록 비례율이 높아진다는 것을 알 수 있습니다. 그렇다면 대체 종후자산평가액은 뭐고 종전자산평가액은 뭔지, 공식을 하나하나 살펴봅시다.

종후자산평가액 : 조합이 얻게 될 총 수입

'종후자산평가액'이란 사업이 완료되고 난 후에 조합이 얻게 될 총 수입을 말합니다. 쉽게 말하면 조합원분양 수입과 일반분양 수입을 모두 합한 것이라 할 수 있습니다.

종후자산평가액이 늘어나려면 어떻게 해야 할까요? 당연히 분양가격은 높게, 분양수량은 많게 해야 합니다. 다만 조합원분양가를 높이면 조합원들이 좋아할 리 없으니 이왕이면 일반분양을 높은 가격에 많이 분양할수록 종후자산평가액이 늘어납니다.

예를 들어 조합원분양은 2억 원에 100세대를 하고, 일반분양은 2억5,000만 원에 50세대를 한다고 합시다. 이때의 종후자산평가액은 조합원분양 수입과 일반분양 수입을 합해서 총 325억 원이 될 것입니다.

종후자산평가액 = 조합원분양 수입 + 일반분양 수입
= (2억 원 × 100세대) + (2억5,000만 원 × 50세대)
= 325억 원

그런데 분양 시장이 활기를 띠면서 일반분양가를 3억 원으로 높여서 분양한다면 어떨까요? 조합원분양 수입은 그대로이겠지만 일반분양 수입이 늘어나면서 종후자산평가액도 총 350억 원으로 늘어나게 될 것입니다.

종후자산평가액 = 조합원분양 수입 + 일반분양 수입
= (2억 원 × 100세대) + (3억 원 × 50세대)
= 350억 원

반면에 일반분양가는 그대로 2억5,000만 원으로 유지하되 설계를 잘 변경함으로써 일반분양 세대수를 100세대로 늘린다면 어떨까요? 역시나 일반분양수입이 늘어나면서 종후자산도 450억 원으로 늘어날 것입니다.

종후자산평가액 = 조합원분양 수입 + 일반분양 수입
= (2억 원 × 100세대) + (2억5,000만 원 × 100세대)
= 450억 원

이렇게 분양수입에 따라서 종후자산평가액은 늘어나거나 줄어들 수 있습니다. 분양수입이 늘어나면 비례율도 높아질 수 있다는 사실을 기억하시기 바랍니다.

총사업비 : 사업을 진행할 때 들어가는 비용

'총사업비'란 사업을 진행하는 데에 필요한 모든 비용의 합을 말합니다. 앞서 A구역 관리처분계획 내용에서 보았던 공사비와 기타사업비 등 사업에 필요한 모든 금액의 지출 총액이라고 보시면 됩니다.

총사업비는 상황에 따라 늘어날 수도 줄어들 수도 있지만, 분명한 것은 시간이 지체될수록 사업비가 늘어나면 늘어났지 줄어들지는 않는다는 점입니다. 흔히 재건축·재개발은 시간 싸움이라고 하는 이유도 바로 이 때문입니다.

예를 들어 건축비를 좌우하는 가장 큰 요소는 어떤 재료를 가지고 어떻게 설계해서 짓느냐입니다. 하지만 어떤 재료를 쓰든 시간이 지날수록 물가가 오르면서 건축비도 올라간다는 점만큼은 분명합니다.

보상비도 마찬가지입니다. 현금청산자들에게 보상비를 이미 지급했다면 보상비가 추가될 일은 없습니다. 하지만 그 이후의 사업 일정이 길어질수록 보상비를 지급하기 위해 대여한 금액의 이자도 계속 나가게 됩니다.

이처럼 시간이 길어질수록 사업비는 늘어나고, 그만큼 비례율은 낮아집니다. 재건축이든 재개발이든 사업 진행 속도가 빠를수록 투자금이 오래 묶이지 않는다는 점에서도 유리하지만, 비용이 절감된다는 측면에서도 진행 속도가 빠를수록 유리합니다.

종전자산평가액 : 조합원들의 감정평가액의 총합

'종전자산평가액'이란 조합이 종전에 가지고 있던 자산의 총합, 즉 사업이 진행되기 전에 조합원 개개인들이 가지고 있었던 토지나 건축물 등 부동산의 가격을 모두 합한 것을 말합니다.

종전자산을 평가하는 절차가 바로 감정평가(종전자산평가)입니다. 감정평가는 조합원들 개개인이 보유한 부동산에 대해서 개별적으로 이루어지는데, 그러한 감정평가액을 모두 합치면 조합이 가진 전체 종전자산이 됩니다. 이때 감

A구역 관리처분계획 수입 추산액 및 추정비례율

구분			금액	
수입추산액	계		328,922,824,610	❶
	주택 분양수입	조합원분양	122,039,600,000	
		일반분양	175,323,600,000	❹
		보류시설	1,040,000,000	
	부대복리시설(상가)		5,986,314,610	
	임대주택 매각비용		24,533,310,000	
추정비례율	(수입추산액 - 공통부담소요비용) / 분양대상토지 등의 총평가액 = 100.01%			
	공통부담소요비용		244,767,362,534	❷
	분양대상토지 등의 총평가액		84,146,967,305	❸

정평가의 평가기준일은 사업시행인가 고시가 있는 날을 기준으로 하도록 되어 있습니다.

비례율 계산해보기

이제 종후자산평가액, 총사업비, 종전자산평가액의 개념을 알았으니 이를 바탕으로 실제 A구역의 비례율을 계산해봅시다. 앞쪽의 표는 앞서 보여드렸던 것과 같은 관리처분계획의 내용 중 '추정비례율' 부분을 가져온 것입니다.

여기에는 그동안 우리가 배웠던 '종후자산평가액, 총사업비, 종전자산평가액'이라는 단어가 등장하지 않습니다. 그러나 단어가 다를 뿐 결국은 같은 말입니다. 종후자산평가액에 해당하는 '수입추산액'의 합계는 약 3,289억 원이고(❶), 총사업비에 해당하는 '공통부담소요비용'은 약 2,448억 원이고(❷), 종전자산평가액에 해당하는 '분양대상토지 등의 총평가액'은 약 841억 원입니다(❸). 이를 비례율 산출 공식에 넣어보면 비례율은 100.01%가 됩니다.

비례율 = (종후자산평가액 - 총사업비) / 종전자산평가액 × 100

= (3,289억 원 - 2,448억 원) / 841억 원 × 100

= 100.01%

일반분양가가 달라지면 최종 비례율도 달라진다

비례율이 거의 100%에 가까우므로 이 구역의 사업성은 크게 좋지도 나쁘지도 않아 보입니다. 그런데 재미있는 것은 이 수치가 어디까지나 관리처분계획 상의 비례율이라는 사실입니다. 실제 일반분양이 이뤄지고 난 후의 자료를 보면 비례율에 변화가 있을 것으로 예상됩니다.

앞에서 관리처분계획 상 일반분양 예상 수입은 약 1,753억 원으로 나와 있습니다(❹). 그런데 다음 쪽의 자료를 한 번 살펴보시기 바랍니다. A구역의 2016년 실제 '입주자 모집공고문' 중 일부를 발췌한 것인데, 이에 따르면 일반분양은 369세대이고 일반분양가 총액은 약 1,907억 원입니다(❺). 관리처분계획 상 일반분양 수입보다 약 154억 원 증가한 것입니다.

그 이유는 실제 일반분양이 이뤄질 시점이 되자 부동산 시장이 활기를 띄면서 일반분양가가 관리처분계획 당시의 예상가보다 높게 이루어졌기 때문입니다. 그렇다면 분양수입이 늘어난 만큼 비례율도 높아졌을 것이라는 추론이 가능해집니다.

과연 얼마나 높아졌는지 분양이 완료된 시점에서의 비례율을 다시 계산해 볼까요?

다른 조건은 그대로이고 일반분양 수입만 154억 원 늘어났다고 가정하면 종후자산평가액에 해당하는 총분양수입도 154억 원 늘어나므로, 약 3,443억 원이라고 추산해볼 수 있습니다. 이 수치를 공식에 대입해보니 비례율은 118.31%로 높아진 것을 알 수 있습니다. 사업성이 엄청나게 좋아진 것입니다.

비례율 = (종후자산평가액 - 총사업비) / 종전자산평가액 × 100
= (3,443억 원 - 2,448억 원) / 841억 원 × 100
= 118.31%

수입이 대폭 늘어났으므로, 만일 특별한 사유가 발생하지만 않는다면 이 구

A구역 입주자 모집공고문 중 공급금액

주택형	세대수	동(라인)	가격구분	공급금액		
				대지비	건축비	계
59A	34	101 (1, 2) 102 (1, 2) 103 (1, 2) 105 (1, 2, 3, 4) 106 (4, 5)	최저가	184,678,161	186,321,839	371,000,000
			최고가	211,558,540	213,441,460	425,000,000
59B	2	106 (1)	최저가	203,096,199	204,903,801	408,000,000
			최고가	206,082,908	207,917,092	414,000,000
59C	8	106 (2, 3)	최저가	184,678,161	186,321,839	371,000,000
			최고가	208,074,047	209,925,953	418,000,000
84A	27	107 (4, 5)	최저가	245,905,692	248,094,308	494,000,000
			최고가	268,306,008	270,693,992	539,000,000
84B	75	101 (3, 4) 102 (3, 4) 103 (3, 4) 107 (1, 2)	최저가	260,341,451	262,658,549	523,000,000
			최고가	265,319,299	267,680,701	533,000,000
84C	65	101 (5) 102 (5) 103 (5) 104 (5)	최저가	234,954,426	237,045,574	472,000,000
			최고가	265,319,299	267,680,701	533,000,000
84D	22	104 (1)	최저가	244,910,122	247,089,878	492,000,000
			최고가	267,310,438	269,689,562	537,000,000
84E	84	101 (3, 4) 102 (3, 4) 103 (3, 4) 107 (1, 2)	최저가	231,967,717	234,032,283	466,000,000
			최고가	263,825,944	266,174,056	530,000,000
95A	27	104 (2, 3)	최저가	290,706,324	293,293,676	584,000,000
			최고가	296,186,387	297,813,613	593,000,000
100A	25	104 (2, 3)	최저가	281,248,412	283,751,588	565,000,000
			최고가	305,639,868	308,360,132	614,000,000
총합계	**369**	**세대**		**94,964,397,564**	**95,809,602,436**	**190,774,000,000**

❺

역의 조합원들은 추가부담금을 낼 가능성이 거의 없습니다. 오히려 조합원 개개인이 내야 할 분담금이 줄어들 가능성까지 있습니다.

이처럼 비례율은 사업이 진행되면서 발생하는 다양한 변수에 따라 변할 수 있습니다. 따라서 책자에 나와 있는 비례율을 그대로 믿기보다는, 비례율 공식을 익혀두었다가 변수가 생길 때마다 직접 계산해보는 것이 좋습니다.

감정평가액은 어떻게 산출할까

간혹 재개발 투자를 하다 보면 "이 지역은 감평가가 높게 나왔다"라거나 "저 지역은 감평가가 너무 낮게 나왔다"라는 식의 이야기를 많이 들어보셨을 겁니다. 이때의 감평가가 바로 '감정평가액', 정식 명칭으로는 '종전자산평가금액'입니다. 조합원 개개인의 감정평가액은 기존에 가지고 있던 부동산 하나의 가치이지만, 조합 전체의 감정평가액은 조합원들 개개인의 감정평가액을 모두 합한 금액입니다.

조합원 입장에서는 감정평가액이 높게 나올수록 나중에 내야 할 분담금이 줄어들기 때문에 감정평가액 예측은 매우 중요한 문제입니다. 하지만 동시에 감정평가액 예측은 사업성을 분석할 때 가장 어려운 부분이기도 합니다. 저 역시 투자를 할 때 이 부분을 가장 고민합니다. 대체 감정평가액은 어떻게 도출되는 것인지부터 차근차근 알아봅시다.

집합건물은 주변 거래 사례와 비교해서 평가한다

먼저 아파트나 빌라 등 집합건물의 감정평가액을 추측해 봅시다. 집합건물은 주택에 비해 상대적으로 감정평가액 추측이 어렵습니다. 그 이유는 집합건물의 경우 '거래 사례 비교법'을 이용해서 평가하기 때문입니다.

거래 사례 비교법이란 구역 인근에서 실제 거래된 사례와 비교해서 가치를 평가하는 방법입니다. 인근의 거래 사례 중 평가 대상과 유사한 조건의 물건을 찾아서, 얼마에 매매가 이루어졌는지를 참고해서 평가합니다. 예를 들어, 바로 옆 동의 동일평형 빌라가 최근 2억 원에 매매되었다면 내 빌라도 2억 원 정도로 감정평가가 될 가능성이 큽니다. 이것이 거래 사례 비교법입니다.

다만 이때 비교할 거래 사례는 같은 구역 내의 물건이 아니라, 재개발 구역 인근에 있는 지역의 거래 사례를 참조합니다. 재개발 감정평가는 개발 기대감에 따른 시세 상승을 배제하기 때문입니다.

그런데 실제 재건축·재개발 사업에서는 주변 시세보다 감정평가액이 낮게 평가되는 경향이 있습니다. 최근에 나온 감정평가 사례들을 분석해보면 구역 인근의 유사한 물건의 매매가격과 전세가격의 중간 정도로 감정평가가 이뤄지는 것으로 보입니다. 요즘 집합건물의 매매가 대비 전세가 비율이 70~80% 수준임을 감안하면 최근의 감정평가 금액은 인근 매매가격보다 10~15% 정도 낮게 나온다는 생각이 듭니다.

거래 사례 비교법에 의한 감정평가액 추정 방법(예시)

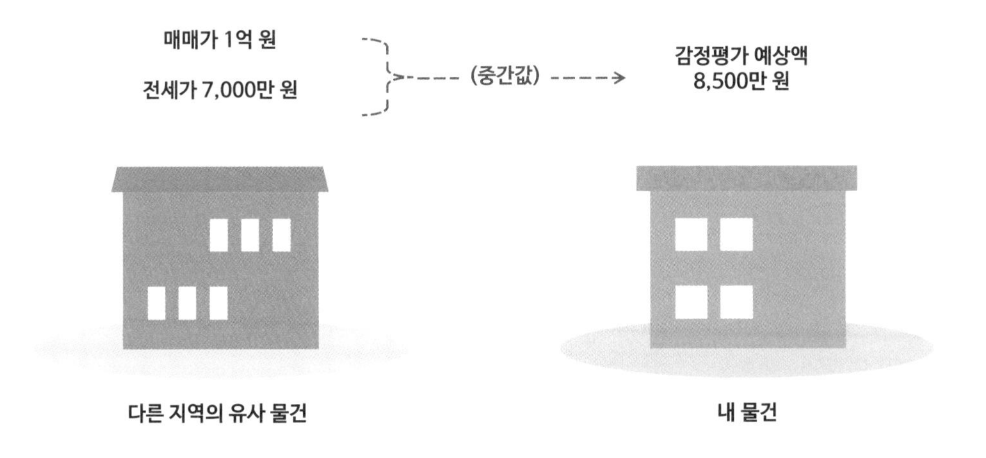

최근에 저는 재개발 구역 내 빌라를 매수하면서 감정평가액이 약 8,000만 원 내지 9,000만 원으로 나올 것이라 예상했습니다. 그 이유는 인근 지역 비슷한 빌라의 매매가가 1억 원이었고 전세가가 7,000만 원이었기 때문에 그 중간값 정도로 나올 것이라 예측했기 때문입니다. 실제로 이 빌라의 감정평가액은 8,500만 원으로 책정되었습니다.

단독·다가구주택은 토지와 건물을 따로 평가한다

단독·다가구주택의 감정평가액은 토지의 가치와 건물의 가치를 각각 평가한 후 합산해서 결정합니다.

단독주택 감정평가액 = 토지 감정평가액 + 건물 감정평가액

그중에서 토지는 표준지 공시지가를 기준으로 삼은 뒤에 각 토지마다 개별요인을 적용해서 평가합니다. 표준지보다 우위에 있는 땅이라면 표준지 공시지가보다 높게, 그 반대라면 낮게 평가되겠지요.

토지 감정평가액 = 표준지 공시지가 × 지역 및 개별요인 × 그 밖의 요인

간혹 어떤 분들은 "토지 감평가는 공시지가의 ○○%를 곱하면 된다"라며 특별한 공식이 있는 것처럼 말하기도 합니다. 하지만 이것은 정확한 방식이 아닙니다. 감정평가액과 공시지가의 비율은 부동산 시장의 흐름이 좋으냐 나쁘냐에 따라 달라지기 때문입니다.

예를 들어, 최근의 토지 감정평가액은 개별공시지가와 대략 비슷한 수준이거나 약간 높은 수준에서 결정되는 경향이 있습니다. 아래 표는 최근 경기도 성남시에서 진행 중인 재개발 구역의 개별공시지가와 실제 토지 감정평가액을 비교해 본 것입니다. 토지 감정평가액이 개별공시지가의 몇 퍼센트 정도인지를 계산해보니, 대략 비슷한 수준이거나 10% 정도 높았습니다.

토지의 감정평가액이 이렇게 나온 이유는 최근의 부동산 시장 흐름이 좋아지면서 거래 가격이 개별공시지가보다 높아졌고, 이 사실이 어느 정도 반영되었기 때문입니다.

그러나 반대로 부동산 시장이 좋지 않을 때는 감정평가액이 개별공시지가보다 낮게 나오기도 합니다. 따라서 토지 감정평가액을 예측할 때에는 '공시지가에 얼마를 곱한다'라는 식의 공식을 무조건 대입할 게 아니라 인근 지역의 매매거래 현황을 확인하셔야 합니다.

이번에는 건물의 감정평가를 알아봅시다. 건물의 가치는 '원가법'으로 평가합니다. 원가법이란 이 집을 짓기 위해 들어가는 원가를 계산한 후 연식이 얼마나 오래됐느냐에 따라 가치를 감가상각해서 계산하는 방법입니다.

성남시 재개발 구역 감정평가 사례

구분	토지					건물			감정가액 (❸+❺)
	❶ 면적 (㎡)	❷ 공시지가 (원)	❸ 감정가액 (원)	❶×❷ 해당 토지 공시지가 (원)	❸/(❶×❷)	❹ 면적 (㎡)	❺ 감정가액 (원)	❺/❹ 면적당 감정가액	
A주택	66	2,037,000	147,110,960	134,442,000	1.09	102	27,119,040	878,919	174,230,000
B주택	64	2,140,000	155,287,620	136,960,000	1.13	72	15,527,380	712,919	170,815,000
C주택	60	2,071,000	140,366,100	124,260,000	1.13	80	19,391,400	801,298	159,757,500
D주택	96	2,461,000	218,302,350	236,256,000	0.92	168	47,820,150	940,971	266,122,500
E주택	112	2,390,000	260,871,525	267,680,000	0.97	192	57,782,475	994,877	318,654,000
F주택	117	2,565,000	338,247,690	300,105,000	1.13	91	15,353,310	557,744	353,601,000

철근콘크리트 구조의 경우 사용 가능한 총 연수를 40년으로 계산하여 감가상각을 합니다. 쉽게 말해서, 40년이 지난 건축물은 쓸 만큼 썼으므로 건축물의 가격은 0원이라고 보는 것입니다. 물론 현실에서는 아무리 오래된 건축물이라도 건물 가격을 정말로 0원으로 평가하는 경우는 거의 없고 최소 몇 백만 원 정도로 평가하기는 합니다.

재개발 구역에서 흔히 볼 수 있는 빨간 벽돌 주택의 감정평가 사례를 조사해 보니 건축연도가 25년 정도 되었을 때 건평당 110만 원, 15년 정도 되었을 때 건평당 160만 원 정도로 평가되고 있음을 알 수 있었습니다. 물론 건축 구조에 따라 평가액은 달라질 수 있습니다. 백 프로 정확한 기준은 아니지만, 다양한 감정평가 사례를 통해 제가 경험상 기준으로 삼고 있는 액수는 아래 표와 같습니다.

이렇게 산출된 토지의 가치와 건물의 가치를 합하면 주택의 감정평가액이 산출됩니다. 투자를 결정하기에 앞서 내가 감정평가사가 됐다는 심정으로 나름의 감정평가액을 추산해 보면 투자를 결정하는 데에 실수를 줄일 수 있습니다.

연식에 따른 건물의 감정평가액 예상치(경험상)

건축 후 경과연수	평당 가격
15~20년	140만~160만 원
21~25년	110만~140만 원
26~30년	90만~110만 원
31~35년	60만~90만 원
36~40년	50만~60만 원

감정평가액 구하는 법을 연습해보자

이해를 돕기 위해 감정평가액을 구하는 과정을 예를 들어 설명해 보겠습니다. 공동주택의 경우는 인근 지역의 거래 사례 비교를 통해 감정평가액을 유추하므로 여기에서는 생략하도록 하고, 계산이 좀 더 복잡한 단독·다가구주택의 감정평가액 예측법만 살펴보겠습니다.

토지 면적 20평, 공시지가 평당 1,000만 원, 건물 연면적 30평, 지은 지 25년이 된 다가구주택이 있다고 합시다. 이 건물의 감정평가액을 구하기 위해서는 먼저 토지의 감정평가액과 건물의 감정평가액을 따로따로 구한 후, 두 가지를 합쳐야 합니다.

먼저 토지의 가치부터 구해봅시다. 인근 지역의 비슷한 다가구주택이 얼마에 거래되고 있는지 조사해 보니 공시지가의 100% 수준에서 거래되고 있다고 해봅시다. 그렇다면 이 물건의 토지 가치 역시 공시지가의 100% 정도로 감정평가될 가능성이 큽니다. 토지의 감정평가액은 2억 원이 됩니다.

단독·다가구주택의 감정평가액 추정 방법(예시)

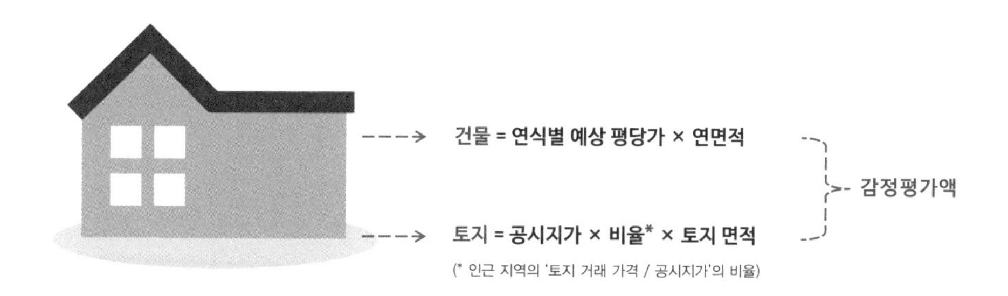

토지 감정평가액 = (공시지가 × 100%) × 토지 면적
= 1,000만 원 × 100% × 20평
= 2억 원

그렇다면 건물의 감정평가액은 어떻게 구할까요? 이 건물의 연식은 25년입니다. 위에서 알려드린 저의 경험상 건물 평당 가격표를 보면 25년 정도 된 주택은 평당 110만 원 정도이지만, 여기에서는 좀 더 보수적으로 평당 100만 원으로 계산해 보겠습니다. 건물의 연면적이 30평이므로 건물의 감정평가액은 3,000만 원이라 할 수 있습니다.

건물 감정평가액 = 연식에 따른 평당 예상 가격 × 건물 연면적
= 100만 원 × 30평
= 3,000만 원

결론적으로 이 물건의 감정평가액 총액은 토지 가치 2억 원에 건물 가치 3,000만 원을 더한 2억3,000만 원이라고 유추해볼 수 있습니다.

감정평가액 총액 = 토지 감정평가액 + 건물 감정평가액
= 2억 원 + 3,000만 원
= 2억3,000만 원

만약 부동산 시장의 흐름이 좋아서 거래 가격이 공시지가의 110% 수준인 경우에는 어떻게 될까요? 이 경우에도 구하는 방법은 같습니다. 먼저 토지의 감정평가액을 구하고, 건물의 감정평가액을 구한 후 두 가지를 합하면 됩

니다. 결과는 아래와 같이 토지 감정평가액 2억2,000만 원, 건물 감정평가액 3,000만 원, 감정평가액 총액 2억5,000만 원으로 추산할 수 있습니다.

토지 감정평가액 = (공시지가 × 110%) × 토지 면적
= 1,000만 원 × 110% × 20평
= 2억2,000만 원

건물 감정평가액 = 연식에 따른 평당 예상 가격 × 건물 연면적
= 100만 원 × 30평
= 3,000만 원

감정평가액 총액 = 토지 감정평가액 + 건물 감정평가액
= 2억2,000만 원 + 3,000만 원
= 2억5,000만 원

여기서 한 가지 주의해야 할 것은 토지의 감정평가액이 반드시 주변 거래 시세의 100%로 평가되지는 않는다는 점입니다. 재개발은 조합원이 자신의 부동산을 재개발 사업에 투자해서 진행하는 사업입니다. 만약 감정평가액이 주변 시세와 똑같이 나온다면 골치 아프게 재개발 사업에 참여할 필요 없이 현금청산을 해버리는 사람들이 늘어나게 됩니다. 그러면 현금청산자에 대한 보상비가 늘어나게 되고 보상비를 대여하기 위한 이자, 즉 금융비용도 증가하기 때문에 재개발 사업이 어려워질 수 있습니다. 그래서 토지의 감정평가액은 주변 거래 시세의 80~90% 정도로 평가되는 것이 일반적입니다.

따라서 토지 감정평가액을 추산할 때는 주변 시세의 80~90% 정도일 것이라고 예측하는 게 좋습니다. 이렇게 보수적으로 추정하고 투자를 하면 리스

크를 줄일 수 있어 좋고, 만약 실제 감정평가액이 주변 시세의 100%로 나온다면 더욱 좋을 것입니다.

그리고 만약 감정평가 시점 때 실제 거래가 공시지가보다 낮은 가격으로 이루어지고 있다면 이와 같은 계산법이 틀릴 수 있습니다. 시장 흐름에 따라 거래 가격과 공시지가의 비율을 적당히 조절하는 융통성이 필요합니다.

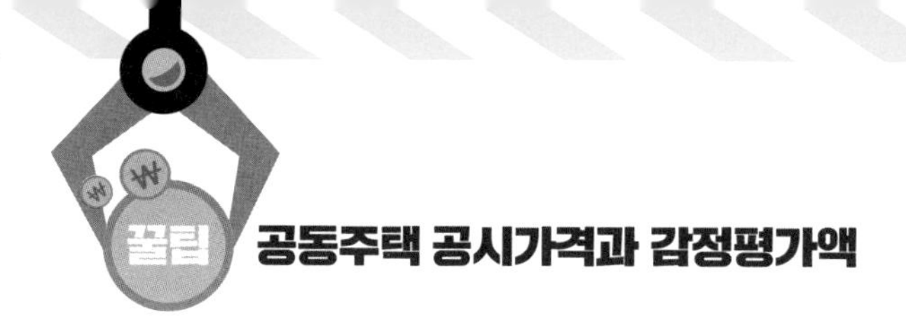

공동주택 공시가격과 감정평가액

집합건물(빌라 또는 아파트 등)의 감정평가액을 예측해보는 다른 방법은 '공동주택 공시가격'을 이용하는 것입니다. 공동주택 공시가격은 지자체가 공동주택에 대해 실시한 감정평가 결과를 공식적으로 발표한 가격입니다.

그러나 공동주택 공시가격은 재산세 등 세금을 부과하기 위한 목적으로 매겨지기 때문에 재개발 사업의 감정평가와는 다소 차이가 있을 수 있습니다. 따라서 공동주택 공시가격을 활용할 때에는 다른 지표와 함께 비교해서 보는 것이 좋습니다.

인근 지역 재개발 구역에 내 물건과 유사한 물건이 있다면 이 물건의 공동주택 공시가격을 확인하고 동시에 감정평가액도 확인합니다. 두 가지를 비교해서 감정평가액이 공동주택 공시가격의 몇 %나 나왔는지를 계산해보고, 이를 다시 나의 물건에 적용하는 것입니다.

예를 들어 인근 재개발 구역에 내 물건과 비슷한 주택이 있는데 감정평가액이 1억 원, 공동주택 공시가격이 6,000만 원이라고 합시다. 이 물건의 감정평가액은 공동주택 공시가격의 약 166% 정도입니다.

감정평가액과 공동주택 공시가격의 비율
= (감정평가액 / 공동주택 공시가격) × 100
= (1억 원 / 6,000만 원) × 100
= 166%

이를 그대로 내 물건에 적용해 볼 수 있습니다. 내 물건의 공동주택 공시가격이 7,000만 원이라면 여기에 166%를 적용해 보는 것입니다. 그러면 내 물건의 예상 감정평가액은 약 1억1,620만 원이라고 추정할 수 있습니다.

예상 감정평가액 = 7,000만 원 × 166% = 1억1,620만 원

어떤 투자자들은 '감정평가액은 공동주택 공시가격의 몇 배'라는 공식으로 감정평가액을 예측하기도 합니다. 실제로 최근 빌라의 감정평가액은 공동주택 공시가격의 1.3~1.8배 정도로 나오는 추세이긴 합니다. 하지만 앞서 토지 감정평가액 공식에서와 마찬가지로, 이것 역시 정확한 공식이라 할 수는 없습니다.

실제로 감정평가액과 공동주택 공시가격의 비율은 지역별로 다르게 나타납니다. 예를 들어 성남시 재개발 구역의 경우 감정평가액은 연식에 따라 공동주택 공시가격의 1.3배에서 1.8배로 나오고 있습니다. 하지만 의왕시나 안양시에서 진행되는 재개발 구역의 사례를 조사해 보면 감정평가액은 공동주택 공시가격의 1.2배에서 1.3배 정도로 평가되고 있었습니다. 이처럼 '감정평가액은 공동주택 공시가격의 몇 배'라는 공식은 지역별, 시기별로 다르게 나타나므로 일률적으로 적용하기는 어렵습니다.

최근에는 부동산 시장의 분위기가 좋아서 거래 가격이 공동주택 공시가격보다 높게 나타나는 추세이지만, 만약 부동산 시장이 다시 침체되면 거래 가격이 공동주택 공시가격보다 낮아질 수 있습니다. 그렇게 되면 감정평가액도 마찬가지로 낮아지게 될 것입니다. 따라서 공동주택 공시가격은 참고자료로 활용하기 좋지만 백 프로 맹신하면 안 된다는 것을 기억하시기 바랍니다.

권리가액은 어떻게 산출할까

재건축·재개발 투자에서 감정평가액을 예측하는 것은 매우 중요합니다. 감정평가액이 얼마나 나오느냐에 따라 분담금이 많아질 수도, 줄어들 수도 있기 때문입니다. 하지만 정확히 말하면 분담금은 감정평가액 그 자체로 계산되는 것은 아닙니다. 분담금은 조합원분양가에서 감정평가액이 아니라 '권리가액'을 뺀 금액입니다.

분담금 = 조합원분양가 - 권리가액

감정평가액과 권리가액의 개념을 설명하기 위해 예를 들어보겠습니다. 지금 내 손에 1만 원짜리 지폐 한 장이 있고, 이 지폐로 오늘 저녁에 먹을 쌀을 사야 합니다. A마트에 가보니 1만 원으로 쌀 5kg을 살 수 있고, B마트에 가보니 1만 원으로 쌀 6kg을 살 수 있습니다. 어디에서 사는 것이 더 이득일까요? 당연히 B마트일 것입니다.

A마트에 가든, B마트에 가든 내가 손에 들고 있는 1만 원짜리 지폐의 가치는 변함없이 그대로 1만 원입니다. 하지만 같은 1만 원이라도 A마트보다는 B마트에 갔을 때 좀 더 높게 평가를 받습니다.

이때 1만 원이라는 금액은 감정평가액과 같고, 1만 원으로 살 수 있는 쌀의 양은 권리가액과 같습니다. 만약 내가 가진 부동산의 감정평가액이 1억 원이라면 어디를 가든지 그 집의 감정평가액은 1억 원입니다. 하지만 속해있는 사업장의 사업성이 좋으냐 나쁘냐에 따라 나중에 내가 주장할 수 있는 권리가액은 1억 원보다 높을 수도, 낮을 수도 있습니다.

내 집은 감정평가액 1억 원짜리인데 나중에 조합원분양가 3억 원짜리 아파트를 받고 싶다고 합시다. 사업성이 좋아서 권리가액이 1억1,000만 원으로 산출됐다면 나는 나중에 분담금으로 1억9,000만 원만 내면 됩니다(3억 원 - 1억 1,000만 원).

반대로 사업성이 나빠서 권리가액이 9,000만 원으로 산출됐다면 나는 나중에 분담금으로 2억1,000만 원을 내야 합니다(3억 원 - 9,000만 원).

권리가액은 감정평가액과 비례율의 곱

이처럼 감정평가액이 똑같다고 해도 속해있는 사업장의 사업성이 좋으냐 나쁘냐에 따라 권리가액이 달라집니다. 그렇다면 권리가액을 결정하는 사업성은 어떻게 나타낼까요?

여기에서 등장하는 것이 바로 사업성을 나타내는 지표인 '비례율'입니다. 권리가액은 감정평가액에 비례율을 곱해서 산출됩니다.

권리가액 = 감정평가액 × 비례율

이 공식에 따르면 사업성이 좋을수록, 즉 비례율이 높을수록 권리가액도 커지므로 조합원에게 유리합니다. 반대로 사업성이 나쁠수록, 즉 비례율이 낮을수록 권리가액도 작아지므로 조합원에게 불리합니다.

이해를 돕기 위해 예를 들어보겠습니다. 나횡재 씨는 20년 된 낡은 빌라를 가지고 있습니다. 그런데 이 지역에 재개발 사업이 진행되었고, 나횡재 씨의 빌라는 감정평가 결과 1억 원으로 평가되었습니다.

이 구역의 비례율이 100%라면 나횡재 씨의 권리가액은 얼마일까요? 공식에 대입해보면 나횡재 씨의 감정평가액은 권리가액과 똑같은 1억 원입니다.

권리가액 = 감정평가액 × 비례율
= 1억 원 × 100%
= 1억 원

그런데 만약 이 구역의 사업성이 좋아져서 비례율이 좀 더 높은 110%가 되었다면 어떨까요? 감정평가액은 그대로 1억 원이지만 이때의 권리가액은 1억1,000만 원이 됩니다.

권리가액 = 감정평가액 × 비례율
= 1억 원 × 110%
= 1억1,000만 원

이번에는 반대로 이 구역의 사업성이 나빠져서 비례율도 90%로 낮아졌다고 해봅시다. 이때의 권리가액은 9,000만 원으로 산출됩니다.

권리가액 = 감정평가액 × 비례율
= 1억 원 × 90%
= 9,000만 원

이처럼 이 구역 전체의 비례율이 얼마냐에 따라 조합원 개개인의 권리가액이 달라집니다. 비례율이 높을수록 권리가액도 높아지고, 분담금이 줄어드는 것입니다. 따라서 재개발 투자에서는 무조건 감정평가액만 보지 마시고, 반드시 비례율을 감안한 권리가액을 따져보시기 바랍니다.

비례율을 맹신하면 안 된다

중요한 사실 하나를 말씀드리려고 합니다. 비례율은 사업성을 나타내는 중요한 지표이긴 하지만, 맹신하는 것은 절대 금물이라는 점입니다. 그 이유는 마음만 먹으면 실무에서 비례율을 조정하는 것이 얼마든지 가능하기 때문입니다.

필요에 따라 조정이 가능하다

앞서 배웠던 비례율의 공식을 떠올려 보십시오. '비례율 = (종후자산평가액 - 총사업비) / 종전자산평가액 × 100'입니다. 만약 종후자산평가액과 종전자산평가액이 변하지 않는다고 가정하면, 총사업비를 줄이거나 늘림으로써 비례율을 조정할 수 있습니다. 즉 총사업비가 적을수록 비례율은 높아지는 반면, 총사업비가 많을수록 비례율은 낮아집니다.

요컨대 사업비에 어떤 항목을 얼마나 포함하느냐에 따라 비례율은 달라질 수 있습니다. 비례율이 낮게 나오면 사업비에 들어간 항목을 덜어내서 비례율을 끌어올리고, 반대로 비례율이 높게 나오면 사업비에 다른 항목을 추가해서 비례율을 끌어내리는 것이 가능하다는 뜻입니다.

실제로 재건축·재개발 사업에서는 비례율을 100% 수준에 맞추려는 경향이 있습니다. 그 이유는 비례율이 100%일 때 여러 가지 이점이 있기 때문입니다. 첫 째로 비례율이 100%를 넘어가면 조합은 사업이익에 대한 법인세를 내야 합니다. 비례율이 높아진다는 것은 그만큼 수익이 난다는 것을 의미하기 때문입니다.

뿐만 아니라 비례율이 100%일 경우에는 조합원들 사이에서 갈등의 소지가 줄어들기도 합니다. 앞서 설명했듯이 조합원 개개인들의 권리가액은 '감정평가액 × 비례율'로 결정됩니다. 그런데 비례율에 따라 감정평가액이 큰 사람과 작은 사람의 유·불리가 갈리다 보니, 차라리 비례율이 100%일 경우에 갈등이 더 적어질 수 있는 것입니다.

물론 지출되는 사업비 자체를 줄이거나 늘릴 수는 없으므로 마지막 순간까지 비례율을 100%로 맞추는 것은 불가능합니다. 하지만 사업이 진행되고 있는 도중에는 필요에 의해 비례율을 조정하는 것이 얼마든지 가능하다는 사실을 알고 계셔야 합니다. 만약 비례율이 100%인 줄 알고 있었는데 마지막에 다 정리해놓고 보니 비례율이 90%로 떨어지는 경우도 발생할 수 있습니다. 그에 따른 피해는 투자자 본인 외에는 아무도 책임질 수 없습니다.

조작된 비례율에 속지 않으려면

비례율은 믿을 게 못 된다면서 우리는 왜 비례율에 대해 공부하고 있을까요? 그 이유는 역설적으로 조작된 비례율에 속지 않기 위해서입니다. 조합이나 시공사가 필요에 따라 조정해서 발표하고 홍보하는 비례율만 믿다가는 잘못된 판단을 내리기 쉽습니다. 따라서 비례율에 영향을 미치는 종전자산평가액, 종후자산평가액, 총사업비의 개념을 명확히 알고 있어야 과연 이 비례율이 맞는 것인지 판단할 수 있습니다.

또한 재건축·재개발 사업을 하다 보면 조합이 의도하지 않았는데도 중간에 사업비가 늘어나서 비례율이 달라지는 경우가 생깁니다. 이럴 때에도 비례율의 개념을 알고 있는 사람과 그렇지 못한 사람은 당연히 다른 판단을 할 수밖에 없습니다.

재건축·재개발 사업의 관리처분계획 책자를 볼 때에는 반드시 '정비사업비 추산액'을 확인하시기 바랍니다. 여기에 '총사업비'가 나와 있습니다. 한 가지 중요한 팁을 드리자면, 그중에서도 '미분양 대책비' 또는 '예비비' 부분을 눈여겨보시기 바랍니다. 미분양 대책비는 분양이 제대로 되지 않았을 때를 대비해서 남겨놓는 금액이고, 예비비 역시 만약의 사태에 대비하기 위한 금액입니다.

만약 이 항목의 금액이 넉넉하게 책정되어 있다면 최종 비례율이 관리처분계획 당시보다 낮아질 가능성은 매우 적다고 볼 수 있습니다. 그 상태에서 일반분양이 계획대로 잘 이루어진다면 이 돈을 쓰지 않아도 되니 오히려 사업비가 감소할 수도 있지요. 잘 하면 비례율이 올라가면서 환급금을 받을 수 있을지도 모릅니다.

반대로 이 항목의 금액이 너무 낮게 책정되었거나 아예 없다면 문제가 될 수 있습니다. 돌발상황이 생길 경우 없던 사업비가 추가될 수 있기 때문에 비례율이 떨어질 수 있는 것입니다. 이럴 경우에는 조합원들이 기존의 분담금 외에도 추가부담금까지 납부해야 할 수도 있다는 것을 염두에 두셔야 합니다.

이처럼 비례율은 상황에 따라 달라질 수 있습니다. 따라서 우리가 주목해야 할 것은 비례율의 숫자 그 자체가 아니라 이러한 비례율이 나오게 된 근거들입니다. 앞으로 지출될 사업비가 늘어날 것 같다면 아무리 비례율이 100%를 넘기더라도 안심하기는 이릅니다. 반대로 앞으로 지출될 사업비가 별로 없어 보인다면 지금 당장의 비례율은 다소 낮더라도 앞으로 좋아질 수 있다는 생각을 하셔야 합니다.

분담금과 추가부담금은 어떻게 계산할까

감정평가액과 비례율을 알았다면 권리가액을 구할 수 있고, 이제 드디어 예상 분담금을 구할 수 있습니다.

분담금은 내가 얼마를 더 내면 새 아파트를 분양받을 수 있는지를 말하는데, 앞서 잠시 설명했던 것과 같이 조합원분양가에서 권리가액을 뺀 금액이 곧 분담금이 됩니다.

분담금 = 조합원분양가 - 권리가액

조합원분양가가 같다면 권리가액이 클수록 분담금이 적어지고, 반대로 권리가액이 작을수록 분담금은 커집니다. 앞서 예를 들었던 나횡재 씨의 경우로 되돌아가 봅시다.

나횡재 씨의 집은 감정평가액이 1억 원이었고, 나횡재 씨가 분양받고 싶은 25평형 아파트의 조합원분양가는 3억 원이었습니다. 그러나 나횡재 씨는 분담금이 많이 나올까봐 걱정입니다. 나횡재 씨가 본인의 분담금을 미리 추정해 보려면 어떻게 해야 할까요?

비례율이 100%일 경우 공식에 대입해 보면 나횡재 씨의 분담금은 2억 원이라고 추산할 수 있습니다.

분담금 = 조합원분양가 – 권리가액
= 조합원분양가 – (감정평가액 × 비례율)
= 3억 원 – (1억 원 × 100%)
= 2억 원

그런데 만약 이 구역의 사업성이 좋아서 비례율이 110%로 높아졌다고 해봅시다. 이 경우에 나횡재 씨가 내야 할 분담금은 1억9,000만 원으로 줄어듭니다. 비례율이 높아진 만큼 권리가액이 늘어났고, 그만큼 분담금도 줄어든 것입니다.

분담금 = 조합원분양가 – 권리가액
= 조합원분양가 – (감정평가액 × 비례율)
= 3억 원 – (1억 원 × 110%)
= 1억9,000만 원

그렇다면 이번에는 반대로 비례율이 90%로 낮아졌을 경우를 생각해 봅시다. 이 경우 나횡재 씨가 내야 할 분담금은 2억1,000만 원이 됩니다. 비례율이 낮아지면서 권리가액이 줄어들었고, 그만큼 분담금이 늘어난 것입니다.

분담금 = 조합원분양가 – 권리가액
= 조합원분양가 – (감정평가액 × 비례율)
= 3억 원 – (1억 원 × 90%)
= 2억1,000만 원

결국 감정평가액은 똑같이 1억 원이지만 사업장의 비례율이 어떻게 나오느냐에 따라 나횡재 씨가 내야 할 분담금이 달라진다는 것을 알 수 있습니다. 즉 감정평가액이 동일하다면 비례율이 높을수록 분담금이 줄어드는 것입니다. '비례율이 높으면 사업성도 좋다'고 했던 이유가 바로 여기에 있습니다.

분담금 vs 추가부담금

비례율이 낮아질 경우, 즉 사업성이 나빠질 경우에는 조합원들이 기존에 내야 했던 분담금보다 돈을 더 내야 할 수도 있습니다. 이때 추가로 내야 하는 돈이 바로 '추가부담금'입니다.

흔히 '추가부담금'을 '분담금'과 헷갈리는 분들이 많습니다. 실제로 이 두 가지 용어를 섞어서 사용하는 경우도 많지만, 엄밀히 말해서 다른 개념입니다. 분담금은 관리처분계획에 따라 조합원이 원래부터 내야 할 금액입니다. 추가부담금은 말 그대로 처음에는 없었지만 나중에 추가로 부담해야 하는 금액을 말합니다. 즉 '추가로 내야 하는 분담금'이 추가부담금이라고 할 수 있습니다.

추가부담금이 발생하는 경우는 여러 가지입니다. 사업이 생각했던 대로 진행되지 않고 지연되거나, 그 사이에 물가가 올라서 건축비가 추가되거나, 이자 등의 금융비용이 높아지거나, 일반분양이 잘 되지 않아서 수입이 줄어들거나 하는 경우입니다. 이럴 경우 모자라는 총사업비를 일반분양 수입으로 메울 수 있다면 좋겠지만, 일반분양마저 잘 되지 않거나 일반분양 물량이 적은 경우에는 어쩔 수 없이 조합원들이 돈을 더 내는 수밖에 없습니다. 이것이 추가부담금입니다.

추가부담금이 발생한다는 것은 그 자체로 이미 사업성이 나쁜 투자라고 할 수 있습니다. 안 들어갔어야 할 돈이 들어갔다는 사실만으로 이미 사업성이 떨어진 것이지요. 실제로 추가부담금이 발생하면 비례율도 떨어집니다. 앞서 배웠던 비례율 공식을 다시 떠올려 봅시다.

비례율 = (종후자산평가액 - 총사업비) / 종전자산평가액 ×100

종후자산평가액이 적을수록, 총사업비가 클수록, 그리고 종전자산평가액의 크기가 클수록 비례율은 낮아집니다. 그런데 추가부담금이 발생했다는 것은 종후자산평가액이 줄었거나 총사업비가 늘어났다는 뜻이고, '종후자산평가액 - 총사업비'의 금액이 줄었다는 뜻입니다. 당연히 비례율은 낮아집니다.

참고로, 종전자산평가액은 관리처분계획 때 정해져 있으므로, 종후자산평가액(분양수입)이 크게 늘어나지 않는 이상 상황을 개선시키기는 어렵습니다.

재건축·재개발의 사업성을 분석한다는 것은 결국 분담금이 얼마나 나올지 예측하고, 앞으로 비례율이 높아지거나 낮아질 가능성은 없는지 점검한다는 것과 같은 말입니다. 이 장에서 배운 비례율, 감정평가액, 권리가액, 그리고 분담금의 개념을 머릿속에 확실히 담아두시면 좀 더 복잡한 사업성 분석도 문제없을 것입니다.

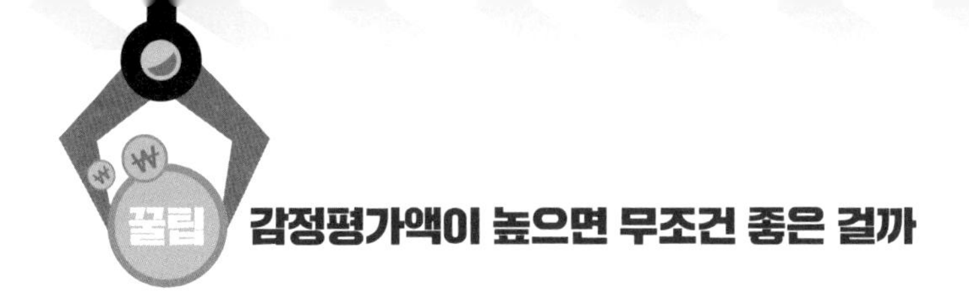

감정평가액이 높으면 무조건 좋은 걸까

가끔 한 지역의 감정평가액이 다른 지역에 비해 전체적으로 낮게 나오는 경우가 있습니다. 이 경우 '생각보다 적다'고 느낀 조합원들이 단체로 불만을 표시함으로써 갈등이 생기는 경우를 가끔 봅니다. 시장에 실망 매물이 쏟아져 나오기도 하고, 조합원들의 집단반발이 생기기도 합니다. 심지어는 사업 진행에 차질이 생기는 경우도 있습니다.

그러나 내 물건만 낮게 나온 것이 아니라 전반적으로 감정평가가 낮게 나왔다면, 이것이 무조건 나쁘다고 보기는 어렵습니다. 그 이유는 감정평가액이 전체적으로 낮게 나옴으로써 오히려 비례율이 높아질 수 있기 때문입니다. 이미 여러 번 반복했지만, 다시 한 번 비례율 공식을 떠올려 봅시다.

비례율 = (종후자산평가액 - 총사업비) / 종전자산평가액 x 100

이 식은 분자인 '종후자산평가액 - 총사업비'가 커지면 비례율이 높아지고, 분모인 '종전자산평가액'이 커지면 비례율이 낮아지는 구조로 되어 있습니다. 비례율만 놓고 본다면 종후자산평가액은 클수록 좋고, 총사업비와 종전자산평가액은 작을수록 좋습니다.

그런데 종전자산평가액은 조합원들의 감정평가액을 모두 합한 금액입니다. 따라서 감정평가가 전반적으로 낮게 이뤄졌다는 것은 종전자산평가액이 작아졌다는 것과 같습니다. 다시 말해서, 감정평가가 낮게 나온 대신 비례율은 높아졌다고 볼 수도 있는 것입니다.

분담금은 감정평가액이 아닌 권리가액으로 계산된다고 했던 것을 기억하시지요? 그리고 권리가액은 감정평가액에 비례율을 곱해서 산출한다고도 했습니다. 이 말은 감정평가액이 낮아도 비례율이 높으면 권리가액이 커질 수 있다는 뜻입니다.

권리가액 = 감정평가액 × 비례율

복잡하게 느껴질 수 있지만, 요약하자면 이렇습니다. 감정평가액이 전반적으로 낮아지는 대신 비례율이 높아진다면 권리가액에는 큰 차이가 없습니다. 감정평가액이 낮아지는 대신 비례율이 올라갈 수도 있고, 반대로 감정평가액이 높아지는 대신 비례율이 내려갈 수도 있는 것입니다. 물론 감정평가액도 높고, 비례율도 높다면 그보다 좋은 것은 없겠지만 말입니다.

또 한 가지 생각해볼 수 있는 것은, 감정평가액이 전체적으로 낮게 평가된 사업장에서는 조합원분양가도 함께 낮춰주는 경우가 있다는 사실입니다. 모든 사업장이 그런 것은 아니지만 비례율을 100%로 맞추기 위해 조합원분양가를 낮춰서 종후자산평가액 전체를 낮추는 경우가 실제로 존재합니다. 이 경우에는 비록 감정평가액이 낮게 나왔더라도 조합원분양가가 저렴해지기 때문에 조합원들의 분담금은 감정평가액이 높게 나올 때와 차이가 없게 됩니다.

결론적으로 감정평가액이 전반적으로 낮게 평가됐다고 해서 조합원들이 무조건 손해를 보는 것은 아닙니다. "감정평가가 낮아서 손해가 났다"라는 말은 절반만 맞는 말입니다. 조합원들에게 유리한지 아니면 불리한지는 감정평가액 자체만으로는 정확히 알 수 없고, 비례율을 비롯한 사업의 전체적 모습을 살펴봐야 알 수 있습니다.

Chapter 03 Key Point

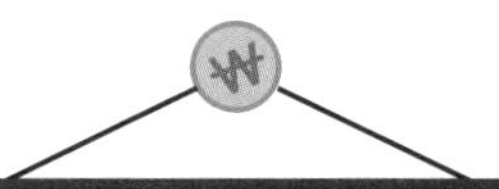

1 일반적인 재건축 사업장에서는 '공사비 : 기타사업비 = 75% : 25%'의 비율이 나타난다. 반면 재개발 사업장의 경우는 보상비 및 금융비용 등으로 인해 기타사업비의 비중이 높아진다.

2 비례율은 사업성을 나타내는 대표적 지표로, 100%보다 높을수록 사업성이 좋고 낮을수록 사업성이 좋지 않다고 본다. 단, 사업 진행 과정에서 필요에 따라 조정될 수 있으므로 비례율의 숫자 자체보다는 비례율이 나오는 근거를 살펴보는 것이 중요하다.
<u>비례율 = (종후자산평가액 - 총사업비) / 종전자산평가액 × 100</u>

3 감정평가액을 산출하는 방법은 집합건물(아파트 또는 빌라 등)과 단독·다가구주택이 다르다. 감정평가액을 예측하기 위해서는 공시지가 등의 지표뿐 아니라 인근 지역의 거래 사례와 비교분석하는 작업이 반드시 필요하다.

4 권리가액은 감정평가액에 비례율을 곱해서 산출한다. 조합원분양가에서 권리가액을 빼면 조합원 개개인의 분담금을 알 수 있다.
<u>분담금 = 조합원분양가 - 권리가액</u>

재건축 수익률 분석, **단계별로 배워보자**

서울 B아파트 재건축 실제 사례를 중심으로

04

미리보기

지난 챕터에서 비례율과 권리가액을 이용한 재개발의 분담금 산출법을 배웠다면, 이번 챕터에서는 재건축의 분담금 산출법을 배우게 됩니다. 비례율이나 감정평가액을 알지 못하는 상황에서 '공사비(시공비)'를 단서로 하여 분담금을 산출합니다.

이를 위해 반드시 알아야 할 개념이 바로 '조합원 건축원가'와 '일반분양 기여금액'입니다. 조합원 건축원가는 조합원분양을 받을 아파트를 짓기 위해 필요한 사업비를 말하고, 일반분양 기여 금액은 일반분양 수익을 내는 데에 조합원 개인이 얼마나 기여를 했는지를 의미합니다. 이 두 가지를 구할 수 있다면 분담금 구하기는 식은 죽 먹기보다 쉽습니다.

특히 이번 챕터에서는 서울시에 위치한 B아파트 재건축 사업의 실제 사례를 이용해서 문제를 해결해 나갑니다. 이러한 연습은 실전에서 바로 수익성을 분석할 수 있는 역량을 키우는 데에 큰 도움을 줄 것입니다.

주요 개념 정리

조합원 건축원가 : 조합원분양을 위한 아파트를 짓기 위해 필요한 사업비. 건축을 위해 필요한 순수건축비(공사비)와 순수건축비를 제외한 나머지 사업 진행에 사용되는 기타사업비로 구성된다.

일반분양 수익 : 일반분양을 통해 얻게 되는 수익. 여기에서 발생하는 수익은 조합원들의 분담금을 줄이는 데에 사용된다. 일반분양가에서 순수건축비를 제외한 금액이다.

필요 대지지분 : 아파트 한 세대를 짓는 데에 들어가는 대지의 면적. 용적률과 평형 구성에 따라 달라지지만, 비슷한 용적률과 평형 구성을 가진 아파트끼리는 필요 대지지분도 비슷하다.

일반분양 기여 금액 : 일반분양으로 얻게 된 수익 중에서 조합원 개인이 기여한 금액. 일반적으로 내놓은 대지지분이 클수록 일반분양 기여 금액도 커진다. 이 금액은 조합원 건축원가에서 공제됨으로써 조합원의 분담금을 줄여주게 된다.

기본 개념을 정리해두면 수익률 분석이 쉬워진다

비례율과 권리가액, 분담금의 개념을 이해하셨다면 이제 재개발 사업성 분석의 기초는 마스터한 셈입니다. 이제부터는 한 단계 업그레이드된 사업성 분석 기술을 알려드리고자 합니다.

지금까지 배웠던 내용들은 총사업비의 내역과 종전자산평가액, 종후자산평가액을 모두 알고 있다는 전제 하에 분담금을 계산해보는 방식이었습니다. 하지만 이러한 내용들을 모두 알기 위해서는 관리처분계획이 나올 때까지 기다려야만 하는데, 실전 투자에서는 그렇게 기다릴 수 있는 시간이 많지 않습니다. 특히 재건축의 경우는 개발 기대감 때문에 초창기에 가격이 많이 오를 수 있으므로, 그보다 앞선 단계인 사업시행인가나 조합설립 시점에서 투자를 결정해야 하는 경우도 많습니다. 그러면 아직 확실한 정보가 나오지 않았으니 대충 감으로 투자를 하거나, 혹은 투자를 포기해야 하는 것일까요?

이제부터는 관리처분계획이 나오기 이전 단계, 즉 정보가 많지 않은 단계에서 재건축의 사업성을 분석하는 방법을 알려드리려고 합니다. 앞에서 배운 기본 구조를 기억하신다면 크게 어렵지는 않을 것입니다. 앞의 과정에서 빠진 부분을 채워나가는 요령을 익힌다고 생각하시면 될 것입니다.

본격적으로 방법을 알려드리기에 앞서 몇 가지 개념들을 정리하고 가야 할 필요가 있습니다. 이미 앞에서 몇 번 설명했던 것들도 있고 여기에서 처음 등장하는 것들도 있습니다. 개념이 확실하게 정리되지 않으면 이후부터 책의 내용을 이해하기가 쉽지 않을 수 있으니, 다시 한 번 복습한다는 생각으로 차근차근 머릿속에 정리해두시기 바랍니다.

총사업비

'사업'이란 재건축 또는 재개발을 진행하는 과정 그 자체를 의미합니다. 따라서 '사업비'라고 하면 재건축이나 재개발을 진행하는 데에 들어가는 비용을 말하는 것이겠지요. 사업의 시작부터 끝까지 모든 비용의 총합을 '총사업비'라고 합니다.

총사업비를 구성하는 요소는 크게 두 가지입니다. 하나는 오로지 건축하는 데에 필요한 금액인 '공사비(시공비)'이고, 다른 하나는 공사비를 제외한 모든 항목인 '기타사업비'입니다. 모든 사업비는 공사비 아니면 기타사업비 둘 중 하나에 들어간다고 보시면 됩니다.

총사업비 = 공사비 + 기타사업비

공사비(시공비)

말 그대로 공사에 필요한 금액을 말합니다. '공사비'라고도 하지만 '시공비'라고도 합니다. 건축자재비, 공사 인건비, 철거비 등이 해당되지만 여기에서는 단순하게 건물을 짓는 데에 들어가는 금액이라고만 생각하시면 됩니다. 총사업비 중에서 가장 많은 비중을 차지합니다.

기타사업비

총사업비에서 공사비를 제외한 모든 비용은 '기타사업비'에 속합니다. 현금청산자를 위한 보상비나 설계용역비, 각종 금융비용과 세금 및 공과금, 조합사무실 운용 비용, 일반분양을 위한 인건비나 홍보비, 그리고 만약의 상황에 대비한 예비비까지 그 항목은 매우 다양하고 세분화되어 있습니다. 모든 항목을 다 외울 필요는 없으므로 공사비를 제외한 나머지는 모두 기타사업비에 속한다는 것 정도만 알아두시기 바랍니다.

대지지분

분양면적 25평형인 집을 가지고 있다 해도 실제 보유한 땅의 면적, 즉 '대지지분'도 25평인 경우는 거의 없습니다. 단독주택이라면 대지지분 전체를 한 사람의 소유자가 가지고 있을 수도 있지만, 빌라나 아파트 등 집합건물의 경우에는 한정된 땅 위에 여러 채의 주택을 포개어 짓기 때문에 집 한 채당 차지하는 대지면적은 작아질 수밖에 없습니다.

집합건물의 등기부등본(등기사항전부증명서)을 뽑아보면 각 세대별 소유자가 보유한 대지의 면적을 알 수 있습니다. 표제부에 있는 '대지권의 표시'를 보면 대지권의 비율이 다음과 같이 나와 있는 것을 볼 수 있을 것입니다.

(대지권의 표시)			
표시번호	대지권종류	대지권비율	등기원인 및 기타사항
1	1, 2, 3, 4 소유권대지권	49,330분의 36.1982	

이것은 아파트 단지 전체의 대지면적이 4만9,330㎡이고, 그중에서 약 36㎡가 바로 내가 보유한 대지지분의 면적이라는 뜻입니다('대지권의 목적인 토지의 표시' 상의 면적과 비율이 같다고 가정했을 때). 내가 살고 있는 아파트의 전용면적은 84㎡이지만, 소유하고 있는 땅은 그보다 훨씬 적은 약 36㎡입니다. 재건축·재개발 사업에서는 오직 대지지분만 봅니다. 따라서 투자를 할 때에는 전용면적 외에도 대지지분을 반드시 살피시기 바랍니다.

기부채납비율

정비기반시설을 만들기 위한 대지의 소유권을 지자체에 넘기는 것을 '기부채납'이라고 합니다. 아파트 단지 전체의 총대지면적 중에서 기부채납하는 면적의 비율이 '기부채납비율'입니다. 기부채납비율이 높아지면 순수하게 아파트를 지을 수 있는 면적이 줄어들기 때문에 세대수도 적어지게 됩니다. 그만큼 사업성이 떨어지기 때문에 투자자들은 기부채납비율이 높은 것을 선호하지 않습니다.

일반분양 기여 대지지분

조합원 개인이 보유한 대지지분 중에서 일정비율은 기부채납이 됩니다. 그리고 남은 대지지분 면적을 이용해서 아파트를 짓게 됩니다. 그중 일부는 조합원 본인이 분양받을 조합원분양 아파트에 사용될 것이고, 나머지는 일반분양 아파트를 짓는 데에 사용될 것입니다. 이렇게 조합원이 가진 대지지분 중에서 일반분양 아파트를 짓는 데에 사용되는 대지지분을 '일반분양 기여 대지지분'이라고 합니다.

일반분양 기여 대지지분
= 대지지분 − (대지지분 × 기부채납비율) − 조합원분양 필요 대지지분

순수건축비

'순수건축비'란 말 그대로 순수하게 아파트를 건축하는 데에 필요한 금액을 말합니다. 금융비용이나 보상비, 기타비용 등은 포함되지 않습니다. '공사비(시공비)'와 비슷한 개념이지만, 본 책에서 순수건축비는 한 세대를 건축하는

데 필요한 공사비를 의미합니다. 즉 순수건축비는 '세대당 공사비(세대당 시공비)'와 비슷한 개념이라고 볼 수 있습니다.

순수건축비는 평당 공사비(평당 시공비)에 '계약면적'이라는 것을 곱해서 구하는데, 이때 계약면적에 대해 알아야 할 필요가 있습니다. 아파트의 면적을 표현할 때는 '전용면적, 분양면적, 계약면적' 등이 사용됩니다. 전용면적은 그 세대가 실제로 온전하게 사용하는 면적, 즉 집 내부의 면적만을 의미합니다. 여기에 복도, 계단 및 엘리베이터 면적을 합친 것이 분양면적입니다. 흔히 우리가 '25평형 아파트'라고 할 때 25평이 바로 분양면적을 의미합니다.

여기에 주차장, 놀이터, 노인정, 기계실 등 각종 부대복리시설까지 모두 합치면 계약면적이 됩니다. 이러한 시설을 만드는 데에도 건축비가 들기 때문에 순수건축비를 계산할 때에는 분양면적이 아닌 계약면적 기준으로 계산한다는 것을 알아두시기 바랍니다.

순수건축비 = 평당 공사비 × 계약면적

조합원 건축원가

조합원분양 물량의 아파트를 짓기 위해 필요한 비용을 말합니다. 여기에는 건축을 위해 필요한 순수건축비 외에도 사업을 추진하기 위해 들어간 각종 기타사업비가 포함됩니다.

'총사업비'의 개념을 떠올려보시면 쉽습니다. 총사업비에 '공사비'와 그 외의 사업 진행을 위한 '기타사업비'가 포함됩니다. 비슷한 개념으로 '조합원 건축원가'에는 공사비에 해당하는 순수건축비와 기타사업비가 포함됩니다. 조합원 건축원가는 세대당 들어가는 총사업비라고 생각하면 쉽습니다.

일반분양 수익

일반분양 아파트의 분양 가격에서 순수건축비를 빼면 '일반분양 수익'이 나옵니다. 즉 아파트를 판매한 가격에서 원가를 빼고 남은 수익의 개념이라고 보시면 됩니다.

일반분양 수익을 계산할 때에는 조합원분양과 달리 기타사업비는 생각하지 않고 오직 순수건축비만 뺍니다. 그 이유는 기타사업비란 결국 재건축 사업을 추진하기 위해 필요한 금액이므로, 모두 조합원들이 부담하기 때문입니다. 다시 말해서 기타사업비는 이미 조합원분양가를 통해 모두 반영이 된 상태이므로, 일반분양 수익을 구할 때에는 고려하지 않습니다.

일반분양 수익 = 일반분양 분양가격 – 순수건축비

대지지분 1평당 일반분양 수익

'일반분양 수익'을 '필요 대지지분'으로 나눈 값입니다. 다시 말해서 대지지분 1평당 일반분양 수익을 얼마나 거둬들였는지를 나타냅니다.

이때 '필요 대지지분'이란 25평형 혹은 34평형 아파트를 짓기 위해서 필요한 대지지분을 의미합니다. 일반분양 수익이 클수록 대지지분 1평당 수익도 커질 것이고, 반대로 일반분양 수익이 작다면 대지지분 1평당 수익도 작아질 것입니다.

대지지분 1평당 일반분양 수익 = 일반분양 수익 / 필요 대지지분

일반분양 기여 금액

조합원 개개인은 가지고 있던 기존 대지지분을 내놓음으로써 일반분양 수익을 내는 데에 기여할 것입니다. 조합원 개인이 과연 얼마나 일반분양에 기여했는지를 나타내는 것이 '일반분양 기여 금액'입니다.

구하는 공식은 간단합니다. 앞서 살펴본 '대지지분 1평당 일반분양 수익'에 조합원별로 기여한 '일반분양 기여 대지지분'의 평수를 곱하면 됩니다. 이 금액이 중요한 이유는 나중에 분담금을 산정할 때 조합원이 수익에 기여한 금액만큼 되돌려준다는 의미로 조합원 건축원가에서 그만큼의 금액을 공제해주기 때문입니다.

일반분양 기여 금액 = 대지지분 1평당 일반분양 수익 × 일반분양 기여 대지지분

분담금

분담금은 조합원분양을 받기 위해 조합원이 추가로 부담해야 할 금액입니다. 그런데 여기에서 이야기할 분담금은 앞에서 배웠던 분담금의 산출 방식과 다릅니다. 재개발에서는 조합원분양가가 정해졌다는 전제 하에 권리가액을 뺌으로써 분담금을 구했지만, 재건축에서는 아래와 같은 공식으로 분담금을 산출합니다.

분담금 = 조합원 건축원가 - 일반분양 기여 금액

이 공식을 해석하면 이렇습니다. 조합원분양 아파트를 짓기 위해 들어간 돈은 원래 조합원이 부담해야 하지만, 이 조합원은 동시에 일반분양 아파트를

짓는 데에도 기여를 했습니다. 따라서 일반분양을 통해 벌어들인 수익을 조합원에게 돌려준다는 차원에서 분담금을 깎아주는 것입니다.

자세한 내용은 이제부터 자세히 다루겠지만, 아직 조합원분양가가 확정되지 않은 재건축 사업장에서는 이 공식이 매우 유용하게 쓰입니다.

분담금 산출과정

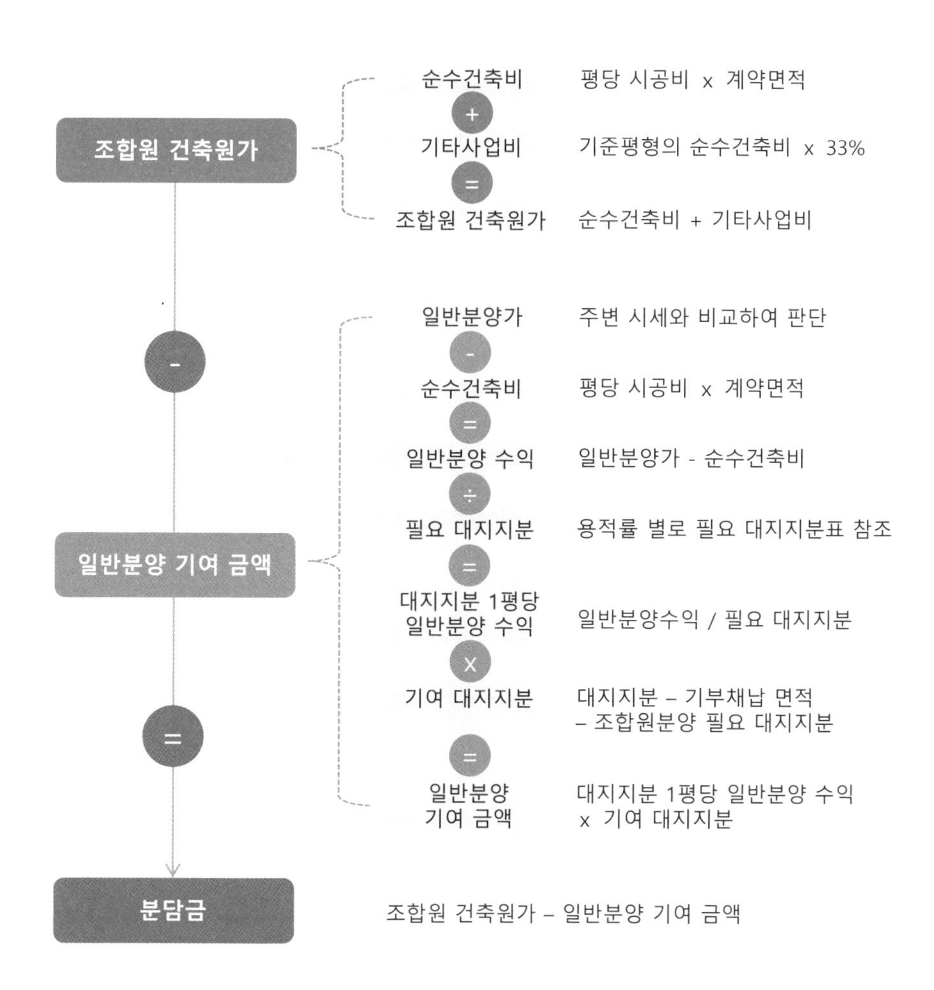

핵심은 '일반분양 기여 금액' 구하기

개념이 잘 이해되지 않았더라도 너무 걱정은 하지 마시기 바랍니다. 이제부터 실제 사례를 통해 활용법을 하나하나 짚어볼 테니 천천히 따라오시면 됩니다.

앞서 정리해드린 기본 개념은 모두 중요한 것들입니다. 그런데 그중에서도 꼭 기억하셔야 할 것이 바로 '일반분양 기여 금액'입니다. 다시 한 번 정리해드리면, 일반분양 기여 금액이란 조합원이 내놓은 대지지분을 가지고 일반분양 아파트를 지음으로써 생겨난 수익입니다. 재건축 과정에서 일반분양을 통해 수익이 나면, 그중에서 조합원 개인이 기여한 금액은 과연 어느 정도인지를 나타내지요.

만약 내가 조합원이고 20평의 대지지분을 가졌다고 합시다. 그 20평이 모두 조합원분양 아파트를 짓는 데에 쓰이지는 않습니다. 일부는 도로나 공원 등을 짓기 위해 기부채납이 되고, 일부는 내가 분양받을 조합원분양 아파트를 짓는 데에 쓰이고, 나머지는 일반분양 아파트를 짓는 데에 쓰이게 됩니다. 바로 이 일반분양에 쓰이는 대지지분을 계산해서 그 가치를 금액으로 환산한 것이 '일반분양 기여 금액'입니다.

일반분양 기여 금액이 중요한 이유는 이것이 분담금을 구하는 직접적인 단서가 되기 때문입니다. 앞서 분담금을 구하는 또 다른 공식은 바로 조합원 건축원가에서 일반분양 기여 금액을 빼는 것이라고 했습니다. 만약 일반분양 기여 금액이 크다면 분담금은 줄어들 것이고, 반대로 일반분양 기여 금액이 작다면 분담금은 늘어날 것입니다.

조합원마다 내놓은 대지지분이 다르고, 분양받고 싶어 하는 희망 평형이 다릅니다. 따라서 내야 할 분담금 역시 각자 달라집니다. 그러나 큰 틀은 언제나 동일합니다. 먼저 조합원 건축원가를 구하고, 그 다음에는 일반분양 기여 금액을 구한 후, 그 차액이 바로 내가 내야 할 분담금입니다. 큰 틀은 이렇게 정해져 있으므로, 이제 남은 것은 일반분양 기여 금액을 구하는 것입니다.

조합원건축원가에서 일반분양 기여 금액을 빼면

재건축 사업의 조합원인 나조합 씨의 예를 들어봅시다. 5층짜리 저층아파트에 살고 있는 나조합 씨는 대지지분 20평을 보유하고 있고, 새로 지어질 아파트의 34평형을 조합원분양 신청했습니다. 이제 나조합 씨의 분담금이 어떤 과정을 거쳐 결정되는지 알아봅시다.

재건축 사업의 분담금 결정 개념도

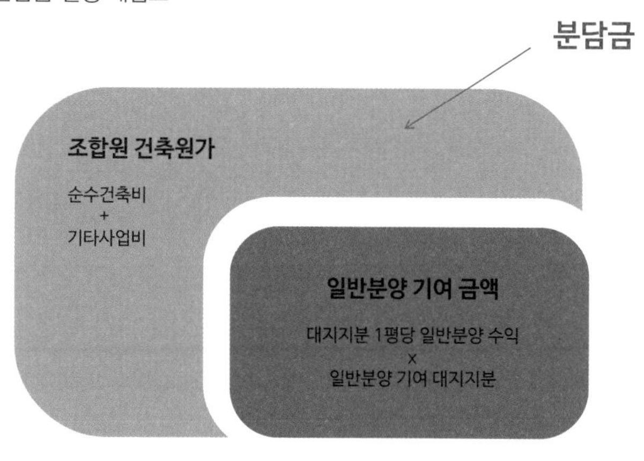

나조합 씨가 내놓은 대지지분 20평이 전부 아파트를 짓는 데에만 쓰이는 것은 아닙니다. 도로, 공원, 녹지 등 정비기반시설을 만들기 위한 기부채납을 해야 하는데, 이것은 모든 조합원이 공통적으로 부담합니다. 이 재건축 사업장의 기부채납 비율이 15%라고 가정하면 나조합 씨가 내놓은 20평 중 15%에 해당하는 3평은 기부채납이 되고, 나머지 17평의 대지에만 아파트를 지을 수 있습니다.

이 아파트의 설계상 나조합 씨가 신청한 34평형(전용면적 84㎡) 아파트를 지으려면 12평의 땅이 필요하다고 가정합시다. 그렇다면 나조합 씨가 내놓은 17평의 땅 중 12평은 나조합 씨 본인이 신청한 조합원분양 아파트에 포함됩니다. 그리고 남은 5평은 일반분양 아파트를 짓는 데에 쓰입니다.

나조합 씨의 일반분양 기여 대지지분
= 대지지분 - 기부채납 면적 - 조합원분양 필요 대지지분
= 20평 - 3평 - 12평
= 5평

그런데 만약 일반분양 아파트에서 수익이 발생했다면, 그것은 누가 가져가야 할까요? 당연히 그만큼의 대지지분을 내놓았던 조합원이 가져가는 게 맞습니다. 나조합 씨도 일반분양에 5평의 대지지분을 기여했으므로, 일반분양 수익 중 5평에 해당하는 금액을 돌려받을 권리가 있습니다. 이 일반분양 수익 중 5평에 해당하는 금액이 바로 우리가 핵심이라고 이야기했던 '일반분양 기여 금액'입니다.

일반분양 수익은 일반분양 가격에서 순수건축비를 뺀 금액입니다. 이 아파트 단지 전체의 일반분양 수익을 계산해보니 대지지분 1평당 일반분양 수익

은 2,000만 원씩 나왔다고 합시다. 그렇다면 나조합 씨의 일반분양 기여 금액은 얼마일까요? 평당 2,000만 원의 수익이 났는데 나조합 씨가 기여한 대지지분은 5평이므로, 나조합 씨의 일반분양 기여 금액은 1억 원입니다.

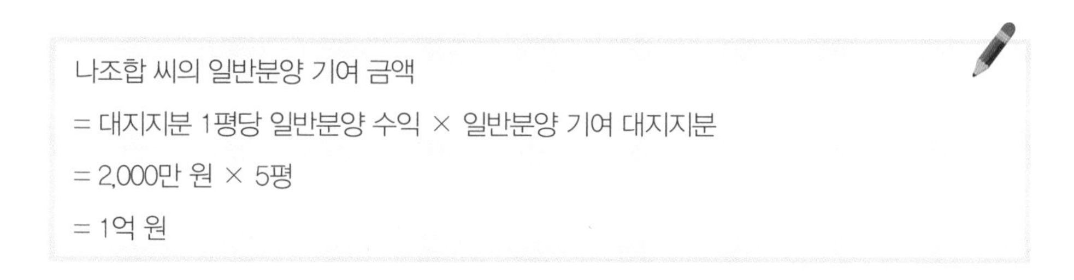
나조합 씨의 일반분양 기여 금액
= 대지지분 1평당 일반분양 수익 × 일반분양 기여 대지지분
= 2,000만 원 × 5평
= 1억 원

이 금액은 나중에 나조합 씨가 내야 할 분담금에서 공제됩니다. 따라서 나조합 씨가 내야 할 분담금은 '34평형 아파트의 조합원 건축원가 - 일반분양 기여 금액'으로 계산할 수 있는 것입니다. 이러한 개념을 그림으로 정리하면 다음과 같습니다.

나조합 씨의 재건축 분담금 결정 개념도

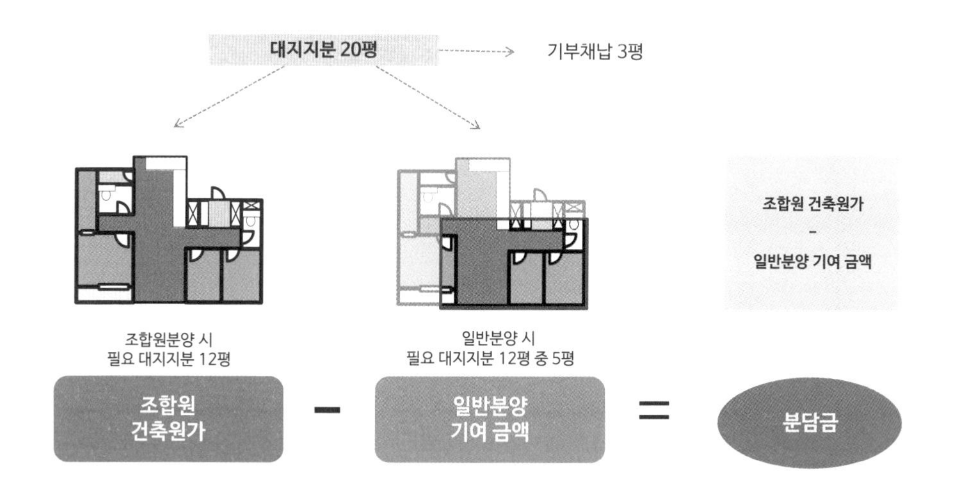

대지지분이 클수록 유리한 이유

그런데 만약 나조합 씨가 가진 대지지분이 20평이 아니라 30평이라면 어떨까요? 다른 조건이 모두 동일하다면 30평 중 15%에 해당하는 4.5평은 기부채납이 될 것이고, 나머지 25.5평의 땅에만 아파트를 지을 수 있습니다.

나조합 씨가 똑같이 34평형 아파트를 조합원분양 신청했다면 25.5평 중에 12평은 나조합 씨가 분양받을 아파트를 짓는 데에 사용될 것입니다. 그리고 남은 13.5평에는 일반분양 아파트를 짓게 되겠지요.

대지지분 1평당 일반분양 수익이 앞에서와 마찬가지로 2,000만 원이라면 나조합 씨의 일반분양 기여 금액은 얼마일까요? 평당 2,000만 원에 13.5평을 곱한 2억7,000만 원이 될 것입니다.

나조합 씨의 일반분양 기여 대지지분
= 대지지분 - 기부채납 면적 - 조합원분양 필요 대지지분
= 30평 - 4.5평 - 12평
= 13.5평

나조합 씨의 일반분양 기여 금액
= 대지지분 1평당 일반분양 수익 × 일반분양 기여 대지지분
= 2,000만 원 × 13.5평
= 2억7,000만 원

분담금은 조합원 건축원가에서 일반분양 기여 금액을 빼서 구한다고 했습니다. 그렇다면 분담금은 동일한데 일반분양 기여 금액이 1억 원일 때와 2억7,000만 원일 때 중에서 어느 경우의 분담금이 더 적을까요? 당연히 2억

7,000만 원일 때의 분담금이 훨씬 더 적을 것입니다.

일반분양에 사용될 대지지분을 많이 내놓은 사람일수록 일반분양 기여 금액도 많아지므로, 그만큼 분담금이 줄어듭니다. 흔히 재건축 투자에서는 '대지지분이 많아야 좋다'고 하는 이야기를 들어보셨을 것입니다. 그 이유가 바로 여기에 있습니다. 대지지분이 많으면 일반분양에 사용할 수 있는 대지도 많아지고, 그만큼 일반분양 기여 금액이 늘어납니다. 이것은 분담금 감소라는 형태로 조합원에게 다시 돌아오게 됩니다.

이러한 기본 개념을 머리에 담아두시고, 이제부터는 실제 재건축 사업이 진행되고 있는 서울시 B단지 재건축 사업장의 사례를 집중적으로 분석해 보고자 합니다. 이곳을 사례로 선택한 이유는 현재 관리처분인가가 나오고 이주 및 철거가 진행되고 있어 최근의 상황을 가장 잘 반영하고 있을 뿐 아니라, 5층짜리 저층아파트로서 대지지분이 많은 곳이라 사업성 분석 훈련에 적합하기 때문입니다. 특별히 이곳을 추천하거나 비판하려는 의도가 아님을 유념하시기 바랍니다.

B아파트의 실제 관리처분계획 들여다보기

재건축의 사업성 분석은 재개발에 비해 상대적으로 쉽습니다. 그 이유는 재개발에 비해 이해관계가 덜 복잡하고, 주택의 형태도 다양하지 않고 통일된 경우가 많기 때문입니다. 감정평가에 따른 반발도 상대적으로 재개발에 비해 덜하고, 현금청산자가 많지 않습니다. 그래서 사업성 분석을 할 때의 불확실성이 상대적으로 적지요.

재건축과 재개발은 모두 정해진 절차와 틀 위에서 진행되는데, 재건축은 특히 사업장 별로 변수가 적은 편입니다. 그래서 어떤 재건축 사업장의 관리처분 사례 하나만 제대로 공부하면 그 지역 내의 다른 사업장을 검토할 때에도 유용합니다.

다만 용도지역이 몇 종이냐는 반드시 따져봐야 합니다. 그 지역이 2종이냐, 3종이냐에 따라 용적률이 달라집니다. 서울시의 경우 2종일반주거지역에서는 법정상한용적률 250%까지 건축이 가능하고, 3종일반주거지역에서는 법정상한용적률 300%까지 건축이 가능합니다. 용적률이 높을수록 지을 수 있는 아파트의 세대수도 늘어납니다.

재건축 사업은 지자체 조례에 따르므로 용도지역이 같으면 용적률도 똑같이 적용받습니다. B단지의 경우는 2종일반주거지역으로 기존에는 5층짜리 저층아파트였지만 법정상한용적률 250%를 적용받아서 재건축 사업이 진행 중입니다. 이 사례를 꼼꼼히 분석해 본다면 서울시의 다른 구에 위치한 2종일반주거지역의 5층짜리 재건축 아파트에서도 똑같이 적용이 가능할 것입니다.

서울시 B단지 재건축 사업장의 상황(관리처분계획 상)

1) 기본정보

비례율 (관리처분계획상)	111.26%	준공연도	1983년	용도지역	2종일반주거지역

2) 사업전후 비교

	재건축 전	재건축 후				
		총분양	일반분양	일반분양 비율	임대분양	임대분양 비율
세대수	890세대	1,745세대	759세대	85.2%	96세대	5.5%
총대지면적	25,224평					
세대당 평균 대지지분	28.34평	14.45평				
용적률	(5층)	249.97%				

3) 감정평가액 및 권리가액

면적			감정평가액	권리가액
분양면적	전용면적	대지권		
18평형	55.12㎡	22.06평	417,193,971원	464,182,528원
21평형	65.10㎡	25.98평	487,799,612원	542,740,482원
24평형	75.69㎡	30.21평	557,540,690원	620,336,498원
27평형	84.67㎡	33.79평	617,255,517원	686,777,006원

4) 평형별 조합원분양가

주택 규모	타입	조합원분양 세대수	조합원분양가
59㎡	A	390세대	458,361,035원
	B		
	C		
74㎡	A	168세대	537,492,711원
	B		
84㎡	A	309세대	589,831,765원
102㎡		47세대	676,541,346원
120㎡		6세대	924,575,000원
130㎡		3세대	994,516,667원
합계		923세대	

B단지 관리처분계획 중 정비사업비 추산액

구분	항 목			금액(원)	비율	
소요비용추산액	계			488,605,370,550	100.00%	❶
	조사측량비	측량비		166,774,000	0.03%	
		문화재조사비		8,700,000	0.00%	
		지질조사비		20,800,000	0.00%	
	설계비			2,880,814,000	0.59%	
	감리비			6,284,787,000	1.29%	
	정비사업전문관리업비			2,324,420,000	0.48%	
	공사비	대지조성공사비			75.09%	❷
		건축시설공사비		361,600,000,000		
		부대시설공사비				
		정비기반시설공사비		4,404,380,000		
		지장물 정비	건축물철거비			
			지장물 철거 이설	883,000,000		
	보상비	토지·건축물 매입비		8,500,000,000	1.74%	❸
	관리비	조합운영비		4,500,000,000	0.92%	
	부대경비	감정평가수수료		1,487,068,000	0.30%	
		공과금	국민주택채권매입비	15,592,340	0.00%	
			법인세	2,000,000,000	0.41%	❹
			분양보증	2,099,212,000	0.43%	
			부가가치세	2,658,599,000	0.54%	
			보존등기비(일반)	7,412,506,000	1.52%	
			기타공과금			
		외주용역비	도시설계,정비계획	516,000,000	0.11%	
			세무회계	300,000,000	0.06%	
			소송법무	1,000,000,000	0.20%	
			안전진단	109,720,000	0.02%	
			교평,친환경등	283,000,000	0.06%	
			공원설계	28,700,000	0.01%	
			도로설계	110,000,000	0.02%	
			기반시설설치비용산정	34,000,000	0.01%	
			석면조사	164,390,000	0.03%	
			건설사업관리(CM)	1,070,000,000	0.22%	
			총회비,조합원분양신청	2,000,000,000	0.41%	
			공공청사설계	120,999,000	0.02%	
			경관계획	70,000,000	0.01%	
			사업시행변경	1,294,879,000	0.27%	
			이주관리	1,934,000,000	0.40%	
			토지,건축물명도	300,000,000	0.06%	
			석면해체,처리	812,300,000	0.17%	
			수목이식	40,000,000	0.01%	
			굴토,구조심의	200,000,000	0.04%	
			기타용역비	1,807,985,000	0.37%	

소요비용추산액	부대경비	부담금	광역교통시설부담금	502,080,000	0.10%	
			학교용지부담금	3,816,750,000	0.78%	
			지구단위분담금	36,115,460	0.01%	
			하수도원인자부담금	563,494,750	0.12%	
			기타부담금	4,537,000,000	0.93%	
		금융비용	이주비 금융이자	34,358,333,000	7.03%	❺
			대여금 이자	811,442,000	0.17%	
		기타사업비	미분양대책비	15,000,000,000	3.07%	❻
			신탁·멸실등기비	483,500,000	0.10%	
			이주촉진비	3,000,000,000	0.61%	❼
			공공청사 이전비	1,030,000,000	0.21%	
	예비비			5,024,030,000	1.03%	❽

정비사업비 추산액 자료로 숨은 힌트를 찾아내자

사업성 분석의 기본은 자료를 확인하는 것입니다. 위 표는 B단지의 실제 관리처분계획 자료중 '소요비용추산액' 부분을 발췌한 것입니다. 소요비용추산액의 합계는 약 4,886억 원입니다(❶). 이 금액이 바로 우리가 배웠던 '총사업비'에 해당하는 금액입니다.

공사비(시공비)

공사비는 새로운 아파트를 건축하는 데에 들어가는 비용입니다. 대지 토목공사, 주거공간 및 부대시설 공사는 물론 기존 건축물을 철거하는 비용까지 포함됩니다. 위 사례를 보면 총사업비 약 4,886억 원 중에서 '공사비'가 차지하는 금액은 약 3,669억 원으로, 총사업비 중에서 약 75%를 차지하고 있습니다(❷).

공사비를 제외한 나머지 사업비는 '기타사업비'라는 이름으로 불리는데, 공사비가 약 75%이므로 기타사업비는 약 25%라고 볼 수 있습니다.

보상비

보상비는 말 그대로 보상을 해주기 위한 비용입니다. 조합원 자격을 충족시키지 못하거나 조합원분양을 원치 않는 사람들에게 이른바 현금청산을 해주기 위한 금액입니다. 재건축에서는 대상 부동산을 조합이 협의매수하거나 매도청구 소송을 통해 매입함으로써 보상이 이뤄집니다.

표를 보면 이 사업장의 '토지·건축물 매입비' 항목은 약 85억 원으로 1.74%밖에 책정되어 있지 않습니다(❸). 재개발 사업에 비해 보상비가 매우 적다는 것을 알 수 있는데, 이는 아파트 재건축의 경우 현금청산자 수가 적기 때문입니다. 특히 B단지는 다른 재건축 사업장과 비교해 봐도 보상비의 비율이 적은 편인데 이는 재건축을 반대하는 사람들, 즉 협의매수 및 매도청구 대상자가 적었다는 의미입니다. 참고로, 재개발 사업의 경우 현금청산자 비율은 토지등소유자의 10~20% 정도를 차지합니다.

'토지·건축물 매입비'로 사용될 약 85억 원은 조합이 일단 시공사나 금융기관으로부터 대여하여 사용합니다. 따라서 이 항목이 크면 그만큼 금융비용, 즉 이자가 늘어나게 됩니다.

공과금

공과금 항목에서 주의 깊게 봐야 할 항목은 법인세입니다. 재건축·재개발 조합도 일종의 법인이기 때문에 수익이 발생하면 법인세를 내야 합니다.

위 표에서 살펴보면 법인세는 약 20억 원으로 책정되어 있습니다(❹). 앞에서 설명 드렸듯이 비례율이 100%가 넘어가면 수익이 난다는 뜻이고 그만큼 법인세를 내야합니다. 그런데 법인세로 20억 원을 미리 책정해 두었다는 것은 조합 스스로도 비례율이 100% 이상일 것이라 예상한다는 뜻이고, 그만큼 사업성이 좋다는 의미로 볼 수 있습니다.

금융비용

금융비용은 조합이 내는 각종 이자를 뜻합니다. 분양을 해서 수익이 나기 전까지는 조합도 돈을 빌려서 사업을 진행할 수밖에 없습니다. 앞서 설명한 보상비 외에 이주비를 지급하는 돈도 역시 시공사나 금융기관에서 빌려와야 하는데, 이에 대한 금융비용도 만만치 않습니다.

표를 보면 '이주비 금융이자'가 약 344억 원으로 총사업비 중 7.03%를 차지하고 '대여금이자'도 약 81억 원 책정되어 있습니다(❺). 대여금이자란 시공사에서 대여한 금액에 대한 이자를 나타냅니다. 만약 현금청산자들에게 지급해야 할 돈이 많아진다면 시공사에서 대여하는 금액도 커지고, 그만큼 대여금이자는 늘어날 것입니다.

미분양대책비

기타사업비 항목을 살펴보면 '미분양대책비'가 있습니다(❻). 일반분양을 할 때 혹시나 미분양이 발생할 경우를 대비하여 책정해둔 금액입니다. 나중에 일반분양자들에 대해 중도금 무이자나 중도금 이자후불제 혜택을 줌으로써 미분양을 최소화하기 위한 금액으로 일종의 비상금에 해당한다고 보시면 됩니다.

이 금액이 많이 책정되어 있으면 혹시 미분양이 발생하더라도 그만큼 추가부담금에 대한 위험이 줄어든다고 볼 수 있습니다. 게다가 만약 일반분양이 잘 되어서 이 금액을 사용하지 않게 된다면 총사업비가 줄어들어 비례율이 상승할 수도 있습니다.

표를 보면 이 항목이 150억 원으로 책정되어 있는 것을 알 수 있습니다. 사실 이 항목은 예비비이기 때문에 반드시 잡아놓아야 하는 항목은 아니고, 사업성이 좋지 않은 구역의 경우에는 이 항목을 아예 잡지 않기도 합니다. 그런데도 이 항목이 150억 원이나 잡혀있다는 사실은 이 구역의 총사업비에 그만큼 여유가 있다는 뜻이고, 사업성이 상당히 좋다는 것을 의미합니다.

이주촉진비

'이주촉진비'는 조합이 정한 기한 내에 이주를 완료하는 조합원에게 주는 이사비로, 말 그대로 이주를 빠르게 촉진하기 위한 비용입니다(❼).

이 항목 역시 반드시 포함해야 하는 것은 아니기 때문에 사업성이 좋지 않은 구역에서는 아예 책정하지 않는 곳도 많습니다. 그러므로 미분양대책비와 이주촉진비가 넉넉하게 책정되어 있다면 그 사업장은 그만큼 사업성이 좋다고 추측할 수 있습니다. 뿐만 아니라 이 항목이 책정되어 있는 사업장에서는 추후에 추가부담금이 나올 가능성도 굉장히 적다고 볼 수 있습니다.

예비비

예비비는 특별히 정해진 항목 없이, 사업을 진행하다가 어떤 일이 생길지 모르기 때문에 이에 대비하기 위해 잡아놓은 예산입니다. 위 표에서는 예비비가 약 50억 원으로 잡혀 있는데, 대부분 총사업비의 1~2% 정도를 예비비로 잡아놓는 것이 일반적입니다.

B단지 관리처분계획 중 수입추산액 및 추정비례율

구분	항목	세부	금액	
수입추산액	종후자산평가액 합계		1,004,806,007,000	❾
	주택 분양수입 (지분대지 포함)	조합원	491,646,038,000	
		재건축소형	10,534,455,000	
		일반	477,093,714,000	
		보류지	1,454,900,000	
	부대복리시설		24,076,900,000	
	기 타			
추정비례율	111.26%	총사업비	488,605,370,550	❿
		종전자산평가액	463,944,950,000	

수입추산액

이번에는 B단지 관리처분계획 중에서 '수입추산액' 부분을 살펴봅시다. 수입추산액은 이 사업을 통해 얻게 될 수입을 미리 추산해본 금액입니다. 앞서 배웠던 '종후자산평가액'의 예상 금액이라고 할 수 있습니다.

수입추산액은 조합원분양 수입, 일반분양 수입, 임대아파트 매각금액, 부대복리시설(상가) 수입을 합쳤을 때 나오는 금액입니다. 이 표에는 현재 약 1조원 정도로 나와 있는데(❾), 만약 부동산 시장의 흐름이 좋아서 일반분양가를 더 높일 수 있다면 그만큼 실제 수입은 더욱 늘어날 수 있습니다.

앞으로의 사업성을 가늠해보자

이제 관리처분계획 자료를 통해 필요한 정보를 파악했으니 비례율을 계산해볼 수 있습니다. 비례율 공식은 '(종후자산평가액 – 총사업비) / 종전자산평가액×100'이었던 것을 기억하시지요? 공식에 따라 산출된 비례율은 약 111.26%입니다.

비례율 = (종후자산평가액 – 총사업비) / 종전자산평가액 × 100
= (1조48억600만7,000원 - 4,886억537만550원) / 4,639억4,495만 원 × 100
= 약 111.26%

물론 앞에서 살펴본 관리처분계획 자료에는 이미 '추정비례율'이라 하여 이미 우리가 계산해본 것과 같은 111.26%라는 수치가 나와 있습니다(❿). 그런데 이것은 아직 일반분양이 이뤄지지 않은 상태에서 계산한 그야말로 '추정'

비례율이라는 점이 중요합니다.

이것은 뒤집어 말하면 앞으로 비례율이 달라질 수도 있다는 뜻입니다. 만약 일반분양을 할 시점에서 부동산 시장이 좋아진다면 지금 책정되어 있는 일반분양가보다 더 높은 가격에 일반분양을 할 수도 있습니다. 그렇게 되면 분양수입이 늘어나므로 비례율은 더욱 높아질 수 있습니다.

반대로 일반분양을 할 시점에서 부동산 경기가 나빠지면 일반분양가를 낮춰야 하거나 미분양이 발생할 수도 있습니다. 그렇게 되면 분양수입이 줄어들면서 비례율은 낮아질 것입니다.

그러나 B단지의 경우에는 앞서 살펴본 것처럼 미분양대책비 약 150억 원과 예비비 약 50억 원 등 만일의 상황에 대비한 사업비가 넉넉히 책정되어 있습니다. 심각한 수준의 미분양만 아니라면 어느 정도의 리스크는 감당할 수 있다고 보여집니다. 따라서 관리처분계획에 나와 있는 추정비례율보다 실제 비례율이 낮아질 가능성은 적다고 볼 수 있겠습니다.

지금까지 살펴본 내용을 종합해 보면, B단지 재건축 사업에서는 앞으로 추가부담금이 나올 가능성이 굉장히 적을 뿐 아니라, 잘 하면 총사업비가 줄어들어 비례율이 더욱 높아질 가능성도 있다는 점을 알 수 있습니다. 결론적으로 사업성이 상당히 좋은 곳이라는 뜻입니다.

개인적으로는 이 사업장의 실제 일반분양가가 관리처분계획보다 높을 것이라고 예상합니다. 지금까지 보여드린 관리처분계획은 2016년에 나온 것으로, 2017년 현재 이 지역의 주변 시세는 그때보다 높아져 있는 상황이기 때문입니다. 일반분양가가 높아지면 추가수입이 발생할 것이므로 앞으로 이 사업장의 비례율은 낮아질 가능성보다는 높아질 가능성이 더 높다고 예상할 수 있습니다.

지금까지 관리처분계획 책자를 검토함으로써 추가부담금이 나오지는 않을지, 비례율이 올라갈지 내려갈지 등의 내용을 파악해 보았습니다. 이 같은 내용만 파악하더라도 B단지에 투자할지 말지를 결정하는 데에 큰 도움이 될 것입니다. 이제부터는 한 발 더 나아가서 구체적으로 분담금이 얼마나 나올지를 계산해 봅시다.

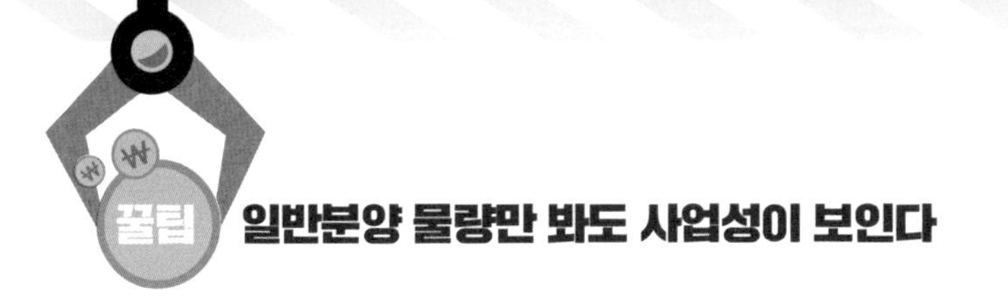

일반분양 물량만 봐도 사업성이 보인다

B단지는 2017년 하반기에 일반분양이 예정되어 있습니다. 기존 890세대가 사라지고 신축 아파트 1,745세대가 생겨나게 됩니다. 그중 일반분양은 759세대인데 이는 기존 세대 수 대비 85.3%에 달하는 수치입니다. 재건축 사업장 중에서도 일반분양 물량이 상당히 많은 편입니다.

눈치 빠른 분들은 일반분양 물량이 이렇게 많은 것을 보니 사업성이 좋을 것이라고 짐작을 하셨을 것입니다. 구체적인 사업성 분석을 해보지 않더라도, 일반분양 물량이 많으면 그만큼 분담금이 줄어들기 때문에 투자하기 좋다는 것을 경험으로 알고 계신 것이지요.

₩ 일반분양 물량이 많으면 분담금이 줄어든다

흔히 대지지분이 클수록 사업성이 좋다고 말하는 이유도 같은 맥락입니다. 내가 내놓은 대지지분이 크면 그만큼 일반분양 아파트를 많이 지을 수 있고, '일반분양 기여 금액'이 많아지고, 분담금이 줄어들게 됩니다.

실제로 일반분양 물량의 비율은 사업 초기에 간단한 사업성 평가를 하기에 적합한 정보입니다. 분담금이 얼마일지 구체적 계산까지는 필요 없고 그냥 사업성이 좋을지 나쁠지 정도만 파악하고 싶을 때 유용하게 쓸 수 있습니다.

그러나 B단지처럼 누가 봐도 일반분양 물량의 비율이 많은 경우가 아니라 애매한 경우에는 사업성이 좋은지 나쁜지를 판단하기가 쉽지 않습니다. 이럴 경우에는 어림짐작이 아니라 어느 정도 구체적인 분석 수치가 필요합니다.

초기 사업성 가늠하는 '세대당 평균 대지지분'

기존의 많은 재건축 전문가들은 이럴 때 흔히 용적률을 이야기합니다. 현재 용적률이 낮다는 것은 저층이라는 뜻이고, 그만큼 대지지분이 크다는 것입니다. 그러나 이러한 분석은 틀린 경우가 많기 때문에, 저는 용적률뿐만 아니라 '세대당 평균 대지지분'이라는 개념을 이용합니다. 세대당 평균 대지지분은 재건축의 사업성을 쉽게 파악하기 위해 제가 고안해낸 공식입니다.

세대당 평균 대지지분 = 총대지면적 / 세대수

이 값이 크다는 것은 각 조합원 세대가 가지는 대지지분이 전반적으로 큰 단지라는 뜻입니다. 이 숫자가 크면 클수록 일반분양 물량이 많아지기 때문에 사업성도 좋아진다고 할 수 있습니다.

B단지의 경우 총대지면적은 2만5,224평이고 기존 세대수는 890세대입니다. 세대당 평균 대지지분을 구해보면 재건축 전에 약 28.34평이었습니다. 그런데 재건축 후에는 입주할 세대가 1,745세대로 늘어나면서 세대당 평균 대지지분은 약 14.45평으로 줄어듭니다.

이 이야기를 풀어서 해석해 보면, 이곳의 조합원 890세대는 원래 가지고 있던 28.34평에서 조합원분양을 받는 데에 14.45평을 쓰고, 나머지 13.89평은 일반분양과 기부채납을 위해 내놓았다고 할 수 있습니다. 조합원분양 대지면적이 14.45평인데 그의 90%가 넘는 13.89평을 내놓았으므로, 그만큼 일반분양 물량이 많아질 수밖에 없는 것입니다.

세대당 평균 대지지분은 재건축의 사업성을 분석할 때 아주 요긴하게 사용됩니다. 이에 대해서는 나중에 다시 한 번 다루도록 하겠습니다.

분담금과 프리미엄을 예측해보자

이번에는 분담금을 계산하는 과정을 알아보겠습니다. 여기에서는 구체적인 사례를 설정해 보고자 합니다. B단지의 조합원인 김대박 씨는 재건축 전 분양면적 18평형 아파트를 가지고 있는데, 재건축이 되면 전용면적 84㎡ 아파트를 조합원분양으로 받고 싶어 합니다. 비례율은 관리처분계획에 나온 추정비례율 111.26%를 그대로 적용합니다. 이제 김대박 씨의 분담금을 한 번 계산해 봅시다.

어떤 공식을 활용해서 분담금을 구할 것인가

우리는 이미 분담금을 구하는 방법을 두 가지 배웠습니다. 결과는 비슷하기 때문에, 둘 중에서 더 쉬운 방법을 활용하면 됩니다.

[방법 ①] 분담금 = 조합원분양가 - 권리가액

[방법 ②] 분담금 = 조합원 건축원가 - 일반분양 기여 금액

그런데 우리는 이미 관리처분계획 책자를 분석함으로써 조합원분양가와 감정평가액과 추정비례율을 모두 알고 있습니다. 따라서 여기에서는 [방법②]

보다는 [방법①]의 방식을 활용하는 것이 더 간단할 것입니다.

1단계 : 권리가액 구하기

아래 표는 앞서 한 번 등장했던 B단지의 관리처분계획 중 평형별 감정평가액 및 권리가액의 실제 자료입니다. 김대박 씨가 가지고 있는 아파트는 18평형이므로, 아래 표에 따르면 감정평가액은 약 4억1,719만 원입니다.

B단지의 평형별 감정평가액 및 권리가액

면적			감정평가액	권리가액
분양면적	전용면적	대지권		
18평형	55.12㎡	22.06평	417,193,971원	464,182,528원
21평형	65.10㎡	25.98평	487,799,612원	542,740,482원
24평형	75.69㎡	30.21평	557,540,690원	620,336,498원
27평형	84.67㎡	33.79평	617,255,517원	686,777,006원

이 표에는 이미 권리가액이 나와 있으므로 계산에 서툰 분들은 이를 활용하셔도 좋습니다. 하지만 권리가액의 계산 공식을 복습하는 차원에서 직접 계산을 해보겠습니다. 권리가액을 구하는 공식은 '감정평가액 × 비례율'이었던 것이 기억나시나요? 이 공식을 활용하면 김대박 씨의 권리가액은 표와 마찬가지로 약 4억6,418만 원이 나온다는 것을 확인할 수 있습니다. 같은 방식으로 다른 평형을 가진 조합원들의 권리가액도 구할 수 있습니다.

권리가액 = 감정평가액 × 비례율
= 약 4억1,719만 원 × 111.26%
= 약 4억6,418만 원

2단계 : 분담금 구하기

이제 조합원분양가에서 권리가액을 빼면 분담금이 나옵니다. 아래 표 역시 앞에서 한 번 등장했던 것이지만 다시 한 번 보겠습니다. 이에 따르면 김대박 씨가 받고 싶어 하는 전용면적 84㎡ 아파트의 조합원분양가는 약 5억8,983만 원임을 알 수 있습니다.

B단지 재건축 후 평형별 조합원분양가

주택 규모	타입	조합원분양 세대수	조합원분양가
59㎡	A	390세대	458,361,035원
	B		
	C		
74㎡	A	168세대	537,492,711원
	B		
84㎡	A	309세대	589,831,765원
102㎡		47세대	676,541,346원
120㎡		6세대	924,575,000원
130㎡		3세대	994,516,667원
합 계		**923세대**	

이제 조합원분양가에서 김대박 씨의 권리가액 약 4억6,418만 원을 빼면 분담금이 나옵니다. 계산 결과, 분담금은 약 1억2,565만 원입니다.

분담금 = 조합원분양가 - 권리가액

= 약 5억8,983만 원 - 약 4억6,418만 원

= 약 1억2,565만 원

그런데 만약 김대박 씨가 전용면적 84㎡가 아니라 전용면적 59㎡를 분양받고 싶어 한다면 어떨까요? 위 표를 보면 전용면적 59㎡ 아파트의 조합원분양가는 약 4억5,836만 원이므로, 김대박 씨의 분담금은 다음과 같이 계산됩니다.

분담금 = 조합원분양가 - 권리가액
= 약 4억5,836만 원 - 약 4억6,418만 원
= 약 -582만 원

분담금이 마이너스(-)라는 것은 무슨 의미일까요? 이것은 김대박 씨가 오히려 환급을 받게 된다는 것을 의미합니다. 권리가액이 조합원분양가보다 높기 때문에 김대박 씨는 582만 원을 돌려받게 되는 것입니다.

1억2,565만 원의 분담금을 내고 전용면적 84㎡를 분양받을 것인지, 아니면 분담금을 내지 않고 전용면적 59㎡를 분양받을 것인지는 전적으로 김대박 씨의 판단에 달려 있습니다. 중요한 것은 이처럼 분담금을 직접 계산할 수 있게 되면 선택의 폭도 넓어질 수 있다는 점입니다.

분담금을 알아야 P의 기준이 생긴다

분담금을 계산할 줄 알면 P(프리미엄)를 얼마나 얹어줄지 판단하는 데에도 매우 유용합니다. 이번에는 조합원이 아니라 투자자의 입장에서 생각해봅시다. 투자자인 이투자 씨가 김대박 씨의 아파트를 매입해서 전용면적 84㎡ 신축 아파트를 분양받고 싶어 한다면, 이투자 씨는 과연 얼마의 P를 얹어주는 것이 적당할까요?

만약 이투자 씨가 이 아파트를 감정평가액인 4억1,719만 원에 매입했다고 합시다. 이때 이투자 씨는 매매금액 외에도 나중에 내야 할 1억2,565만 원의 분담금을 내야 합니다. 따라서 이투자 씨가 부담하는 총 금액은 매입가에 분담금을 더한 5억4,274만 원입니다.

이투자 씨가 이 아파트를 매입하려는 이유는 나중에 이 아파트를 비싸게 매도하기 위해서일 것입니다. 정확한 매도가격이 정해져 있지는 않지만, 최소한 일반분양가보다는 높은 가격에 매도를 하게 될 것입니다. 만약 이 아파트의 일반분양가가 8억 원이라고 하면 5억4,274만 원에 매입한 이투자 씨는 최소한 2억5,726만 원의 차익을 미리 얻고 들어가는 셈입니다.

시세차익 = 매도시세 – (매입가격 + 분담금)
= 8억 원 – (4억1,719만 원 + 1억2,565만 원)
= 2억5,726만 원

그런데 생각해봅시다. 이렇게 큰 시세차익이 이미 예상되고 있는 상황에서 원래 조합원이었던 김대박 씨는 과연 이 아파트를 순순히 감정평가액에 내놓으려 할까요? 김대박 씨는 아마도 감정평가액에 얼마를 더 붙여서 팔려고 할 것입니다. 이때 붙는 가격이 바로 P입니다.

김대박 씨가 P를 5,000만 원 붙여서 판다면 이투자 씨의 매입가도 5,000만 원 높아질 것입니다. 그리고 시세차익은 5,000만 원만큼 줄어들겠지요.

시세차익 = 매도시세 – (매입가격 + 분담금)
= 매도시세 – { (감정평가액 + P) + 분담금 }
= 8억 원 – { (4억1,719만 원 + 5,000만 원) + 1억2,565만 원 }
= 2억726만 원

이투자 씨 입장에서는 5,000만 원의 P가 아깝게 느껴질 수도 있습니다. 하지만 그래도 아직 2억 원이 넘는 시세차익을 노릴 수 있으므로 과감히 투자할 만합니다.

그런데 김대박 씨가 요구한 P가 2억 원이라면 어떨까요? 이 경우 이투자 씨는 감정평가액에 P를 얹어 6억1,719만 원에 매입할 것이고, 여기에 분담금 1억2,565만 원까지 총 7억4,284만 원을 들여서 이 아파트를 매입하게 되는 셈입니다. 일반분양가가 여전히 8억 원이라면 얻을 수 있는 시세차익은 약 5,716만 원 정도일 것입니다.

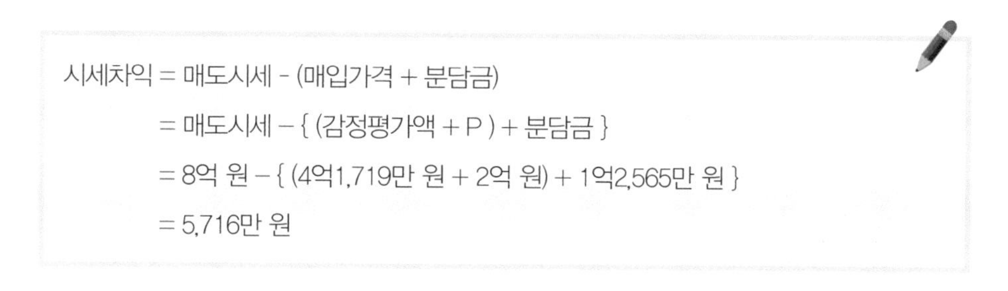
시세차익 = 매도시세 - (매입가격 + 분담금)
= 매도시세 – { (감정평가액 + P) + 분담금 }
= 8억 원 – { (4억1,719만 원 + 2억 원) + 1억2,565만 원 }
= 5,716만 원

P가 붙을 수 있는 범위

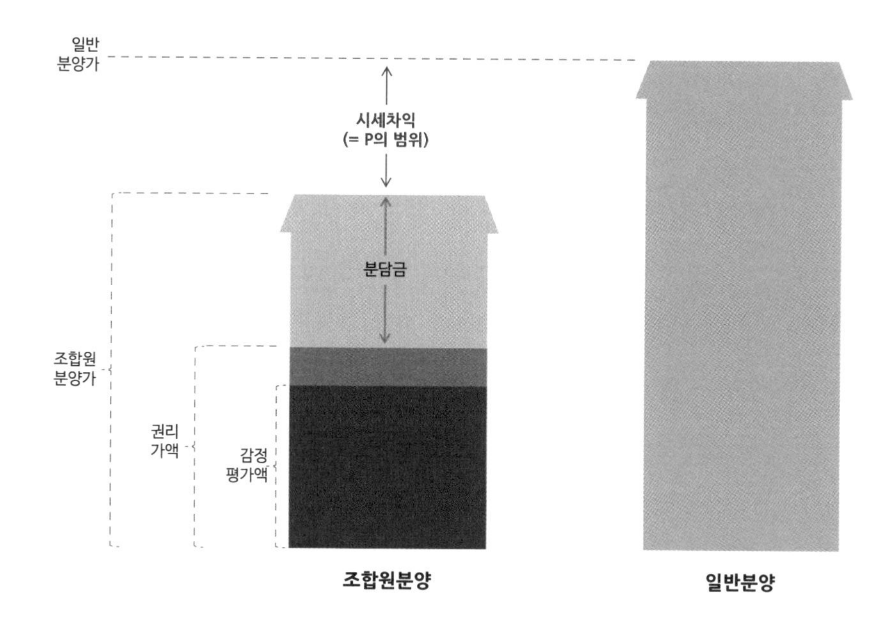

5,716만 원도 적은 금액은 아닙니다. 하지만 이투자 씨는 분담금 1억2,565만 원에 2억 원의 P까지 합하면 최소 3억2,565만 원의 투자금을 들이게 됩니다. 여기에 전세가 또는 대출금액과의 갭(gap) 차이는 별도입니다. 이 정도의 투자금을 묶어놓고 5,716만 원밖에 차익을 내지 못한다면 과연 현명한 투자라고 할 수 있을지, 이투자 씨는 진지하게 고민하게 될 것입니다.

"P를 2억 원 얹어줘도 수익이 난다."

"P를 2억 원 얹어주면 5,000만 원이 남는다."

두 가지 정보 중에서 어떤 것이 투자자에게 더욱 도움이 될까요? 당연히 좀 더 구체적인 두 번째 정보일 것입니다. 그리고 두 번째 정보가 나오려면 분담금을 예상할 수 있어야 합니다. 이처럼 분담금을 미리 예상해보는 것은 효율적인 투자, 실패하지 않는 투자를 위해 매우 중요한 과정입니다.

반드시 외우자!
공사비와 총사업비 공식

지금까지 살펴보았듯이 추정비례율과 감정평가액, 조합원분양가를 알면 분담금을 구하는 것은 어렵지 않습니다. 그런데 문제는 이러한 정보를 모를 경우입니다. B단지의 경우에는 관리처분계획이 나옴으로써 이러한 정보가 거의 확정되었지만, 아직 사업 초기 단계에 있는 사업장의 경우에는 이러한 정보를 얻기가 쉽지 않을 수 있습니다.

그러나 다소 복잡하긴 하지만, 방법이 없는 것은 아닙니다. '공사비(시공비)'를 이용하면 재건축 사업장의 분담금을 유추하는 것은 얼마든지 가능합니다. 오히려 공사비라는 단 하나의 정보만으로도 분담금을 유추할 수 있어 실무에서는 활용 범위가 더욱 넓습니다.

이제부터 알려드릴 방법은 제가 오랜 고민 끝에 만들어낸 공식으로, 재건축의 사업성 분석에 널리 활용할 수 있습니다.

'조합원 건축원가'에서 '일반분양 기여 금액'을 빼면

앞에서는 [방법①], 즉 '조합원분양가 - 권리가액'이라는 공식을 이용해서 분담금을 계산했습니다. 그러나 이제부터는 [방법②]의 공식인 '조합원 건축원가 - 일반분양 기여 금액'을 활용해서 분담금을 계산해 보겠습니다. 얼핏 보기에는 어려워 보이지만 이 공식을 활용하면 공사비만으로 계산이 가능합니다.

총사업비 = 공사비(시공비) + 기타사업비

먼저 조합원 건축원가에 대해 생각해봅시다. 재건축은 조합원들이 새 아파트를 싸게 분양받기 위해 하는 사업이므로, 조합원들에게 분양할 때에는 이윤을 붙이지 않고 원가 그대로 공급합니다. 따라서 '조합원 건축원가'란 결국 '순수건축비'에 사업 진행에 필요한 비용인 '기타사업비'를 합한 금액이라고 할 수 있습니다.

순수건축비는 '공사비'와 같은 개념입니다. 여기에는 아파트뿐 아니라 대지 조성, 부대시설 공사는 물론 기존 주택을 철거하는 비용도 포함됩니다.

반면 기타사업비는 건축에 직접 쓰이는 돈은 아니지만 사업을 진행하는 데에 필요한 비용들입니다. 조사 및 측량을 위한 비용, 설계를 위한 비용, 조합 사무실 관리비 및 인건비, 이자를 내기 위한 금융비, 각종 세금 및 공과금 등 항목도 다양합니다. 그러나 공통적인 것은 총사업비에서 공사비를 제외한 나머지 금액이 모두 기타사업비에 속한다는 것입니다. 결론적으로, 공사비와 기타사업비를 합하면 총사업비가 됩니다.

총사업비 = 공사비(시공비) + 기타사업비

공사비 = 총사업비 × 75%

그런데 흥미로운 사실이 있습니다. 오른쪽의 표는 아까 살펴보았던 B단지의 정비사업비 추산액을 나타낸 것으로, 세부항목을 제외하고 큰 항목만 남겨놓은 것입니다.

아까 살펴본 대로 소요비용추산액의 총합, 즉 '총사업비'는 약 4,886억 원이었고 '공사비'는 약 3,669억 원으로 총사업비의 약 75%를 차지합니다(❶). 그리고 공사비를 제외한 나머지 모든 금액의 합은 총사업비의 약 25%를 차지합니다.

공사비가 총사업비의 약 75%를 차지하고, 나머지 기타사업비가 약 25%를 차지한다는 사실에 주목할 필요가 있습니다. 그 이유는 이것이 B단지에만 해당되는 것이 아니라 대부분의 재건축 사업장에 해당되는 비율이기 때문입니다. 특히 재건축은 재개발과 달리 사업이 진행되면서 추가되는 항목이 거의 없기 때문에 이 비율은 사업이 완료될 때까지 크게 달라지지 않습니다.

공사비 : 기타사업비 = 75 : 25

이러한 사실을 통해서 저는 매우 중요한 공식을 도출해냈습니다. 바로 '공사비 : 기타사업비 = 75 : 25'라는 사실을 활용한 공식입니다. 이것은 제가 그동안 수많은 재건축 사업장의 사업비를 분석함으로써 얻어낸 결론입니다.

B단지 관리처분계획 정비사업비 추산액(요약)

구분	항 목	금액(원)	비율
소요비용추산액	계	488,605,370,550	100.00%
	조사측량비	196,274,000	0.03%
	설계비	2,880,814,000	0.59%
	감리비	6,284,787,000	1.29%
	정비사업전문관리업비	2,324,420,000	0.48%
	공사비	366,887,380,000	75.09% ❶
	보상비	8,500,000,000	1.74%
	관리비	4,500,000,000	0.92%
	부대경비	92,007,665,550	18.83%
	예비비	5,024,030,000	1.03%

백 프로 들어맞는 비율은 아니지만 대부분 비슷하게 도출되는 비율이므로, 이것을 기준으로 다양한 공식을 만들어낼 수 있습니다.

먼저 공사비는 기타사업비의 약 3배이므로, 기타사업비는 공사비에 33%를 곱해서 도출할 수 있습니다. 또한 총사업비는 공사비와 기타사업비의 합이므로, 결국 총사업비는 공사비의 133%라는 것을 알 수 있습니다. 이러한 사실을 이용하면 다음과 같은 공식들이 만들어집니다.

공사비 : 기타사업비 = 75 : 25
→ 공사비 × 25 = 기타사업비 × 75
→ 기타사업비 = 공사비 × 25 / 75
→ 기타사업비 = 공사비 × 33%

총사업비 = 공사비 + 기타사업비
→ 총사업비 = 공사비 + (공사비 × 33%)
→ 총사업비 = 공사비 × 133%

재건축 사업의 일반적인 총사업비 구성 비율

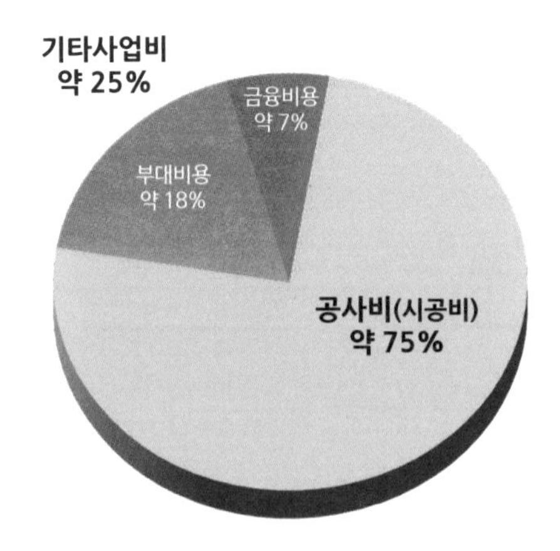

이 공식은 다른 어떤 재건축 투자 전문가들도 언급한 적 없었던 저만의 독창적인 공식입니다. 여러분께 이것을 알려드리는 이유는 이 공식이 앞으로 재건축의 사업성을 분석하는 데에 요긴하게 활용되기 때문입니다.

만약 어떤 사업장의 공사비가 1,000억 원이라는 사실을 안다면 기타사업비는 그의 33%인 330억 원 정도일 것이라고 예측할 수 있습니다. 그리고 총사업비는 133%인 1,330억 원 정도일 것이라고 예측이 가능합니다.

조합원 건축원가에 적용해 보기

이 공식이 중요한 이유는 공사비 하나만 알면 총사업비를 쉽게 추산해 볼 수 있기 때문입니다. 게다가 이 공식은 '조합원 건축원가'를 구하는 데에도 요긴하게 활용됩니다. 조합원 건축원가는 총사업비와 비슷한 개념입니다. 사업장 전체로 보았을 때에는 총사업비이지만, 조합원 세대 각각으로 보았을 때에는 조합원 건축원가가 되는 것입니다.

그렇다면 앞서 살펴보았던 '총사업비 = 공사비 + 기타사업비'라는 공식을 조합원 건축원가에도 적용할 수 있을까요? 당연히 적용할 수 있습니다. 총사업비는 조합원 건축원가로, 공사비는 순수건축비로 바꿔서 대입하면 '조합원 건축원가 = 순수건축비 + 기타사업비'라는 공식이 나옵니다.

총사업비 = 공사비 + 기타사업비

→ 조합원 건축원가 = 순수건축비 + 기타사업비

총사업비 = 공사비 × 133%

→ 조합원 건축원가 = 순수건축비 × 133%

이것이 실제로 어떻게 활용되는지, 앞에서 예를 들었던 김대박 씨의 사례를 다시 불러와 보도록 하겠습니다. 재건축 전에 18평형짜리 아파트를 가지고 있었던 김대박 씨는 재건축 후 전용면적 84㎡ 아파트를 분양받고 싶어 합니다.

앞에서는 김대박 씨의 분담금을 구하기 위해 '분담금 = 조합원분양가 - 권리가액'이라는 공식을 활용했습니다. 그러나 만약 조합원분양가와 감정평가액을 모른다면 이 공식은 활용할 수 없습니다. 여기에서는 [방법②]에 해당하는 '분담금 = 조합원 건축원가 - 일반분양 기여 금액'이라는 공식을 활용해보도록 하겠습니다.

먼저 조합원 건축원가를 구해봅시다. 앞서 조합원 건축원가는 순수건축비(공사비)의 133%라고 했지요. 우리에게 필요한 정보는 단 하나, B단지의 전용면적 84㎡짜리 아파트를 짓는 데에 들어가는 순수건축비뿐입니다. 관리처분계획 상 B단지의 평당 공사비는 420만 원입니다. 이 금액은 관리처분계획에 나와있는 것이기는 하지만, 만약 그마저도 정보가 없다면 서울시 재건축 아파트의 평당 공사비 수준이 대략 400만 원대 초반이라는 점을 감안해서 짐작해보는 것도 가능합니다.

평당 공사비가 420만 원이라면 전용면적 84㎡ 아파트의 순수건축비는 얼마일까요? 흔히 전용면적 84㎡ 아파트는 '34평형'이라고 부릅니다. 그렇다면 420만 원에 34평을 곱하면 되는 것일까요? 아닙니다. 이때 주의하셔야 할 것은 순수건축비를 계산할 때는 공급면적이 아니라 '계약면적'을 곱해야 한다는 것입니다.

김대박 씨가 분양받고자 하는 전용면적 84㎡(34평형) 아파트의 계약면적은 약 55평입니다. 여기에 평당 공사비가 420만 원이라는 것을 적용하면 김대박 씨가 분양받고자 하는 아파트의 순수건축비는 약 2억3,100만 원이라고 계산할 수 있습니다.

순수건축비 = 평당 공사비 × 계약면적
= 420만 원 × 55평
= 2억3,100만 원

조합원 건축원가는 순수건축비의 133% 정도라고 했습니다. 따라서 전용면적 84㎡ 아파트 한 채를 짓는 데에 들어가는 조합원 건축원가는 약 3억723만 원이라고 추산할 수 있습니다.

34평형 조합원 건축원가 = 순수건축비 × 133%
= (평당 공사비 × 계약면적) × 133%
= (420만 원 × 55평) × 133%
= 3억723만 원

이처럼 조합원 건축원가는 평당 공사비만 알면 간단하게 계산해 낼 수 있습니다. 이제 여기에서 '일반분양 기여 금액'을 빼면 김대박 씨의 분담금이 산출됩니다.

그런데 일반분양 기여 금액 구하는 법을 알려드리기 전에, 조합원 건축원가에 대해 추가로 알아두어야 할 것들이 있습니다. 이에 대해 먼저 공부해 보도록 하겠습니다.

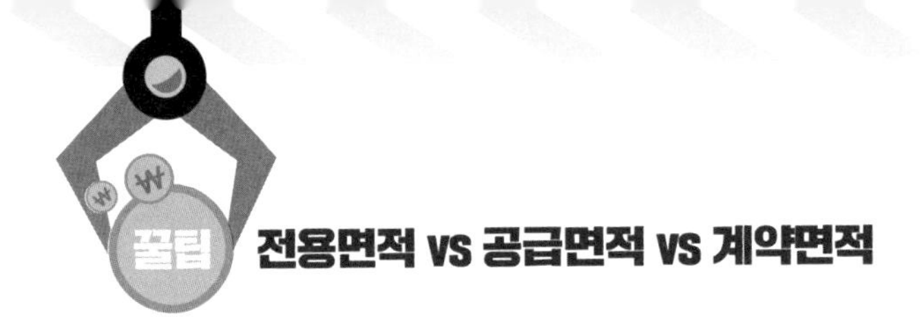

전용면적 vs 공급면적 vs 계약면적

'전용면적'과 '공급면적'에 대해서는 많이 알고 계실 겁니다. 구체적인 정의까지는 몰라도 우리가 흔히 말하는 34평형 아파트의 실사용 주거전용면적은 사실 34평(112㎡)보다 훨씬 작다는 사실은 대부분 알고 있습니다. 34평 아파트의 실사용 주거전용면적은 112㎡가 아니라 대부분 84㎡입니다.

이때 실제 쓸 수 있는 공간인 84㎡가 바로 전용면적(주거전용면적)이고, '34평형'이라고 할 때의 34평(112㎡)이 바로 공급면적(분양면적)입니다. 공급면적은 전용면적에 엘리베이터, 복도, 계단 등 주거공용면적을 합한 것입니다.

그런데 아파트에는 집과 엘리베이터와 복도만 있는 것이 아니라 지하주차장, 어린이집, 노인정, 경비실, 휘트니스 센터 등 편의시설도 존재합니다. 이런 면적을 기타공용면적이라고 하는데 이 기타공용면적을 포함해서 계산한 것이 바로 계약면적입니다. 전체 기타공용면적을 각 세대마다 전용면적의 비율대로 나눠서 공급면적에 합산한 것입니다.

세대 당 공급면적 = 주거전용면적 + 주거공용면적
세대 당 계약면적 = 공급면적 + 기타공용면적

아래는 모 분양 아파트의 입주자 모집공고문 중 면적에 대한 부분입니다. 요즘은 분양할 때 공급면적이 아니라 주거전용면적으로 분양공고를 하는 것이 의무적이기 때문에 '25평형'이나 '34평형'이라는 말 대신 '전용면적 59㎡' 또는 '전용면적 84㎡' 등으로 공고를 합니다. 공고문을 보면 '세대 당 계약면적'이라고 되어 있는 부분을 확인할 수 있습니다.

분양 아파트 입주자 모집공고문 중 일부

구분	주택형 ㎡ (전용면적 기준)	타입	세대 당 계약면적					세대별 대지 지분
			세대별 공급면적			기타공용 (주차장 포함)	합계	
			주거전용	주거공용	소계			
민영주택	59.6073A	59A	59.6073	21.6046	81.2119	47.0151	128.2270	32.05
	59.9729B	59B	59.9729	21.7090	81.6819	47.3033	128.9852	32.26
	59.9592C	59C	59.9592	22.1903	82.1495	47.2925	129.4420	32.25
	59.9968D	59D	59.9968	22.0040	82.0008	47.3222	129.3230	32.26
	84.6479	84	84.6479	29.7105	114.3584	66.7656	181.1240	45.52
	공급세대 합계							

표를 자세히 살펴보면 전용면적 59㎡의 세대 당 계약면적은 128.227㎡(38.8평) 내지 129.442㎡(39.2평)로 표시되어 있습니다. 그리고 전용 84㎡의 세대 당 계약면적은 181.124㎡(54.79평)입니다. 계약면적이 정확히 공식에 따라 정해져 있는 것은 아니지만, 여러 곳의 입주자 모집공고문을 분석한 결과 세대 당 계약면적은 대략 아래와 같았습니다.

공급면적에 따른 일반적인 계약면적 크기

공급면적	전용면적	계약면적
25평형	59㎡	약 40평
34평형	84㎡	약 55평

앞으로 재건축의 사업성을 따질 때에는 공급면적보다 계약면적을 중요하게 보시기 바랍니다. 조합원 건축원가의 기준이 되기 때문입니다.

조합원 건축원가 직접 계산해 보기

문제를 하나 내보겠습니다. 어떤 재건축 사업장에서 신축 아파트 34평형의 조합원 건축원가가 3억4,000만 원이라고 합니다. 그렇다면 25평형 신축 아파트의 조합원 건축원가는 얼마일까요? 단순하게 생각하면, 34평형이 3억4,000만 원이니 평당 1,000만 원으로 계산해서 25평형짜리는 2억5,000만 원이라고 생각하기 쉽습니다.

그러나 실제로 25평형의 조합원 건축원가를 계산해보면 그보다 높을 가능성이 큽니다. 왜 그럴까요? 그 이유는 조합원 건축원가에 포함되는 순수건축비(공사비)와 기타사업비의 성격이 완전히 다르기 때문입니다.

순수건축비는 면적에 비례한다

순수건축비는 말 그대로 건물을 짓는 데에 들어가는 순수한 건축비용입니다. 따라서 건물 면적이 커질수록 순수건축비도 그에 비례해서 늘어나게 됩니다. 물론 이때에도 계약면적이 기준이라는 사실을 잊지 마시기 바랍니다.

요즘은 신축 아파트의 공급면적과 전용면적에는 크게 차이가 없는데도 계약면적은 조금씩 늘어나고 있는 추세입니다. 그래서 공급면적은 똑같은데 순수건축비는 높아지는 추세를 보이고 있습니다. 그 이유는 이른바 커뮤니티

시설이 많아지고 있기 때문입니다. 예전 아파트에는 별로 없었던 게스트하우스나 단지 내 수영장 등 주민생활의 편의를 위한 부대복리시설이 많아지면서 계약면적도 늘어나는 것입니다.

순수건축비, 즉 공사비(시공비)는 면적에 비례해서 늘어나기 때문에 '평당 공사비'라는 개념도 가능한 것입니다. 계약면적 40평짜리 아파트의 순수건축비가 1억6,000만 원일 경우 평당 공사비는 400만 원입니다.

평당 공사비 = 순수건축비 / 계약면적
= 1억6,000만 원 / 40평
= 400만 원

그리고 이러한 평당 공사비는 다른 평형에도 똑같이 적용할 수 있습니다. 즉, 계약면적 40평짜리 아파트의 순수건축비가 1억6,000만 원이라는 것을 알았다면 계약면적 50평짜리 아파트의 순수건축비는 2억 원(400만 원 × 50평)이고, 계약면적 55평짜리 아파트의 순수건축비는 2억2,000만 원(400만 원 × 55평)이라는 계산이 충분히 가능합니다.

기타사업비는 N분의 1이다

반면에 기타사업비는 '평당' 이라는 개념이 없습니다. 무조건 세대수로 나누는 이른바 'N분의 1' 형식으로 계산됩니다.

그 이유는 기타사업비가 건물을 짓는 데에 드는 비용이 아니라 사업을 진행하기 위해 필요한 비용이기 때문입니다. 무상이주비이자, 각종 대여금이자,

각종 외주용역비, 보존등기비 및 일반분양분 부가가치세 등 다양한 항목이 속하는데 이런 금액은 분양을 신청한 면적이나 무상이주비 금액에 따라 차등해서 부과하지 않습니다. 금액이나 면적에 상관없이 조합원 전체가 똑같이 나눠서 부담하는 것입니다.

바로 이런 이유 때문에 조합원 건축원가가 면적에 비례하지 않는 것입니다. 순수건축비는 면적에 비례하지만, 기타사업비는 면적에 비례하지 않기 때문에 두 가지를 합한 총사업비 역시 면적에 비례하지 않습니다.

예를 들어, 조합원 300세대가 있는 어떤 사업장의 기타사업비가 120억 원이라고 합시다. 이 경우 한 세대당 기타사업비는 4,000만 원씩 돌아갑니다. 조합원이 가진 대지지분이 10평이든 20평이든 상관없고, 25평형을 신청했든 34평형을 신청했든 상관없고, 무상이주비를 얼마나 지급받든지 상관없습니다. 무조건 세대당 4,000만 원씩 동일하게 부담합니다.

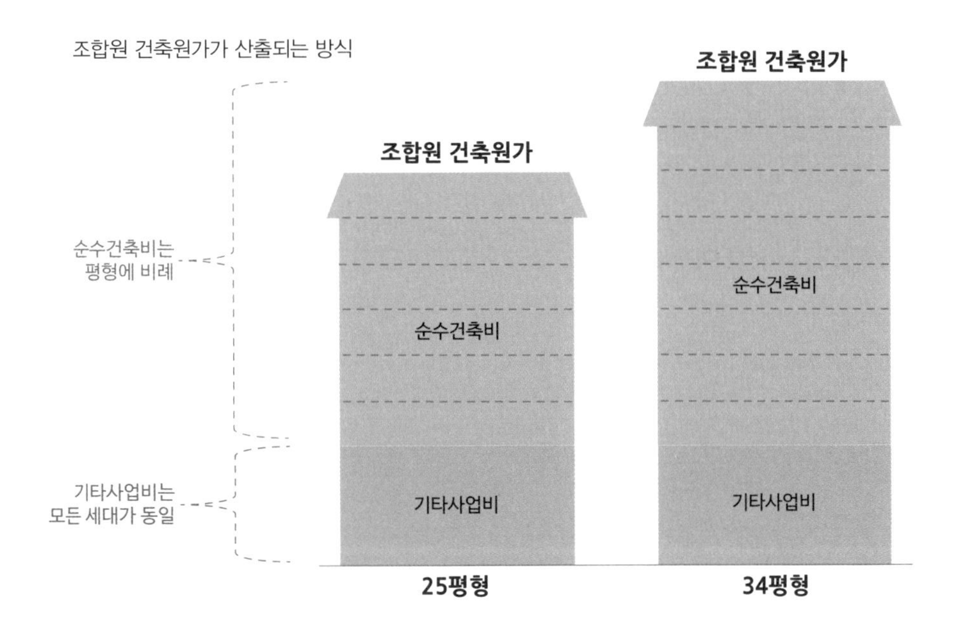

조합원 건축원가를 직접 계산해보자

이러한 사실을 염두에 두고 다시 김대박 씨의 사례로 돌아가 봅시다. 김대박 씨가 분양받고 싶은 전용면적 84㎡(34평형) 아파트의 평당 공사비는 420만 원이었으며, 계약면적은 55평이었습니다. 따라서 순수건축비는 2억3,100만 원입니다.

34평형 순수건축비 = 평당 공사비 × 34평형 계약면적
= 420만 원 × 55평
= 2억3,100만 원

이제 순수건축비를 구했으니, 여기에 기타사업비를 더하면 김대박 씨가 분양받을 아파트의 조합원건축원가가 나옵니다. 그러면 기타사업비는 얼마일까요? 앞서 기타사업비는 순수건축비의 약 33%라고 했으므로 2억3,100만 원의 33%에 해당하는 약 7,623만 원이라고 추산할 수 있습니다.

이제 순수건축비와 기타사업비를 합하면 김대박 씨가 분양받을 34평형 아파트의 조합원 건축원가가 나옵니다. 계산 결과는 3억723만 원입니다.

34평형 기타사업비 = 34평형 순수건축비 × 33%
= 2억3,100만 원 × 33%
= 7,623만 원

34평형 조합원 건축원가 = 34평형 순수건축비 + 34평형 기타사업비
= 2억3,100만 원 + 7,623만 원
= 3억723만 원

참고로, 이때는 앞에서 배운 공식 중에 '총사업비 = 공사비 × 133%'라는 공식의 변형인 '조합원 건축원가 = 순수건축비 × 133%'라는 공식을 이용할 수도 있습니다. 오히려 한 번에 계산이 되므로 편하고, 어차피 계산 결과는 똑같이 3억723만 원으로 나옵니다. 다만 여기에서는 기타사업비가 얼마인지 정확한 금액을 알고 싶어서 두 번의 과정을 거쳤을 뿐입니다.

어떤 평형을 기준으로 잡을 것인가

그렇다면 전용면적 59㎡(25평형)의 조합원 건축원가는 어떨까요? 34평형이든 25평형이든 조합원 건축원가를 구하는 방법은 똑같습니다. 순수건축비에 기타사업비를 더하는 것이지요.

먼저 25평의 순수건축비를 구해봅시다. 25평형의 계약면적은 40평이므로 순수건축비는 대략 1억6,800만 원이라고 할 수 있습니다.

25평형 순수건축비 = 평당 공사비 × 25평형 계약면적
= 420만 원 × 40평
= 1억6,800만 원

이번에는 기타사업비를 더할 차례입니다. 그런데 이때는 34평형과 계산 방식이 조금 다릅니다. 34평형에서는 순수건축비의 33%를 기타사업비로 책정했지만, 25평형에서는 34평형의 기타사업비를 그대로 가져다 쓰면 됩니다. 즉, 25평형의 기타사업비는 34평형과 마찬가지로 7,623만 원이라고 추산하는 것입니다.

그 이유는 비록 25평형이 크기가 더 작더라도 기타사업비는 34평형과 똑같이 내기 때문입니다. 앞에서 설명했듯이 기타사업비는 조합원들의 분양신청 평형에 관계없이 N분의 1로 똑같이 나눠집니다. 따라서 34평형이나 25평형은 순수건축비에는 차이가 있을 수 있지만, 기타사업비만큼은 똑같이 약 7,623만 원으로 봐야 하는 것입니다.

그렇다면 왜 하필 34평형을 기준으로 삼았는지 의문이 생길 겁니다. 그 이유는 B단지의 가장 중심이 되는 평형이 바로 34평형이기 때문입니다. 앞에서 등장했던 표를 다시 한 번 살펴보겠습니다. 평형별 조합원분양가와 세대수를 나타낸 표입니다.

B단지 재건축 후 평형별 조합원분양가

주택 규모	타입	조합원분양 세대수	조합원분양가
59㎡	A	390세대	458,361,035원
	B		
	C		
74㎡	A	168세대	537,492,711원
	B		
84㎡	A	309세대	589,831,765원
102㎡		47세대	676,541,346원
120㎡		6세대	924,575,000원
130㎡		3세대	994,516,667원
합 계		**923세대**	

위 표를 보면 B단지는 25평형(전용면적 59㎡)에서 40평형(전용면적 130㎡)대까지의 평형으로 구성되어 있고 그중에서 중간치는 34평형(전용면적 84㎡)입니다. 만약 25평형을 기준으로 기타사업비를 책정하면 너무 적게 책정될 수 있고, 40평형대를 기준으로 하면 너무 많이 책정될 수 있습니다. 그래서 규모 상 중간 평형대인 34평형(전용면적 84㎡)을 기준으로 삼은 것입니다. 이 역시 어느 정

도의 오차는 생기겠지만 그래도 최대한 줄일 수는 있을 것입니다.

결과적으로 25평형의 조합원 건축원가는 순수건축비 1억6,800만 원과 기타사업비 7,623만 원을 합한 2억4,423만 원이라고 추산할 수 있습니다.

25평형 조합원 건축원가 = 25평형 순수건축비 + 25평형 기타사업비
= 1억6,800만 원 + 7,623만 원
= 2억4,423만 원

지금까지 배워본 조합원 건축원가 계산식을 4단계로 정리해 봅시다.

Step 1 : 계약면적 및 평당 공사비 알아보기

순수건축비를 구하기 위해 계약면적과 평당 공사비 정보가 필요합니다. 일반적으로 34평형 아파트의 계약면적은 55평이고, 25평형의 계약면적은 40평입니다. 평당 공사비는 관리처분계획 자료를 기준으로 평당 420만 원으로 가정합니다.

Step 2 : 순수건축비 구하기

순수건축비는 평당 공사비에 계약면적을 곱해서 구합니다.

순수건축비 = 평당 공사비 × 34평형 계약면적
→ 34평형 순수건축비 = 420만 원 × 55평 = 2억3,100만 원
→ 25평형 순수건축비 = 420만 원 × 40평 = 1억6,800만 원

Step 3 : 기타사업비 구하기

기타사업비는 통상 순수건축비의 33% 정도이지만, 주의할 것은 이때 기준이 중심 평형이어야 한다는 것입니다. 기준평형이 34평형일 경우 기타사업비는 약 7,623만 원으로 계

산할 수 있는데, 이 금액은 다른 평형에도 똑같이 적용됩니다. 기타사업비는 평형과 상관 없이 조합원 세대가 N분의 1로 배분하기 때문입니다.

기타사업비 = 순수건축비 × 33%

→ 34평형(기준평형) 기타사업비 = 2억3,100만 원 × 33% = 7,623만 원

→ 25평형 기타사업비 = 34평형과 동일 = 7,623만 원

Step 4 : 조합원 건축원가 구하기

순수건축비와 기타사업비를 합하면 조합원 건축원가가 됩니다.

조합원 건축원가 = 순수건축비 + 기타사업비

→ 34평형 조합원 건축원가 = 2억3,100만 원 + 7,623만 원 = 3억723만 원

→ 25평형 조합원 건축원가 = 1억6,800만 원 + 7,623만 원 = 2억4,423만 원

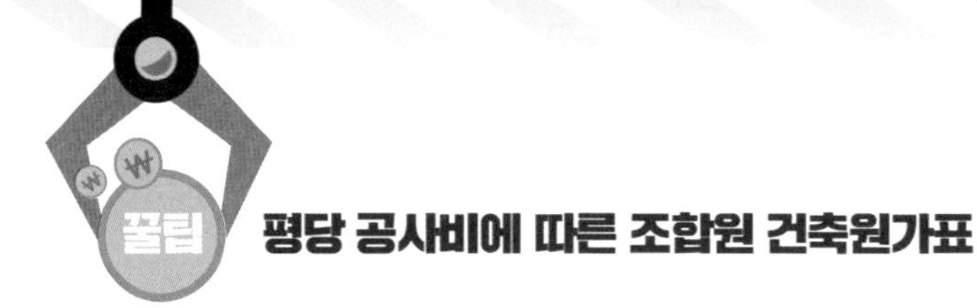

평당 공사비에 따른 조합원 건축원가표

조합원 건축원가를 구하는 방법이 어느 정도 이해되시나요? 그래도 복잡한 계산은 싫다고 하시는 분들을 위해, 전용면적 84㎡(34평형)와 전용면적 59㎡(25평형)의 조합원 건축원가표를 만들어 보았습니다. 단, 지금까지와 마찬가지로 이 단지의 기준평형은 34평형이라는 것을 전제로 합니다.

표를 보면 평당 공사비가 400만 원일 때부터 550만 원일 때까지 10만 원 단위로 나눠서 작성되어 있습니다. 평당 공사비가 다르게 책정된 단지들에도 적용할 수 있도록 한 것입니다.

평당 공사비 (만 원)	34평형 (전용면적 84m²)*			25평형 (전용면적 59m²)		
	조합원 건축원가 (만 원)	순수건축비 (만 원)	기타사업비 (만 원)	조합원 건축원가 (만 원)	순수건축비 (만 원)	기타사업비 (만 원)
400	29,260	22,000	7,260	23,260	16,000	7,260
410	29,992	22,550	7,442	23,842	16,400	7,442
420	30,723	23,100	7,623	24,423	16,800	7,623
430	31,455	23,650	7,805	25,005	17,200	7,805
440	32,186	24,200	7,986	25,586	17,600	7,986
450	32,918	24,750	8,168	26,168	18,000	8,168
460	33,649	25,300	8,349	26,749	18,400	8,349
470	34,381	25,850	8,531	27,331	18,800	8,531
480	35,112	26,400	8,712	27,912	19,200	8,712
490	35,844	26,950	8,894	28,494	19,600	8,894
500	36,575	27,500	9,075	29,075	20,000	9,075
510	37,307	28,050	9,257	29,657	20,400	9,257
520	38,038	28,600	9,438	30,238	20,800	9,438
530	38,770	29,150	9,620	30,820	21,200	9,620
540	39,501	29,700	9,801	31,401	21,600	9,801
550	40,233	30,250	9,983	31,983	22,000	9,983

* 기준평형이 34평형일 때를 전제로 함

일반분양 기여 금액 산출하기

이제는 '일반분양 기여 금액'을 구해볼 차례입니다. 조합원 건축원가를 계산했으니 여기에서 일반분양 기여 금액을 빼면 실제 분담금이 나오게 됩니다.

일반분양 기여 금액은 일반분양 수입에 내가 어느 정도 기여했는지를 나타내는 것입니다. 따라서 일반분양 기여 금액을 알기 위해서는 먼저 일반분양가를 알아야 합니다.

그렇다면 일반분양가는 어떻게 알 수 있을까요? 가장 좋은 방법은 인근에 입주한 신축 아파트의 시세를 참고하는 것입니다. 내가 분양받고 싶은 아파트가 34평형이라면 인근에서 가장 최근에 지은 아파트 중 34평형의 시세를 조사해야 합니다. 그 아파트의 시세가 6억 원이라면 일단 내가 분양받을 아파트의 일반분양가도 6억 원 정도는 되겠다는 것을 알 수 있지요. 여기에 우리 아파트는 새로 지었으니 선호도가 높을 것이라거나, 초등학교가 멀어서 선호도가 떨어질 것이라는 등 개별적 상황을 반영해서 가격을 조정하는 것입니다.

물론 이 가격을 백 프로 신뢰할 수는 없습니다. 일반분양을 시작할 때쯤의 부동산 시장 경기가 좋다면 조합은 일반분양가를 더 올릴 수도 있고, 반대로 부동산 시장이 나쁘면 일반분양가를 낮출 수도 있기 때문입니다. 따라서 투자를 하고 난 후에도 주변 시세가 어떻게 변화하는지 꾸준히 지켜볼 필요가 있습니다.

일반분양가에는 기타사업비가 없다

일반분양가를 예측했다면 여기에서 아파트를 짓는 데에 들어간 순수건축비를 뺍니다. 그러면 일반분양을 통해 얻은 수익이 얼마인지 알 수 있습니다. 이때 주의할 점이 있습니다. 순수건축비만 빼고, 기타사업비는 빼지 않는다는 사실입니다.

순수건축비는 순수하게 건축에 사용되는 금액이므로 일반분양 아파트를 지을 때에도 면적에 비례해서 똑같이 비용이 발생합니다. 반면 기타사업비는 사업을 진행하기 위해 필요한 비용으로 조합원들이 부담하는 것이므로, 조합원 건축원가에 이미 모두 반영이 된 상태입니다. 그래서 일반분양 수익을 계산할 때에는 기타사업비를 고려하지 않는 것입니다.

일반분양 수익 = 일반분양가 - 순수건축비

이쯤에서 다시 김대박 씨의 사례로 돌아가 봅시다. 김대박 씨가 분양신청을 했던 34평형 아파트의 일반분양이 평당 2,000만 원인 6억8,000만 원에 이뤄졌다고 합시다. 이 아파트의 평당 공사비(평당 시공비)는 420만 원이었습니다. 그렇다면 이 아파트 한 채를 일반분양했을 때 얻게 된 수익은 얼마일까요? 공식에 따라 계산해 보면 일반분양 수익은 4억4,900만 원이 됩니다.

34평형 일반분양 수익 = 34평형 일반분양가 - 순수건축비
= 34평형 일반분양가 – (평당 공사비 × 계약면적)
= 6억8,000만 원 – (420만 원 × 55평)
= 4억4,900만 원

대지지분 1평당 일반분양 수익 구하기

34평형 아파트 한 채를 일반분양해서 나온 수익은 4억4,900만 원입니다. 그런데 이 아파트를 짓는 데에 대지지분이 13.25평 필요하다고 가정해봅시다. 그렇다면 대지지분 1평당 얻게 되는 수익을 따져보면 평당 약 3,388만 원이 됩니다. 이것이 바로 '대지지분 1평당 일반분양 수익'입니다.

대지지분 1평당 일반분양 수익 = 34평형 일반분양 수익 / 필요 대지지분

= 4억4,900만 원 / 13.25평

= 약 3,388만 원

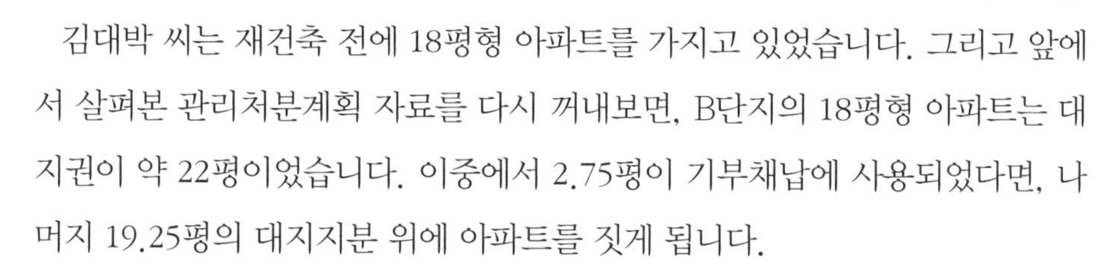

김대박 씨는 재건축 전에 18평형 아파트를 가지고 있었습니다. 그리고 앞에서 살펴본 관리처분계획 자료를 다시 꺼내보면, B단지의 18평형 아파트는 대지권이 약 22평이었습니다. 이중에서 2.75평이 기부채납에 사용되었다면, 나머지 19.25평의 대지지분 위에 아파트를 짓게 됩니다.

19.25평의 대지지분 중에서 13.25평은 김대박 씨가 분양받고자 하는 34평형 조합원분양 아파트를 짓는 데에 사용됩니다. 그리고 남은 6평에 일반분양 아파트를 짓는 것입니다.

B단지의 평형별 감정평가액 및 권리가액

면적			감정평가액	권리가액
분양면적	전용면적	대지권		
18평형	55.12㎡	22.06평	417,193,971원	464,182,528원
21평형	65.10㎡	25.98평	487,799,612원	542,740,482원
24평형	75.69㎡	30.21평	557,540,690원	620,336,498원
27평형	84.67㎡	33.79평	617,255,517원	686,777,006원

34평형의 경우 대지지분 1평당 일반분양 수익은 약 3,388만 원이었습니다. 그런데 김대박 씨는 6평의 대지지분을 기여했습니다. 그렇다면 김대박 씨가 일반분양 수익에 기여한 금액은 총 얼마일까요? 공식을 이용해서 계산해보면 약 2억328만 원이 나옵니다.

일반분양 기여 금액 = 대지지분 1평당 일반분양 수익 × 기여 대지지분
= 약 3,388만 원 × 6평
= 약 2억328만 원

정리해 보면, 일반분양 기여 금액이란 내가 내놓은 대지지분을 이용해서 일반분양 수익을 얼마나 올렸느냐를 나타내는 것입니다. 일반분양 기여 금액을 구하는 방법을 단계별로 정리해보면 다음과 같습니다.

Step 1 : 일반분양가 예측하기

일반분양가를 예측하는 가장 좋은 방법은 주변의 신축 아파트 시세와 비교해보는 것입니다. 비슷한 조건의 아파트 시세를 기준으로 하여 교통의 편리성, 학군, 기타 생활환경 등의 개별적 요소를 반영해서 산출합니다.

Step 2 : 일반분양 수익 계산하기

일반분양 수익은 일반분양가에서 그 아파트에 들어가는 순수건축비를 제외하여 구합니다. 이때 기타사업비는 이미 조합원분양가에 반영되어 있으므로 고려하지 않습니다.

일반분양 수익 = 34평형 일반분양가 - 34평형 순수건축비

Step 3 : 대지지분 1평당 일반분양 수익 계산하기

해당 평형의 아파트를 지을 때 몇 평의 대지지분이 필요한지 조사하고, 이것으로 일반분

양 수익을 나누면 대지지분 1평당 일반분양 수익이 계산됩니다. 대부분의 아파트는 평형별 필요 대지지분이 비슷하게 나오므로 이를 참조할 수 있습니다.

대지지분 1평당 일반분양 수익 = 34평형 일반분양 수익 / 34평형 필요 대지지분

Step 4 : 일반분양 기여 금액 계산하기

본인이 소유한 대지지분 중에서 기부채납 면적과 조합원분양에 사용될 필요 대지지분을 제외하면, 남은 대지지분은 일반분양에 기여하게 됩니다. 여기에 대지지분 1평당 일반분양 수익을 곱하면 조합원 본인의 일반분양 기여 금액이 산출됩니다.

일반분양 기여 금액 = 대지지분 1평당 일반분양 수익 × 기여 대지지분

재건축 분석에 필수! 필요 대지지분표 활용하기

눈치 빠른 분들은 지금까지의 계산 과정 중에서 중요한 요소가 하나 빠져있다는 것을 알아차리셨을 것입니다. 바로 일반분양에 기여한 대지지분을 어떻게 알 수 있느냐는 것입니다.

일반분양 기여 대지지분을 구하는 방법은 어렵지 않습니다. 앞에서 배운 대로 기존의 대지지분 중에서 기부채납 면적을 빼고, 다시 조합원분양에 필요한 대지지분을 빼고 남은 것이 바로 일반분양 기여 대지지분입니다. 그러나 문제는 조합원분양에 필요한 대지지분이 얼마인지 모른다는 사실입니다.

비슷한 아파트는 필요 대지지분도 비슷하다

25평형이나 34평형을 짓기 위해 필요한 필요 대지지분은 어떻게 알 수 있을까요? 직접 해당 자료를 찾아봐야 합니다. 하지만 다행히도, 아파트의 평형 구성은 거의 대부분 비슷하게 구성되어 있기 때문에 여러 아파트의 자료를 비교하면 공통적으로 나오는 수치가 있습니다.

오른쪽 표는 송파구에 위치한 주요 아파트의 용적률 및 대지지분을 정리해 본 것입니다.

용적률이 275.25%인 리센츠아파트의 경우 분양면적 기준으로 33평형 이하

송파구 주요 아파트의 평형별 필요 대지지분

아파트	용적률	평형 구성						
리센츠	275.25%		세대 전체	13평형	25평형	33평형	38평형	48평형
		세대수	5,563세대	868세대	245세대	3,490세대	236세대	730세대
		비율	100%	15.6%	4.4%	62.7%	4.2%	13.1%
		대지지분	11.92평*	3.95평	8.56평	12.13평	14.07평	17.73평
엘스	275.99%		세대 전체	–	25평형	33평형	45평형	–
		세대수	5,676세대	–	1,150세대	4,042세대	486세대	–
		비율	100%	–	20.2%	71.2%	8.6%	–
		대지지분	12.34평*	–	8.65평	12.04평	16.48평	–
파크리오	283.63%		세대 전체	16평형	26평형	33평형	45평형	53평형
		세대수	6,864세대	344세대	1,044세대	4,260세대	642세대	574세대
		비율	100%	5.0%	15.2%	62.1%	9.3%	8.4%
		대지지분	12.34평*	4.91평	8.24평	11.66평	16.72평	19.9평
방이동 코오롱	288.00%		세대 전체	–	24평형	32평형	–	–
		세대수	758세대	–	1세대	757세대	–	–
		비율	100%	–	0.1%	99.9%	–	–
		대지지분	11.93평*	–		11.51평	–	–
송파동 SK	294.77%		세대 전체	–	–	31평형	–	–
		세대수	71세대	–	–	71세대	–	–
		비율	100%	–	–	100.0%	–	–
		대지지분	11.04평*	–	–	10.57평	–	–

* 세대 전체의 대지지분은 '세대당 평균 대지지분'을 의미함.

의 세대가 전체세대의 80% 이상을 차지하고 있습니다. 그중 25평형 아파트의 대지지분은 8.56평, 33평형 아파트의 대지지분은 12.13평입니다.

엘스아파트의 경우는 용적률이 리센츠와 비슷한 275.99%이고 분양면적 33평형 이하가 전체 세대의 80%를 차지하는 것도 리센츠아파트와 비슷합니다. 25평형의 대지지분은 8.65평, 33평형의 대지지분은 12.04평입니다.

두 아파트의 대지지분이 비슷한 것은 우연의 일치가 아닙니다. 비슷한 용적률, 비슷한 평형 구성일 경우에는 이처럼 대지지분도 비슷하게 나타납니다. 그 이유는 아파트를 설계할 때 법에서 허용하는 용적률과 주어진 대지면적을 활용해서 최대한 많은 세대를 짓고자 노력하다 보니 사용하는 대지지분도 비슷하게 나오기 때문입니다.

정리해보면, 용적률이 275%이고 분양면적 34평형 이하 세대가 80% 이상을 구성하고 있는 아파트의 경우에는 25평형의 필요 대지지분이 약 8.5평이고, 33평형의 필요 대지지분이 약 12평 정도라는 것을 추정할 수 있습니다.

용적률이 높아지면 필요 대지지분은 줄어든다

이번에는 파크리오아파트를 살펴봅시다. 이 아파트 역시 33평형 이하가 전체 세대의 80% 이상을 구성하고 있는 것은 같지만, 용적률은 283.63%로 앞의 두 아파트보다 약 10% 정도 높습니다.

이 10%의 용적률 차이는 곧 대지지분의 차이로 나타납니다. 실제로 이 아파트 26평형의 필요 대지지분은 8.24평, 33평형의 필요 대지지분은 11.66평입니다. 약간의 차이는 있지만 33평형을 기준으로 필요 대지지분이 대략 0.5평 정도 줄어든 것입니다.

방이동코오롱아파트도 마찬가지입니다. 용적률이 288%로 높아지자 32평형의 필요 대지지분은 11.51평으로 리센츠아파트와 엘스아파트에 비해 대략 0.5평 정도가 줄어들었습니다.

결과적으로 용적률이 높아지면 필요 대지지분은 줄어듭니다. 비슷한 용적률과 비슷한 평형 구성일 경우에는 필요 대지지분도 비슷하지만, 용적률이 달라지면 필요 대지지분에 차이가 생긴다는 것을 기억하시기 바랍니다.

재건축 사업성 분석에 꼭 필요한 '필요 대지지분표'

이러한 내용을 바탕으로 아래의 표를 정리해 보았습니다. 아래 표는 용적률에 따른 25평형, 34평형 아파트의 필요 대지지분을 정리한 것입니다. 중소형 평형이 80% 이상을 차지하는 아파트에서는 거의 대부분 적용이 가능합니다. 이 표는 본 책의 마지막에 특별부록 형태로 수록되어 있으니 필요할 때 언제든 참고하시기 바랍니다.

예를 들어 용적률이 255%이고 25평형인 아파트가 있다면 이 아파트에 들어있는 대지지분은 대략 9.5평이라고 추측할 수 있습니다. 그리고 용적률이 295%이고 34평형인 아파트에는 대략 11평의 대지지분이 들어 있을 것이라고 추측할 수 있습니다.

용적률에 따른 평형별 필요 대지지분표

용적률	25평형 (전용면적 59㎡)	34평형 (전용면적 84㎡)
250%	9.75평	13.25평
255%	9.5평	13평
265%	9평	12.5평
275%	8.5평	12평
285%	8평	11.5평
295%	7.5평	11평
300%	7.25평	10.75평

※ 중소형 평형이 전체 세대수의 80% 이상을 차지하는 경우에 적용 가능함

물론 이 표는 모든 아파트에 똑같이 적용되는 것이 아니라, 상황에 따라 조금씩 차이가 날 수 있습니다. 그러나 개략적으로는 맞기 때문에 필요 대지지분이 얼마나 필요한지 추측해보는 자료로는 충분합니다. 재건축의 사업성을 분석하는 데에 있어 이 표는 없어서는 안 될 요긴한 자료가 될 것입니다.

용적률, 어디까지 알고 있니

필요 대지지분은 용적률에 따라 달라집니다. 그 이유는 용적률이 높아질수록 위로 쌓을 수 있는 집의 세대수가 많아지고, 그만큼 실제 토지 사용량이 줄어들기 때문입니다.

이미 알고 계신 분들이 많겠지만 용적률의 개념을 다시 한 번 짚고 넘어가겠습니다. 용적률은 실제 땅의 크기 위에 지을 수 있는 건축물의 바닥면적의 합계를 의미합니다. 만약 100평짜리 땅이 있는데, 그중에서 50평에만 건물을 짓는다고 합시다. 1층으로 짓는다면 이 건축물의 연면적은 50평일 것입니다. 그렇다면 이 건축물의 용적률은 50%입니다.

용적률 = 건축물 연면적 / 대지면적

= 50평 / 100평

= 50%

이번에는 같은 면적 위에 짓되 10층으로 짓는다고 합시다. 50평씩 10개 층이 되므로 건축물의 연면적은 총 500평이 됩니다. 그렇다면 이 건축물의 용적률은 500%입니다.

용적률 = 건축물 연면적 / 대지면적

= 500평 / 100평

= 500%

용적률이 높으면 당연히 많은 세대를 지을 수 있으므로 건축주에게 유리할 것입니다. 하지만 용적률은 건축주 마음대로 할 수 있는 게 아니라 지자체 조례에 따라야 합니다. 지자체의 모든 땅은 모두 '용도지역'으로 구분되어 있고 각각 허용되는 용적률이 다른데, 서울시 도시계획조례상 용도지역 안에서의 용적률은 아래와 같습니다. 건물을 짓기 전에는 반드시 지자체 홈페이지에서 조례를 검색해 보시기 바랍니다.

서울시 도시계획조례상 용도지역 및 용적률

용도지역		용적률	
전용주거지역	1종	100%	
	2종	120%	
일반주거지역	1종	150%	
	2종	200%	
	3종	250%	
준주거지역		400%	
상업지역	중심	1000%	역사도심 800%
	일반	800%	역사도심 600%
	근린	600%	역사도심 500%
	유통	600%	역사도심 500%
공업지역	전용	200%	
	일반	200%	
	준	400%	
녹지지역	보전	50%	
	생산	50%	
	자연	50%	

그런데 재건축·재개발에서 사용되는 용적률은 조금 다릅니다. 일반건축물을 건축할 때에는 '서울시 건축조례상의 용적률'을 적용받지만, 재건축·재개발 사업의 경우는 '서울시 2020 도시 및 주거환경 정비기본계획상 용적률'을 적용받기 때문입니다. 따라서 재건축·

재개발 사업에서는 아래의 용적률 표를 보셔야 합니다. 이 표는 아주 간단하게 나타낸 것입니다.

서울시 도시 및 주거환경 정비기본계획상 용적률

구분	기준용적률	허용용적률	상한용적률	법정상한용적률
2종일반주거지역	190%	200%	250%	250%
3종일반주거지역	210%	230%	250%	300%

요약해서 설명하자면 원래는 기준용적률을 적용하지만, 지자체가 정해둔 인센티브 항목을 모두 적용해서 재건축·재개발을 할 경우 최대 법정상한용적률까지 용적률을 올릴 수 있습니다. 용적률 인센티브 항목을 모두 적용했을 때 2종일반주거지역은 최대 250%까지, 3종일반주거지역은 최대 300%까지 가능하다고 생각하시면 됩니다.

인센티브 조항은 매우 자세하고 복잡하게 정해져 있기 때문에 여기에서 다 이야기하기가 어렵습니다. 용적률에 대한 정보를 추가로 얻고 싶은 분들은 서울시청 홈페이지에서 「2020 서울특별시 도시 및 주거환경 정비기본계획 자료」를 찾아보시기 바랍니다.

이제 분담금을 구해보자

조합원 건축원가도 나왔고, 일반분양 기여 금액도 나왔으므로 이제 드디어 분담금을 산출할 차례입니다. 두 가지가 산출되었다면 분담금을 구하는 것은 쉽습니다. 조합원 건축원가에서 일반분양 기여 금액을 빼기만 하면 되니 말입니다.

김대박 씨가 34평형 아파트를 조합원분양 받을 때의 조합원 건축원가는 3억723만 원이었고, 일반분양 기여 금액은 2억328원이었습니다. 따라서 김대박 씨가 내야 할 분담금은 약 1억395만 원이라고 추산할 수 있습니다.

김대박 씨의 분담금 = 34평형 조합원 건축원가 - 일반분양 기여 금액

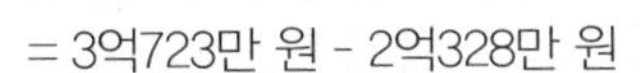
= 3억723만 원 - 2억328만 원

= 약 1억395만 원

이 수치는 완전히 정확한 것은 아니지만, 분담금이 어느 정도 나오게 될지에 대한 가이드라인을 정해줍니다. 이 아파트에 투자하려면 대략 1억 원 정도의 분담금을 내야 할 수도 있다는 사실을 알고 투자한 사람과 전혀 모르고 투자한 사람은 분명한 차이가 있습니다.

분담금의 구조는 간단하지만, 그 과정을 이해하기가 쉽지 않으실 거라고 생각합니다. 그러나 수치를 바꿔가며 몇 번 계산해보면 금방 익힐 수 있습니다.

지금까지 배워 본 분담금 산출 방법을 단계별로 복습해봅시다.

분담금 산출 과정

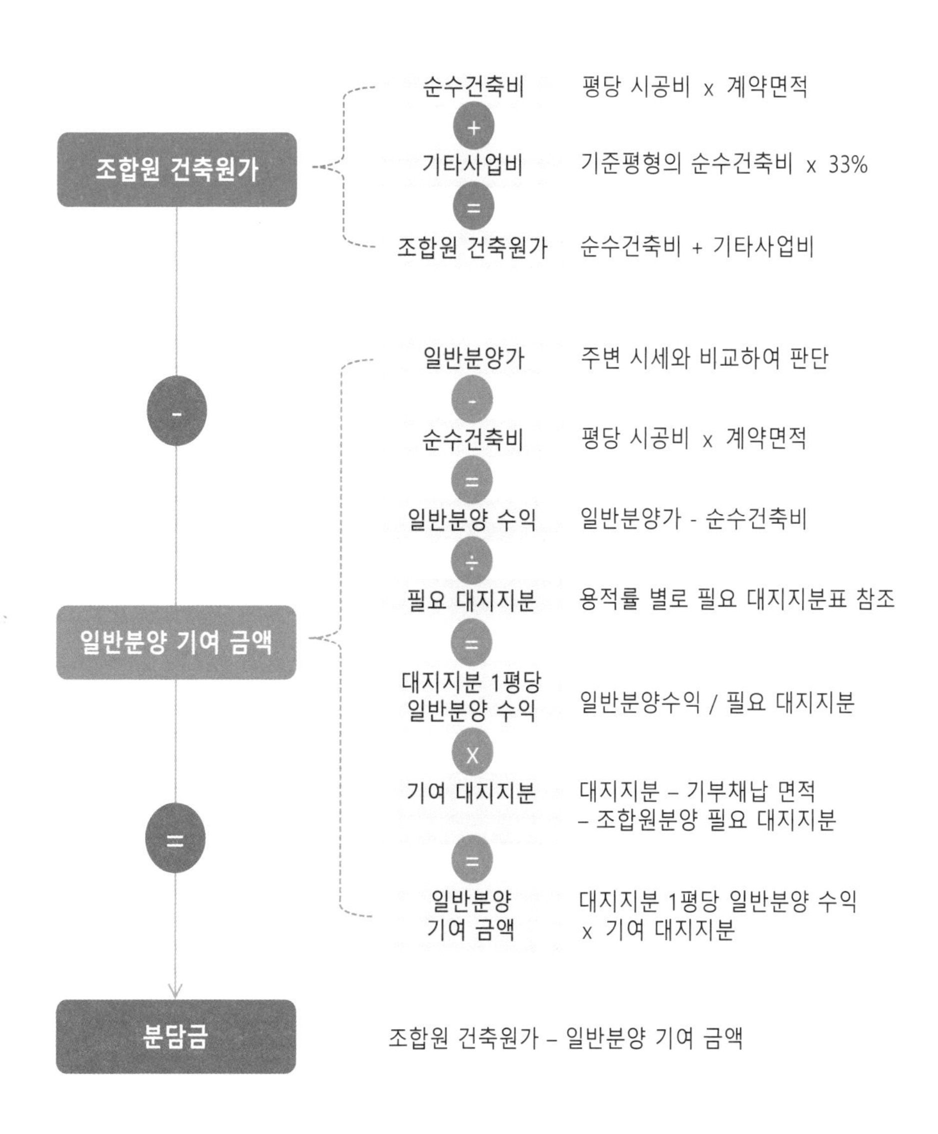

조합원 김대박 씨의 사례

- 보유 대지지분 : 22평
- 기부채납 비율 : 12.5%
- 희망 조합원분양 평형 : 34평형(전용면적 84㎡)
- 34평형의 계약면적 : 55평
- 34평형의 필요 대지지분(용적률 250%일 때) : 13.25평
- 평당 공사비 : 420만 원
- 34평형의 일반분양 예상가 : 6억8,000만 원 (평당 2,000만 원)

Step 1 : 조합원 건축원가 계산하기

① 순수건축비 = 평당 공사비 × 계약면적 = 420만 원 × 55평 = 2억3,100만 원

② 기타사업비 = 기준평형 순수건축비 × 33% = 2억3,100만 원 × 33% = 7,623만 원

③ 조합원 건축원가 = 순수건축비(①) + 기타사업비(②)

= 2억3,100만 원 + 7,623만 원 = 3억723만 원

Step 2 : 일반분양 기여 대지지분 계산하기

④ 기부채납 면적 = 보유 대지지분 × 기부채납 비율 = 22평 × 12.5% = 2.75평

⑤ 일반분양 기여 대지지분 = 보유 대지지분 - 기부채납 면적 - 조합원분양 필요 대지지분

= 22평 - 2.75평 - 13.25평 = 6평

Step 3 : 일반분양 기여 금액 계산하기

⑥ 일반분양 수익 = 일반분양가 - 순수건축비 = 6억8,000만 원 - 2억3,100만 원

= 약 4억4,900만 원

⑦ 대지지분 1평당 일반분양 수익 = 일반분양 수익 / 필요 대지지분

= 4억4,900만 원 / 13.25평 = 약 3,388만 원

⑧ 일반분양 기여 금액 = 대지지분 1평당 일반분양 수익 × 일반분양 기여 대지지분

= 3,388만 원 × 6평 = 약 2억328만 원

Step 4 : 분담금 계산하기

⑨ 분담금 = 조합원 건축원가 - 일반분양 기여 금액 = 3억723만 원 - 2억328만 원
　　　　　= 약 1억395억 원

계산이 맞는지 검증해 보자

지금까지 김대박 씨라는 가상의 인물을 통해서 서울시 저층아파트인 B단지 재건축 사업을 분석해 보았습니다. 즉, B단지의 18평형 아파트를 소유한 사람이 34평형을 신청할 때의 분담금은 대략 1억395억 원이라고 추산할 수 있는 것입니다.

이 계산이 정말 맞는 것일까요? 수학에서 검산을 하듯이, 우리가 계산해본 것도 맞는지 검산을 해봅시다. 분담금을 구하는 방식이 두 가지였으므로, 다른 방식으로도 분담금을 구해봄으로써 답이 맞는지를 확인해보는 것입니다. 다른 방식이란 '분담금 = 조합원분양가 - 권리가액'이라는 공식입니다.

B단지의 추정비례율은 111.26%였습니다. 그리고 사례에서 등장했던 18평형의 감정평가액은 4억1,719만 원이었지요. 그렇다면 권리가액은 4억6,417만 원이 됩니다.

권리가액 = 감정평가액 × 비례율
　　　　= 4억1,719만 원 × 111.26%
　　　　= 약 4억6,418만 원

관리처분계획에서 34평형의 조합원분양가는 5억8,983만 원이었습니다. 여

기에서 권리가액을 빼면 분담금이 산출됩니다. 이렇게 계산한 결과는 1억 2,564만 원으로 나옵니다.

분담금 = 조합원분양가 - 권리가액
= 5억8,983만 원 – 4억6,418만 원
= 1억2,564만원

위 방법으로 계산한 분담금은 1억2,564만 원이고, 앞서 다른 방식으로 계산했던 분담금은 1억395만 원입니다. 두 개의 결과가 대략 비슷한 수치로 나오므로 분담금은 대략 1억 원에서 1억3,000만 원 사이에서 나올 수 있다는 예측이 가능합니다.

오차의 가능성은 항상 존재한다

약 2,000만 원 정도의 오차가 발생하긴 했습니다. 이것은 관리처분계획에서의 사업비 비율이 정확히 '75 : 25' 공식과 맞지 않기 때문이기도 하고, 일반분양가가 정확히 정해지지 않았기 때문이기도 하며, 기준평형인 34평형의 구성 비율이 약간 다르기 때문이기도 합니다. 재건축 사업은 비교적 균등한 틀 위에서 이뤄지기는 하지만 그래도 사업장마다 특징이 전혀 없는 것은 아닙니다. 따라서 어느 정도의 오차가 발생하는 것까지 막기는 불가능합니다.

하지만 이 정도의 오차는 투자 결정을 내리지 못할 만큼의 큰 수치는 아닙니다. 중요한 것은 큰 틀에서의 사업성을 확인해 봄으로써 이곳이 투자할 만한 가치가 있는지 아닌지를 판단하는 것입니다. 무턱대고 돈이 된다더라는 말만 믿고

귀중한 돈을 투자할 것이 아니라 얼마의 돈이 필요한지, 어느 정도의 시간 동안 투자할 것인지 등을 구체적으로 따져봐야 합니다. 이러한 툴을 가지고 있다면 재건축 아파트에 대한 투자에 큰 도움을 받을 수 있을 것입니다.

참고로, 제가 만들어낸 계산식은 중소형 평형(20~30평형)을 소유한 조합원이 신축 아파트 34평형(전용면적 84㎡)을 분양신청 했을 경우에 가장 오차가 적습니다. 대형 평형 소유자가 신축 아파트 34평형(전용면적 84㎡)을 분양신청 했을 경우에는 좀 더 큰 오차가 발생하므로 이를 보정해줄 필요가 있습니다. 다만 책에서는 이러한 내용까지 다루기가 쉽지 않으므로, 이 부분은 강의나 블로그 포스팅을 통해 따로 다룰 예정입니다.

한 방에 정리하는 분담금 산출 엑셀 시트

지금까지 분담금을 예측하는 방법을 두 가지로 살펴봤습니다. 이처럼 몇 가지 조건을 알면 실제 관리처분계획 자료를 통해 이처럼 분담금을 예측하는 것이 가능합니다. 물론 사업이 진행되다 보면 상황이 조금씩 변할 수 있고, 그때마다 예측도 달라질 수 있으므로 꾸준히 업데이트하며 반드시 대조하고 확인할 필요가 있습니다.

저는 지금까지의 계산 과정을 하나의 엑셀 표로 만들어서 사용하고 있습니다. 그때그때 조건만 입력해주면 자동으로 계산될 수 있도록 틀을 만들어놓은 것이지요. 필요한 자료를 입력하면 자동으로 분담금을 계산해 주므로 편리하게 이용할 수 있습니다.

지금까지 연습해본 분담금 계산 과정이 너무 복잡하고 어렵다는 분들을 위해서 제가 사용하고 있는 엑셀 표를 제공해드리고자 합니다. 저의 블로그(돈되는 재건축 재개발, http://blog.naver.com/jyleenew) 또는 출판사 카페(팔리는글쓰기, http://cafe.naver.com/96351)에서 무료로 다운받으실 수 있습니다.

재건축 사업성 분석 엑셀표(예시)

	A	B	C	D
1	○ 가정사항			
3		* 일반분양 평형	전용 84㎡(34평)	
4		* 계약면적(평)	55	
5		* 평당 시공비(원)	4,500,000	
6		* 34평 조합원 건축원가	329,175,000	
7		* 순수건축비(75%)	247,500,000	
8		* 기타사업비(25%)	81,675,000	
9		* 전용면적&용적율	전용 84㎡(34평)	300%
10		* 필요대지지분		10.75
11		* 해당 평수 대지지분	15.98	
12		* 기부채납비율	15.00%	
13		* 아파트용 대지	13.58	
14		* 일반분양 기여 대지지분	2.83	
16	○ 분담금 산출			
18		* 일반분양가 가정(a)	850,000,000	
19		* 건축비(b)	247,500,000	
20		* 일반 분양수익(a-b)	602,500,000	
21		* 필요 대지지분	10.75	
22		* 대지 지분 1평당 일반분양 수익	56,046,512	
23		* 일반 분양 기여 대지지분	2.83	
24		* 일반분양 기여금액	158,779,767	
25		* 분담금	170,395,233	
26				
27	○ 총 투자비			
29		* 현재 시세		
31		* 재건축 가정 총 투자금		
33		* 예상 차익		

Chapter 04 Key Point

1 재건축 분담금은 조합원분양가에서 권리가액을 빼서 구할 수도 있지만, '조합원 건축원가 - 일반분양 기여 금액'이라는 공식을 통해서도 구할 수 있다.

2 조합원 건축원가는 순수건축비(공사비)와 기타사업비를 더한 것으로, 그 단지의 중심이 되는 34평형의 기타사업비는 순수건축비의 33% 정도의 비율을 나타낸다.

3 일반분양 기여 금액은 일반분양으로 얻은 수익 중에서 조합원 개인이 기여한 정도를 나타낸다. 대지지분이 클수록 일반분양 기여 금액도 늘어나고, 분담금은 줄어든다.
일반분양 기여 금액 = 대지지분 1평당 일반분양 수익 × 기여 대지지분
대지지분 1평당 일반분양 수익 = 일반분양 수익 / 필요 대지지분
일반분양 수익 = 일반분양가 – 순수건축비

4 아파트 한 세대를 짓기 위해 필요한 대지의 면적을 필요 대지지분이라 한다. 용적률과 평형 구성이 비슷한 아파트는 필요 대지지분도 비슷하다.

유망 지역 미리 찾아내는 **'세대당 평균 대지지분'**

분당 재건축 유망 단지를 중심으로

05

미리보기

이번 챕터에서는 '세대당 평균 대지지분'이라는 개념을 배우게 됩니다. 구체적인 분담금을 구하지 않더라도 손쉽게 대략적인 사업성을 유추할 수 있는 지표입니다. 특히 여러 단지 중에서 가장 사업성이 좋은 지역을 찾아내는 데에 강력한 힘을 발휘합니다.

그러나 세대당 평균 대지지분만으로는 정확한 투자 결정을 내리는 데에 한계가 있습니다. 여기에서는 세대당 평균 대지지분을 활용하여 유망한 지역을 골라내고, 그 지역의 사업성을 구체적으로 분석하는 과정을 다룹니다.

특히 투자자들의 관심이 많은 분당신도시 지역을 중심으로 살펴보겠습니다. 분당신도시는 아직 재건축 연한에 이르지 않았지만, 사업성 좋은 지역을 미리 선점하는 훈련을 하기에 적당한 곳입니다.

주요 개념 정리

세대당 평균 대지지분 : 한 단지의 조합원들이 보유하고 있는 대지지분의 평균값을 구한 것. 수치가 클수록 일반분양 물량이 많이 나오므로, 사업성이 좋다고 할 수 있다.

세대당 평균 대지지분 = 단지 내 총대지면적 / 조합원 총세대수

용적률별 필요 대지지분 : 아파트 한 세대를 짓는 데에 들어가는 대지의 면적을 '필요 대지지분'이라 한다. 이는 평형 구성비율에 따라 달라지긴 하지만, 용적률이 몇 %냐에 따라 달라진다. 용적률별 필요 대지지분을 알면 이 단지를 재건축할 경우 일반분양 물량이 얼마나 나올지 예측할 수 있다. 용적률별 필요 대지지분은 이 책의 뒷부분에 실려 있는 '특별부록'을 참조하면 된다.

'용적률의 함정'에 빠지지 말자

이제 분담금이 어떻게 구해지는지 어느 정도 감이 잡히셨나요? 이 정도만 알고 계셔도 웬만한 재건축 아파트 사업성 분석을 하는 데에는 큰 문제가 없을 것입니다.

그런데 이런 경우도 있습니다. 아직 구체적으로 재건축이 진행되지 않았지만 미리 눈여겨보는 지역이 생겼습니다. 앞서 배운 개념으로 분담금을 미리 산출해 보려고 하니 공사비와 감정평가액, 비례율 등 많은 자료가 필요합니다. 그러나 아직 사업이 시작되지도 않은 지역에서 이런 자료를 찾아낸다는 것은 쉬운 일이 아닙니다.

게다가 아직은 분담금까지 산출해 볼 정도로 관심이 있는 게 아니라 그저 대략적인 사업성만 궁금할 때도 있습니다. 정확한 사업성 분석은 중요합니다. 하지만 아직 투자를 할지 말지조차 결정하지 않은 상태에서는 단지 여기가 '다른 데보다 괜찮은가' 여부만 가늠해 보고 싶은 경우가 생깁니다. 일단 대략적인 사업성을 살펴본 후에 괜찮다 싶으면 본격적으로 분담금을 산출해 보고, 그 다음에 투자 결정을 내리고 싶은 것입니다.

이럴 경우에는 앞에서 배운 분담금 산출 공식을 적용하기가 다소 번거롭고 부담스럽게 느껴지는 게 사실입니다.

투자자를 울리는 '용적률의 함정'

그럴 때 흔히 찾아보는 것이 용적률입니다. 지금의 용적률이 낮은 건물일수록 높이가 낮다는 뜻이므로, 지자체 조례가 허락하는 한도 안에서 앞으로 더 높이 지을 수 있습니다. 그만큼 일반분양이 많아지므로 사업성이 좋다는 것입니다. 흔히 재건축 투자자들 중에서 저층아파트를 선호하는 사람이 많은 이유도 이것입니다. 저층아파트에 대한 정확한 정의가 있는 것은 아니지만 흔히 5층이면 저층아파트, 10층 내지 15층 정도면 중층아파트로 구분합니다.

그러나 이것은 매우 위험한 셈법입니다. 용적률이 낮다고 반드시 일반분양 수입이 많은 것은 아니기 때문입니다. 낮은 용적률만 보고 투자했다가 낭패를 보는 '용적률의 함정'에 빠지는 사람들이 꽤 있습니다.

저층아파트는 무조건 사업성이 좋다고 말하는 사람들의 근거는 '저층아파트는 중층아파트에 비해 대지지분이 많다'는 것입니다. 하지만 이것은 반은 맞고 반은 틀린 이야기입니다. 대지지분이 많기 위해서는 단순히 저층이어야 하는 게 아니라 총대지면적 대비 세대수가 적어서 각 세대들이 보유한 대지지분이 많아야 합니다. 저층이면서 대지지분이 적은 아파트들도 많이 있습니다.

단도직입적으로, 만약 저층아파트라도 소형평형(공급면적 10~15평형)으로 구성된 단지는 세대수가 많고 평균 대지지분이 적어 사업성이 낮을 것입니다. 반면에 중층아파트라도 중대형평형(공급면적 38~60평형)으로 구성된 단지는 세대수가 적고 평균 대지지분이 많아서 사업성이 좋을 것입니다.

세대수가 중요한 이유는 조합원분양 물량 때문입니다. 세대수가 많으면 조합원분양 물량도 많아지는데, 그러면 그만큼 일반분양 물량이 줄어듭니다. 전체 분양수입의 큰 부분을 차지하는 일반분양 물량이 줄어든다면 조합원들이 내야 할 분담금도 많아지기 때문에 재건축이 원활히 진행되기 힘듭니다.

이런 생각을 미처 하지 못한 채 단순히 용적률이 낮은 저층아파트라고 무조건 투자를 했다가 낭패를 보는 투자자들이 많습니다. 저는 이것을 '용적률의 함정'이라고 표현합니다.

평형 구성은 어떻게 이루어져 있는가

파란마을 아파트라는 단지가 있다고 합시다. 이 아파트는 용적률이 150%이고 평형구성은 24평형, 32평형, 38평형, 48평형의 네 개 평형으로 구성되어 있는 중층아파트이며 각각 100세대씩 총 400세대가 존재합니다. 평형별로 보유하고 있는 대지지분은 각각 13평, 18평, 22평, 28평입니다.

그렇다면 파란마을 아파트 단지의 총대지면적은 얼마일까요? 평형별로 보유하고 있는 대지지분에 해당 세대수를 곱한 후 모두 합치면 구할 수 있습니다. 그 값은 8,100평입니다.

파란마을의 총대지면적
= {평형별 대지지분 × 세대수}의 총합
= (13평 × 100세대) + (18평 × 100세대) + (22평 × 100세대) + (28평 × 100세대)
= 8,100평

이번에는 빨간마을 아파트라는 단지가 있다고 합시다. 이 아파트는 용적률과 총대지면적 등 다른 조건은 모두 파란마을 아파트와 동일하지만, 평형의 구성이 딱 절반씩입니다. 즉 12평형, 16평형, 19평형, 24평형 등 네 개의 평형으로 구성되어 있습니다. 그래서 각 평형별 세대수는 파란마을의 딱 두 배씩입니다. 즉 각 세대마다 200세대씩 총 800세대가 살고 있는 것입니다.

이 경우에 빨간마을 아파트의 용적률은 파란마을과 마찬가지로 150%이고 총대지면적 역시 8,100평으로 동일합니다. 각 평형이 절반으로 줄어든 대신 세대수가 두 배로 늘었기 때문에 용적률과 총대지면적이 같은 것입니다.

빨간마을의 총대지면적
= {평형별 대지지분 × 세대수}의 총합
= (6.5평 × 200세대) + (9평 × 200세대) + (11평 × 200세대) + (14평 × 200세대)
= 8,100평

용적률과 총대지면적이 동일한 두 단지의 세대수 비교

파란마을 아파트

100세대 100세대 100세대 100세대
24평 32평 38평 48평
대지지분 13평 대지지분 18평 대지지분 22평 대지지분 28평

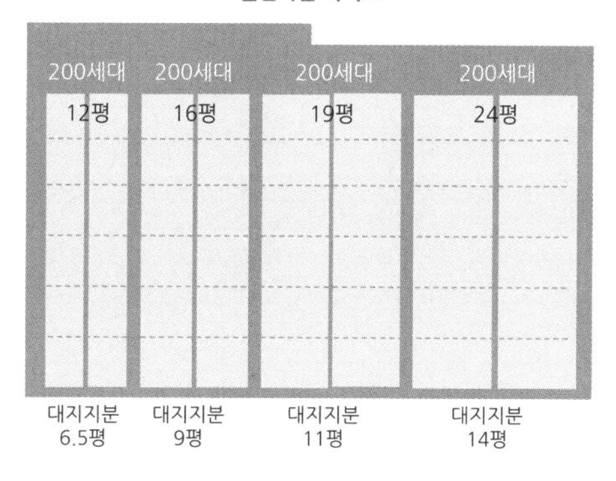

	파란마을				빨간마을			
용적률	150%				150%			
평형구성	24평	32평	38평	48평	12평	16평	19평	24평
대지지분	13평	18평	22평	28평	6.5평	9평	11평	14평
세대수	100세대	100세대	100세대	100세대	200세대	200세대	200세대	200세대
총세대수	400세대				800세대			
총대지면적	8,100평				8,100평			

둘 중에 재건축 사업성이 더 좋은 단지는 어느 것일까요? 두 아파트가 모두 용적률 265%로 재건축이 이루어지고, 기부채납 비율은 10%로 동일하다고 가정합시다. 이 경우 총대지면적 8,100평 중 실제 아파트를 지을 수 있는 분양 가능 대지면적은 둘 다 7,290평이 됩니다.

분양 가능 대지면적 = 총대지면적 - 기부채납 대지면적
= 8,100평 – (8,100평 × 10%)
= 7,290평

계산의 편의를 위해서 파란마을 조합원 400명이 모두 25평형(전용면적 59㎡)을 조합원분양으로 신청했다고 합시다. 용적률에 따른 필요 대지지분표를 보면 용적률이 265%일 때 25평형 아파트 한 채를 짓기 위한 필요 대지지분은 9평입니다(특별부록 참조).

그렇다면 파란마을의 조합원들이 분양받을 아파트를 짓는 데에 필요한 대지는 총 3,600평입니다.

조합원분양에 필요한 대지면적 = {25평형 필요 대지지분 × 세대수}의 총합
= 9평 × 400세대
= 3,600평

기부채납 후 남은 대지면적 7,290평에서 조합원분양에 필요한 대지면적 3,600평을 빼면 3,690평의 대지가 남습니다. 이 남는 대지를 이용해서 일반분양 아파트를 짓게 됩니다.

계산의 편의를 위해 일반분양 아파트 역시 모두 25평형으로 짓는다고 가

정하면, 일반분양 아파트 한 채당 9평의 대지가 필요하므로 일반분양 물량은 410세대가 나옵니다. 이 410세대를 분양해서 얻은 수익은 조합원들의 분담금을 낮추는 데에 사용됩니다.

남은 대지에 지을 수 있는 일반분양 세대수
= 조합원분양 외의 대지면적 / 필요 대지지분
= 3,690평 / 9평
= 410세대

용적률이 같아도 세대수가 많다면

이번에는 빨간마을을 살펴봅시다. 총대지면적 8,100평 중 기부채납비율이 동일하게 10%라면 실제 아파트를 지을 수 있는 면적 역시 7,290평으로 동일합니다.

분양 가능 대지면적 = 총대지면적 - 기부채납 대지면적
= 8,100평 – (8,100평 × 10%)

= 7,290평

빨간마을의 조합원들도 역시 모두가 25평형(전용면적 59㎡)을 조합원분양 신청했다고 합시다. 이때도 역시 필요 대지지분은 9평으로 동일할 것입니다. 그런데 빨간마을의 조합원은 800세대입니다. 이 사람들에게 돌아갈 조합원분양 아파트를 짓는 데에 필요한 대지는 무려 7,200평입니다.

조합원분양에 필요한 대지면적
= {25평형 필요 대지지분 × 세대수}의 총합
= 9평 × 800세대
= 7,200평

기부채납을 제외하고 남은 대지가 7,290평인데, 여기에서 조합원분양에 쓰일 7,200평을 빼면 남는 땅은 겨우 90평뿐입니다. 이 90평의 땅으로 일반분양 아파트를 지어야 하는데, 기껏해야 25평형짜리 10세대 밖에 지을 수가 없습니다.

남은 대지에 지을 수 있는 일반분양 세대수
= 조합원분양 외의 대지면적 / 필요 대지지분
= 90평 / 9평
= 10세대

파란마을의 주민들은 410세대를 일반분양해서 그 수입으로 분담금을 많이 낮출 수 있지만, 빨간마을의 주민들은 일반분양이 10세대뿐이므로 아마 분담금이 거의 낮아지지 않을 것입니다. 이런 상황에서 과연 재건축 사업이 제대로 진행될 수나 있을지 의문입니다.

주목해야 할 것은 파란마을과 빨간마을의 용적률이 둘 다 150%로 같았다는 점입니다. 만약 용적률만 보고 판단했다면 둘 중에 어떤 단지가 더 사업성이 있는지 제대로 가늠할 수 없었을 것입니다.

따라서 사업 초기에 개략적인 사업성을 가늠할 때에는 용적률만 봐서는 안 됩니다. 특히 중요한 것은 기존의 평형 구성이 소형평형 중심인지 아니면 중대형 평형 중심인지, 그리고 총 몇 세대가 거주하고 있는지를 살피는 것입니다.

그러나 말로 하기는 쉬워도 현실에서는 이것을 체크하기가 어렵습니다. 파란마을과 빨간마을의 경우 편의상 용적률과 총대지면적도 동일하고 평형 구성과 세대수도 비교하기 좋은 수치를 예로 들었지만, 실제 아파트단지들은 용적률과 총대지면적과 평형 구성과 세대수가 모두 천차만별입니다.

이것들을 하나로 꿰뚫는 지표가 필요합니다. 그래서 제가 고안한 것이 바로 '세대당 평균 대지지분'입니다. 이 지표를 이용하면 용적률의 함정에 빠지지 않고도 아주 간편하게 단지별 사업성을 비교할 수 있습니다. 과연 어떻게 그것이 가능한지 이제부터 자세히 살펴봅시다.

세대당 평균 대지지분이란 무엇일까

재건축 사업성을 분석하기 위해서는 용적률만으로 불가능하다는 것을 깨닫고 나서, 저는 오랫동안 용적률의 함정을 보완할 만한 지표가 무엇일지 고민해왔습니다.

오랜 고민 끝에 제가 생각해낸 것이 바로 '세대당 평균 대지지분'입니다. 이미 저의 강의를 통해 많은 분들이 접해 보셨겠지만, 매우 간편하면서도 비교적 정확하게 사업성을 비교할 수 있는 지표입니다.

세대당 평균 대지지분의 의미는 단순합니다. 이름 그대로 재건축이 진행되는 사업장의 총대지면적 중에서 개별 조합원 세대가 가지고 있는 대지지분의 평균값을 말합니다. 공식 역시 다음과 같이 단순합니다.

세대당 평균 대지지분 = 총대지면적 / 세대수

이 공식을 활용하는 방법도 간단합니다. 계산을 통해 나온 숫자가 클수록 일반분양 물량의 비중이 많아집니다. 앞서 일반분양 물량이 많아질수록 분양수입이 늘어나고, 그만큼 분담금이 줄어들면서 사업성이 좋아진다고 했던 것을 기억하시지요? 결국 세대당 평균 대지지분이 크게 나오는 단지일수록 사업성이 좋을 가능성이 높습니다.

세대당 평균 대지지분의 원리

저는 대체 무엇을 근거로 이렇게 자신 있게 말씀드리는 것일까요? 세대당 평균 대지지분이 어떤 원리로 만들어졌는지 살펴보기 위해 앞에서 예를 들었던 파란마을과 빨간마을 단지를 살펴봅시다.

세대당 평균 대지지분은 총대지면적을 세대수로 나눠서 구합니다. 파란마을과 빨간마을의 총대지면적은 8,100평으로 같았습니다. 하지만 파란마을의 세대수는 총 400세대인 반면 빨간마을은 800세대입니다. 따라서 파란마을의 세대당 평균 대지지분은 20.25평이고 빨간마을의 세대당 평균 대지지분은 10.125평입니다. 파란마을이 빨간마을보다 10평 이상 더 많습니다.

세대당 평균 대지지분 = 총대지면적 / 세대수
→ 파란마을의 경우 = 8,100평 / 400세대 = 20.25평
→ 빨간마을의 경우 = 8,100평 / 800세대 = 10.125평

이론 대로라면 세대당 평균 대지지분이 훨씬 큰 파란마을이 사업성도 훨씬 좋습니다. 결과는 어땠나요? 앞에서 실제로 계산해 본 것처럼, 파란마을의 일반분양 세대수는 410세대였던 반면 빨간마을의 일반분양 세대수는 10세대밖에 되지 않았습니다. 따라서 일반분양 수익은 파란마을이 압도적으로 클 것이고, 그만큼 분담금도 파란마을이 훨씬 큰 비율로 줄어들 것입니다.

세대당 평균 대지지분이 사업성을 잘 반영하는 이유는 이것이 대지지분에 대한 지표이고, 대지지분은 일반분양 물량과 직접적 관련이 있기 때문입니다. 앞서 우리는 분담금 계산을 하면서 대지지분이 클수록 일반분양 기여 금액이 커진다는 것, 그리고 일반분양 기여 금액이 커질수록 분담금이 줄어든

다는 것을 배웠습니다. 세대당 평균 대지지분은 그러한 원리를 비슷하게 활용하되 개별세대가 아니라 세대 전체의 평균을 이용한 것입니다. 당연히 정확도가 높을 수밖에 없는 것입니다.

사업성을 비교하는 강력한 도구가 된다

세대당 평균 대지지분은 그 자체로 구체적인 수익성을 보여주지는 않습니다. 하지만 여러 아파트 단지의 사업성을 비교하는 데에는 강력한 효과를 발휘합니다.

예를 들어, 재건축을 앞둔 어떤 지역에 다섯 개의 아파트 단지가 있다고 합시다. 각 단지의 용적률 및 세대당 평균 대지지분이 아래의 표와 같다고 하면 어떤 단지에 투자하는 것이 가장 사업성이 좋을까요? 용적률만 따지는 사람들은 145%로 가장 낮은 E단지에 투자하라고 할 것입니다. 하지만 E단지의 세대당 평균 대지지분은 10평입니다. 저는 경험상 세대당 평균 대지지분이 15평 이상은 되어야 어느 정도 수익성이 나온다고 판단하는데, 이 아파트는 10평밖에 되지 않습니다. 아마 조합원 분양을 하고 나면 일반분양을 할 물

세대당 평균 대지지분 비교 (예시)

	용적률	총대지면적	총세대수	세대당 평균 대지지분
A단지	200%	3만 평	2,000세대	15평
B단지	200%	1만4,000평	700세대	20평
C단지	160%	8,500평	500세대	17평
D단지	160%	7,500평	500세대	15평
E단지	145%	7,000평	700세대	10평

량이 거의 남아있지 않을 것입니다.

C단지와 D단지는 용적률이 똑같이 160%이지만, 세대당 평균 대지지분은 2평 차이가 납니다. 둘 중에 하나를 골라 투자하라면 세대당 평균 대지지분이 더 큰 C단지를 고르는 것이 현명합니다.

세대당 평균 대지면적이 가장 큰 것은 20평을 가진 B단지입니다. 용적률은 200%로 비교적 높지만 이중에서 일반분양 물량이 가장 많을 것으로 생각됩니다.

용적률의 함정을 보완해준다

만약 세대당 평균 대지지분이 큰데 용적률까지 낮은 단지가 있다면 금상첨화이겠지요. 경우의 수를 통해 부연설명을 해보면 아래의 표와 같습니다. 1번의 경우는 용적률도 낮으면서 세대당 평균 대지지분도 큰 경우입니다. 이때는 각 조합원 세대가 보유하고 있는 대지지분이 많기 때문에 그만큼 일반분양 물량이 많이 나오고 분담금도 적어집니다. 우리가 찾아서 투자해야 할 아

용적률과 세대당 평균 대지지분에 따른 사업성 분석

기존 용적률 높음	4. 사업성 가장 나쁨 재건축 진행 자체가 쉽지 않음.	2. 사업성 좋음 기존 평형이 중대형으로 구성됨. 재건축시 중소형으로 구성할수록 사업성이 좋아짐.
기존 용적률 낮음	3. 사업성 나쁨 기존 평형이 소형으로 구성됨. 일반분양 물량 거의 없음.	1. 사업성 가장 좋음 세대별 대지지분이 많은 경우.
	세대당 평균 대지지분 작음	세대당 평균 대지지분 큼

파트가 바로 이런 곳입니다.

2번의 경우는 용적률이 높은 대신 각 세대당 평균 대지지분도 많은 경우입니다. 주로 중대형평형 중심으로 구성되어 있는 중층아파트들이 여기에 속합니다. 이런 아파트는 재건축을 하면서 중소형평형 중심으로 구성을 하게 되면 사업성이 좋을 수 있습니다. 중소형평형으로 지을 경우 일반분양 세대수가 늘어나기 때문입니다.

최근 강남권 중층 재건축 아파트들 중에 이런 경우가 많습니다. 용적률이 180~210% 정도이면서 기존에 중대형이 많았던 단지들이 재건축 후에 중소형평형을 많이 지음으로써 사업성을 최대화하고 있습니다.

3번은 용적률은 낮지만 세대당 평균 대지지분이 작은 경우입니다. 기존의 평형 구성이 소형 중심이라서 작은 평형의 세대들로 구성된 아파트가 여기에 속합니다. 각 세대당 가지고 있는 대지지분이 작다 보니 일반분양 물량을 만들어 낼 여유가 없습니다.

용적률의 함정에 빠지기 쉬운 대표적인 경우입니다. 이런 곳은 재건축 사업이 아니라 리모델링 사업으로 진행될 수밖에 없습니다. 재건축 투자를 할 때는 이런 아파트를 가장 조심해야 합니다.

사업성 좋은 지역을 미리 찾아내는 법

세대당 평균 대지지분이 정말로 확실한 지표가 되는지, 이번에는 실제 자료를 활용해서 검증해 보겠습니다. 아래 표는 분당에 위치한 네 개 아파트 단지의 실제 평형별 분석표입니다. 이 사례를 바탕으로 실제 사업성을 검증해보겠습니다. 네 개의 아파트 중 C아파트와 D아파트는 용적률이 144%로 중층아파트 중에서도 비교적 용적률이 낮은 편입니다. 반면 S아파트와 L아파트는 용적률이 211%로 중층아파트 중에서는 용적률이 높은 편이지요. 이중에서 어떤 아파트가 가장 사업성이 좋을까요?

용적률만 놓고 보면 C아파트와 D아파트의 사업성이 좋다고 생각할 수 있습니다. 그러나 여기에 바로 '용적률의 함정'이 있습니다. 세대당 평균 대지지분을 계산해보면 D아파트는 20.2평으로 높지만 C아파트는 11.2평밖에 되지 않습니다. 따라서 C아파트는 용적률이 낮더라도 일반분양은 많지 않을 것임을 알 수 있습니다.

반면 용적률이 상대적으로 높은 S아파트와 L아파트의 세대당 평균 대지지분은 각각 18.9평과 14.8평입니다. 앞서 세대당 평균 대지지분이 15평 정도는 돼야 한다고 했는데, 둘 다 사업성은 나쁘지 않은 셈입니다. 특히 S아파트의 경우는 용적률이 211%로 높은데도 불구하고 세대당 평균 대지지분이 18.9평이나 나옴으로써 사업성이 좋은 곳이라고 짐작할 수 있습니다.

요컨대 세대당 평균 대지지분을 통해 살펴본 대략적 사업성은 'D아파트 >

S아파트 > L아파트 > C아파트' 순입니다. 과연 정말 그럴까요? 실제 계산을 통해 검증해 보겠습니다.

단, 계산의 편의성을 위해서 몇 가지 전제조건을 제시하고자 합니다. 네 아파트는 모두 기부채납비율 10%가 적용되며, 용적률 265%로 진행될 예정이며, 모두 34평형(전용면적 84㎡)의 단일평형으로 공급될 예정이며, 임대주택은 고려하지 않는다고 가정하겠습니다. 또한 용적률 265%일 때 34평형 한 채를 짓는 데 필요한 대지지분은 대략 12.5평이므로(특별부록 「용적률별 필요 대지지분표」 참조), 이것을 똑같이 적용하겠습니다.

분당구 아파트의 실제 세대당 평균 대지지분 비교

		용적률	대지면적		세대수		세대당 평균 대지면적
구미동 S아파트	22평형	211%	9.3평	총 1만6,692평	60세대	총 882세대	**18.9평**
	31평형		13.2평		172세대		
	37평형		15.9평		128세대		
	47평형		20.4평		402세대		
	58평형		25.4평		20세대		
	59평형		26.1평		100세대		
분당동 L아파트	22평형	211%	9.3평	총 1만1,823평	112세대	총 796세대	**14.8평**
	30평형		12.6평		48세대		
	31평형		13.6평		442세대		
	34평형		15.3평		46세대		
	45평형		19.8평		108세대		
	55평형		24.0평		40세대		
금곡동 C아파트	15평형	144%	10.1평	총 1만1,493평	600세대	총 1,020세대	**11.2평**
	18평형		12.2평		452세대		
분당동 D아파트	23평형	144%	14.0평	총 1만1,781평	120세대	총 582세대	**20.2평**
	26평형		16.3평		96세대		
	31평형		20.0평		264세대		
	37평형		22.9평		22세대		
	48평형		30.1평		80세대		

실제 사업성을 계산해보자

먼저 각 아파트 단지별로 기부채납 후 아파트를 지을 수 있는 면적을 계산해 봅시다. 기부채납은 모두 똑같이 10%라고 가정했으므로, 총대지면적에서 10%를 뺀 나머지 땅에 새 아파트를 지을 수 있습니다. 결과는 다음과 같습니다.

분양 대지면적 = 총대지면적 - 기부채납 대지면적

→ S아파트의 경우 = 1만6,692평 – (1만6,692평 × 10%) = 1만5,022평

→ L아파트의 경우 = 1만1,823평 – (1만1,823평 × 10%) = 1만640평

→ C아파트의 경우 = 1만1,493평 – (1만1,493평 × 10%) = 1만343평

→ D아파트의 경우 = 1만1,781평 – (1만1,781평 × 10%) = 1만602평

이번에는 조합원분양에 필요한 대지지분을 구해봅시다. 원래는 각 평형별로 필요한 대지지분에 평형별 세대수를 곱한 후 총합을 구해야 합니다. 하지만 여기에서는 모두 34평형 단일평형으로 분양한다고 가정했으므로 34평형의 필요 대지지분 12.5평에 총세대수를 곱하면 조합원분양에 필요한 대지면적을 구할 수 있습니다.

조합원분양 대지면적 = { 세대당 필요 대지지분 × 세대수 }의 총합

→ S아파트의 경우 = 12.5평 × 882세대 = 1만1,025평

→ L아파트의 경우 = 12.5평 × 796세대 = 9,950평

→ C아파트의 경우 = 12.5평 × 1,020세대 = 1만2,750평

→ D아파트의 경우 = 12.5평 × 582세대 = 7,275평

이렇게 산출된 조합원분양의 필요 대지면적을 각 단지의 분양 대지면적에

서 빼겠습니다. 그러면 일반분양에 쓸 수 있는 대지면적이 나옵니다. 결과는 다음과 같습니다.

일반분양 대지면적 = 분양 대지면적 - 조합원분양 대지면적

→ S아파트의 경우 = 1만5,022평 - 1만1,025평 = 3,997평

→ L아파트의 경우 = 1만640평 - 9,950평 = 690평

→ C아파트의 경우 = 1만343평 - 1만2,750평 = -2,407평

→ D아파트의 경우 = 1만602평 - 7,275평 = 3,327평

여기까지만 봐도 대략 결과를 짐작할 수 있습니다. 남은 대지면적이 많을수록 일반분양 물량이 많기 때문입니다. 특히 C아파트의 경우는 마이너스(-)가 나왔는데, 이는 조합원 모두에게 34평형을 분양할 경우 조합원분양만 하기에도 땅이 모자란다는 뜻입니다. 따라서 이 아파트는 재건축이 되더라도 소형 평형으로 구성될 수밖에 없을 것입니다.

마지막 결과를 도출하기 위해, 남은 대지면적에 지을 수 있는 일반분양 아파트의 세대수를 계산해봅시다. 34평형 한 채를 짓기 위해서는 대지지분 12.5평이 필요하므로 이를 나누면 됩니다.

일반분양 세대수 = 일반분양 대지면적 / 필요 대지지분

→ S아파트의 경우 = 3,997평 / 12.5평 = 319세대

→ L아파트의 경우 = 690평 / 12.5평 = 55세대

→ C아파트의 경우 = (마이너스이므로 계산 불가)

→ D아파트의 경우 = 3,327평 / 12.5평 = 266세대

용적률이 높다고 일반분양이 적은 것은 아니다

이제 결과를 살펴보면, 일반분양이 가장 많이 이뤄질 수 있는 곳은 구미동 S아파트입니다. 가능한 일반분양 물량은 319세대인데, 이는 조합원분양 882세대와 비교하면 약 36% 수준입니다. D아파트 역시 266세대의 일반분양이 가능한데, 이는 조합원분양 582세대와 비교하면 무려 45%에 달하는 수치입니다.

재미있는 것은 비슷하게 사업성이 좋은 S아파트와 D아파트이지만 용적률은 각각 211%와 144%로 다르다는 점입니다. 이는 용적률이 높다고 반드시 사업성이 낮은 것은 아님을 보여줍니다.

반면 용적률이 144%로 낮았던 C아파트의 경우는 조건대로 계산하면 조합원분양조차 하기 어려울 정도로 사업성이 낮았습니다. 만약 낮은 용적률만 보고 C아파트에 투자한다면 수익은커녕 엄청난 분담금 때문에 괴로워하게 될 것입니다. 이것이 바로 '용적률의 함정'입니다. 일반분양 물량이 조합원분양 물량의 몇 %나 되는지를 계산해보면 'D아파트(45.7%) > S아파트(36.2%) > L아파트(6.9%) > C아파트(계산불가)' 순으로 결과가 도출됩니다. 놀랍게도 이것은 앞서 계산해 보았던 세대당 평균 대지지분 'D아파트(20.2평) > S아파트(18.9평) > L아파트(14.9평) > C아파트(11.3평)' 순서와 정확히 일치합니다.

이제 세대당 평균 대지지분이 얼마나 유용한지 아셨을 것입니다. 복잡하게 분담금을 계산해보지 않아도 대략적인 사업성을 예측하게 해주니 말입니다.

저의 경우는 세대당 평균 대지지분이 최소 15평 이상은 되어야 재건축 사업성이 있다고 판단합니다. 그 이유는 세대당 평균 대지지분이 15평 정도는 되어야 일반분양 물량이 기존 세대수대비 약 15~20% 정도로 나오기 때문입니다.

그 이하로 나오게 되면 차라리 재건축보다는 리모델링이 나을 수 있습니다. 리모델링은 종전 세대수 대비 15%까지 세대수를 늘릴 수가 있는데, 이 늘어난 세대를 일반분양함으로써 분담금을 줄이는 구조입니다. 따라서 재건축의 사업성이 리모델링보다 경쟁력 있으려면 일반분양이 기존 세대수 대비 15% 이상은 이루어져야 하고, 그러려면 세대당 평균 대지지분이 최소 15평 이상은 되어야 합니다.

발 빠른 투자자들은 미리 투자처를 물색한다

이처럼 세대당 평균 대지지분은 여러 아파트 단지의 사업성을 비교하는 데에 매우 강력한 도구가 됩니다. 여러 재건축 후보들 중에 가장 사업성이 좋은 곳이 어디인지 미리 파악해 두고 좋은 매물이 나오기를 기다렸다가 낚아챌 수 있는 것입니다.

남들보다 한 발 빠르게 움직이기 위해서는 미리미리 사업성을 검토해 두는 노력이 필요합니다. 그러려면 재건축 가능성이 있는 여러 단지들을 미리 비교해서 사업성 좋은 녀석들을 미리 골라두는 것도 좋습니다. 미리 투자 후보들을 물색해두고, 상황에 따라 투자 환경이 어떻게 변하는지 수시로 모니터링하는 것입니다.

이럴 때에 바로 세대당 평균 대지지분이 훌륭한 무기가 되어줍니다. 유망 단지들의 총대지면적과 총세대수만 알면 세대당 평균 대지지분을 구하는 것은 쉽습니다. 이것을 엑셀 표로 정리해본 후 사업성이 좋은 단지들만 추려봅니다. 사업성이 좋은 단지를 선택했다면 앞서 설명했던 분담금 계산식으로 예상 분담금과 투자 수익을 예측해 봅니다. 그리고 각 단지들의 매매가와 전세가를 수시로 검토하면서 언제 투자하면 좋을지 타이밍을 노리는 것입니다.

꿀팁 일반분양 물량을 볼 수 있는 곳

세대당 평균 대지지분은 결국 일반분양 물량이 얼마나 나올지를 알려주는 지표입니다. 물론 세대당 평균 대지지분을 계산해보지 않더라도 기존 세대수 대비 일반분양 물량만 알고 있다면 어느 정도 사업성 분석이 가능합니다.

그렇다면 일반분양 자료는 어디에서 얻을 수 있을까요? 여기에서는 수도권 지역 재건축·재개발 사업장의 일반분양 자료를 찾는 방법을 알아보겠습니다.

₩ 서울시 클린업시스템

서울시에서 운영하는 클린업시스템 홈페이지(http://cleanup.seoul.go.kr)에서는 서울시에서 진행되고 있는 모든 재건축·재개발 사업장의 정보를 확인할 수 있습니다. 해당 지역 조합원들은 세부적인 내용까지 볼 수 있고, 조합원이 아닌 경우에도 사업 진행 단계와 일부 구역정보 및 조감도 등을 확인할 수 있습니다. 서울 지역에서 재건축·재개발 투자를 하고자 한다면 제일 먼저 찾아봐야 할 사이트입니다.

저는 주로 메인화면에서 ‘정비사업 현황(자치구별 검색)’ 메뉴를 이용합니다. 예를 들어 지도에서 ‘서대문구’를 클릭하면 서대문구에 포함된 동 이름이 나옵니다. 그중에서 다시 ‘북아현동’을 클릭하면 2017년 4월 현재 5개 사업장에서 재개발 사업이 진행 중임을 알 수 있습니다. 우측 끝에 있는 ‘보기’를 클릭하면 사업장별 홈페이지로 이동할 수가 있습니다. 가장 상단에 나온 북아현1-1지구를 살펴보겠습니다.

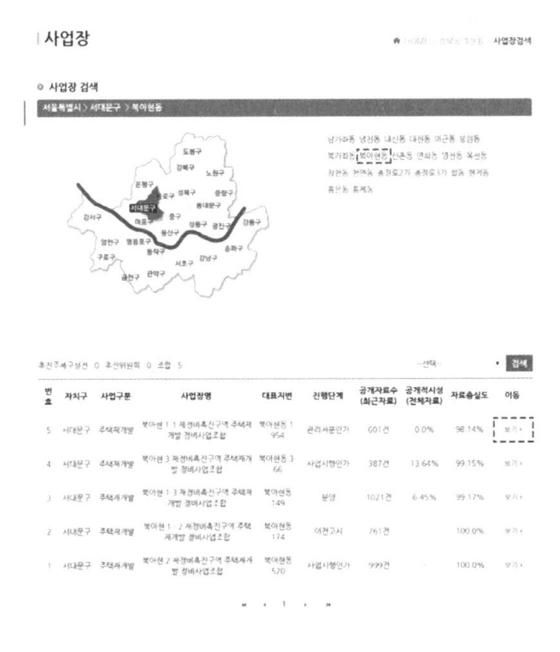

‘정비사업개요’를 보면 이 사업장의 총면적은 약 7만7,234㎡이고 조합원수는 738명이라는 것을 알 수 있습니다. 그리고 아래쪽 ‘주택공급계획’에서는 분양할 세대수가 총 1,004세대인데, 분양주택 세대수에서 조합원수를 뺀 266세대가 바로 일반분양 세대수라는 것을 알 수 있습니다.

다만 서울시 클린업시스템에 나온 정보는 그냥 참고용으로 쓰셔야 합

니다. 현장 진행사항이 바로 업데이트되는 것이 아니기 때문에 투자를 결정하기 전에는 꼭 현장에 가서 이 정보가 맞는지 확인해 보셔야 합니다.

₩ 경기도청 홈페이지 정보공개

경기도의 경우는 경기도청 홈페이지(http://www.gg.go.kr)에서 검색이 가능합니다. 경기도청 홈페이지 메인화면에서 '정보공개'를 클릭한 후 '정보공개제도안내' 카테고리 안에 있는 '사전정보공표'를 클릭합니다. 여기에서 다시 '도시/주택'이라는 코너를 클릭하면 수많은 정보공개 리스트가 뜹니다. 그중에서 눈여겨볼 것은 34번 '도시정비사업 추진현황'입니다. 우측 끝에 있는 '게시판'을 누르면 그동안 경기도 내에서 진행된 재건축·재개발 사업장의 현황을 정리한 엑셀 파일을 다운받을 수 있습니다. 이 자료는 매 분기별(1월, 4월, 7월, 10월)로 업데이트됩니다.

엑셀 자료를 열어보면 '총괄표', '일반정비구역', '재정비촉진지구'의 세 개 시트가 있는데 그중에서 '일반정비구역' 시트를 보면 사업장의 구체적인 상황을 살펴볼 수 있습니다.

예를 들어 '수원시 장안구 영화동(111-3구역)'에서 진행중인 재개발 사업의 경우 신축주택의 총 세대수는 370세대이고 조합원수는 213명입니다. 즉, 일반분양은 157세대임을 알 수 있는 것입니다. 다만 여기에 나온 정보 역시 백 프로 정확한 정보는 아니기 때문에 현장에 가서 맞는지 확인을 꼭 해보셔야 합니다.

□ 경기도 일반 정비사업 추진현황 세부내역 (2016년도 4/4분기 자료)

연번	시군	사업단계	사업유형	정비구역명	위치	신축주택 분양 계	분양 ~40㎡	분양 40~60㎡	분양 60~85㎡	분양 85~135㎡	분양 135㎡~	임대 계	임대 ~40㎡	임대 40~60㎡	임대 60~85㎡	용적률 기존	용적률 신축	토지등소유자수	조합원수	사업시행자 (토지등소유자,조합,조합+LH)
				370개 구역		243,900	3,656	85,822	138,472	28,213	4,791	30,100	13,705	18,752	1,232			248,157	131,229	
연번	시군	사업단계	사업유형	정비구역명	위치	신축분양계	신축분양40	신축분양60	신축분양85	신축분양135	신축분양초과	신축임대계	신축임대40	신축임대60	신축임대85	존용적률	축용적률	토지등소유자	조합원수	시행자
10	수원시	조합설립	재개발	111-3	장안구 영화동 93-6일원	370		90	251	29		76	76			200%	199%	217	213	조합
11	수원시	조합설립	재개발	113-8	권선구 고색동 88-1일원	1,233		355	762	116		268		268		200%	226%	619	619	조합
12	수원시	조합설립	재개발	113-10	권선구 고색동 74-1일원	1,523		256	1,123	144		313	205	108		200%	223%	532	534	조합
13	수원시	조합설립	재개발	113-12	권선구 오목천동 482-2일원	647			647			133	133	-		200%	229%	164	166	조합
14	수원시	조합설립	재개발	115-10	팔달구 지동 349-1일원	916		99	688	129		213	213			200%	190%	587	597	조합
15	수원시	사업시행	재개발	115-8	팔달구 매교동 209-14일원	3,493		1,335	1,980	178		121	121			200%	222%	1,877	1,877	조합
16	수원시	사업시행	재개발	115-6	팔달구 교동 155-41일원	2,353		1,423	900	30		233	166	67		200%	224%	1,075	1,075	조합
17	수원시	사업시행	재개발	115-9	팔달구 인계동 847-3일원	2,848		1,142	1,619	87		584	584			200%	245%	1,328	1,325	조합
18	수원시	사업시행	재개발	111-1	장안구 정자동 530-6일원	2,271		1,389	855	27		467	467			200%	230%	962	955	조합
19	수원시	사업시행	재개발	111-4	장안구 조원동 431-2일원	552		152	400			114	114			200%	228%	257	144	조합
20	수원시	사업시행	재개발	113-6	팔달구 세류동 817-72일원	2,023		590	1,349	84	-	156	156			200%	227%	999	989	조합
21	수원시	사업시행	재개발	115-3	팔달구 고등동 94-1일원	881		196	552	133		186			186	200%	223%	602	600	조합
22	수원시	사업시행	재개발	115-11	팔달구 지동 110-15일원	1,080			840	104	136	222	222			200%	191%	581	582	조합
23	수원시	사업시행	주거환경개선	[illegible]	팔달구 고등동 270번지 일원	3,874		482	2,936	456		1,032	436	171	425	250%	187%	3,534		LH
24	수원시	준공	재개발	115-1	팔달구 화서동 4-26일원	198		54	144			-				200%	220%	79	82	조합
25	수원시	준공	재건축	[illegible]	수원시 권선구 권선동 1067	1,753		362	713	528	150	-				160%	240%	1,015	1,015	조합
26	수원시	준공	재건축	솔밭아파트	수원시 장안구 정자1동 423-1	481			109	284	88	-				140%	229%	355	355	조합
27	수원시	준공	재건축	[illegible]	수원시 영통구 매탄동 176	3,391		687	1,748	956		-				87%	249%	2,918	2,595	조합
28	수원시	준공	재건축	[illegible]	수원시 팔달구 화서동 79-5	1,744				1,596	148	-				110%	226%	1,392	1,392	조합
29	수원시	준공	재건축	[illegible]	수원시 권선구 권선동 [illegible]	1,018			211	558	249	-				90%	229%	728	728	조합
30	수원시	준공	재건축	천천주공	수원시 장안구 천천동 333	2,361		515	820	814	212	210			210	80%	245%	2,030	1,984	조합
31	수원시	준공	재건축	인계주공아파트	수원시 팔달구 인계동 [illegible]	1,219		154	543	522		132		132		70%	248%	846	846	조합

1.기본-일반정비구역 / 2.기본-재정비촉진지구

₩ 인천광역시 추정분담금 정보시스템

인천시의 경우에는 '인천광역시 추정분담금 정보시스템(http://renewal.incheon.go.kr)'이 있습니다. 메인화면에서 상단의 '추진현황'을 클릭하면 사업의 종류별로 추진현황을 확인할 수 있습니다. 예를 들어 '추진현황' 중 '주택재개발사업'을 클릭하면 각 구별로 진행 중인 재개발 사업을 확인할 수 있습니다.

다만 이곳에서는 구역별 현재 진행단계만 확인할 수 있을 뿐 조합원수와 일반분양 예정

세대수에 대한 정보는 볼 수 없습니다. 구체적인 정보는 추진위나 조합사무실 혹은 구역 인근 부동산 중개사무소에서 확인을 해보셔야 합니다.

₩ 그래도 가장 정확한 것은 발품이다

이처럼 지역마다 일반분양 물량을 확인하는 방법과 얻을 수 있는 정보의 양이 다릅니다. 그러므로 아무리 홈페이지가 잘 되어 있고 정보가 구체적이라고 해도, 인터넷을 이용해 얻은 정보를 백 프로 정확하다고 생각하면 안 됩니다. 투자를 결정하기 전에는 반드시 조합사무실이나 현장 부동산 중개사무소에 가서 정확한 정보를 확인해 보셔야 합니다. 특히 임장(현장조사)을 할 때에는 조합사무실에 방문해서 현재 진행단계와 정비사업에 대한 정보를 물어보시기 바랍니다. 조합사무실에서 현재 진행단계와 정비사업에 대한 정보를 취득했다면 인근 부동산 중개사무소에 방문해서 또 다른 정보를 취득하고 현재 나와 있는 매물을 확인하면 됩니다.

사업 시작 전의 분석은 어떻게 해야 할까

이제부터는 최근 투자자들이 관심을 보이고 있는 분당의 재건축 유망 단지 사례를 이용해서 사업성 분석을 연습해 보도록 합시다. 단, 이곳의 사례를 선택한 것은 투자를 권유하려는 의도가 아니라, 아직 재건축이 시작되지 않은 상황에서 세대당 평균 대지지분을 활용해서 사업성 비교를 하기에 적당한 지역이기 때문이라는 점을 유념하시기 바랍니다.

1기 신도시의 대표 격인 분당 지역은 1992~1995년도에 입주한 아파트가 많습니다. 재건축 가능 연한은 30년이므로, 이 아파트들이 재건축되기 시작하는 때는 빨라도 2022년일 것입니다. 따라서 현재 분당 아파트들 중 어떤 단지가 언제 재건축될지는 알 수 없습니다.

그러나 만약 재건축이 된다면 어디가 사업성이 좋은지는 미리 알아볼 수 있습니다. 단계를 거칠 때마다 계단식으로 상승하는 재개발 투자와 달리, 재건축 지역은 사업이 진행되기 시작하면 가격이 급등하는 경우가 많습니다. 그래서 분당처럼 재건축이 기대되는 지역은 재건축 연한이 아직 남아있더라도 발 빠른 투자자들의 관심 대상이 되곤 합니다. 게다가 이곳은 전세가가 높기 때문에 매매가와의 가격 차이가 적어서 실투자금이 상대적으로 적은 지역이기도 합니다.

그러나 아직 재건축 연한조차 도래하지 않은 지역에서 대체 무엇을 이용해서 분담금을 산출할 수 있을까요? 가장 좋은 방법은 이미 사업이 진행되고 있는 재건축 사업장의 사례를 참조하는 것입니다.

이미 진행되고 있는 사업장을 참조하라

분당구는 비록 입지나 환경 등에서 성남시 수정구나 중원구와 많은 차이를 보이긴 하지만 행정구역상 성남시에 속하므로 똑같은 법과 조례에 따라 재건축 사업이 진행됩니다. 따라서 성남시에서 진행되고 있는 다른 재건축 사업장의 상황을 참조한다면 거의 비슷한 결과를 얻을 수가 있습니다.

분당구 재건축 유망 단지를 분석하기에 앞서, 성남시 S단지의 사례를 먼저 분석해봄으로써 기준점을 찾아보도록 합시다. S단지는 2017년 초 현재 관리처분인가를 받고 이주가 완료된 후 철거가 진행 중입니다.

뒤쪽에 나와 있는 S단지의 관리처분계획 자료를 살펴보면 용도지역은 2종일반주거지역으로, 용적률은 재건축 전 134.69%에서 재건축 후 249.95%로 늘어날 예정입니다(❶). 참고로, 성남시 「도시계획조례」를 보면 2종일반주거지역의 재건축 시 법정상한용적률은 250%입니다.

신축될 세대수는 총 3,997세대인데 그중 2,404세대가 조합원분양에 사용됩니다. 일반분양은 1,593세대로 종전 세대수 대비 66% 정도입니다(❷). 관리처분계획 상 비례율은 92.84%인데(❸) 이는 일반분양가가 평당 1,600만 원으로 예정되어 있을 때의 비례율입니다. 만약 일반분양가를 인상하게 된다면 분양수입이 증가하므로 비례율도 올라갈 것으로 보입니다. 신축 아파트의 평형 구성을 보면 30평형(전용면적 74㎡)과 24평형(전용면적 59㎡) 등 중소형평형 중심의 단지가 될 것임을 알 수 있습니다(❹).

성남시 S단지 재건축 사업장의 상황(관리처분계획 상)

1) 기본정보

비례율 (관리처분계획상)	92.84%	준공연도	1986년	용도지역	2종일반주거지역

❸

2) 사업전후 비교

	재건축 전	재건축 後				
		총분양	일반분양	일반분양 비율	임대분양	임대분양 비율
세대수	2,404세대	3,997세대	1,593세대	66.26%	0세대	0%
총대지면적	5만4,840평					
세대당 평균 대지지분	22.81평	13.72평				
용적률	134.69%	249.95%				

❷ ❶

3) 감정평가액 및 권리가액

면적		감정평가액	권리가액
분양면적	대지권		
23평형	20.11평	3억4,689만 원	3억2,191만 원
25평형	21.86평	3억6,635만 원	3억3,997만 원
27평형	23.61평	3억9,171만 원	3억6,351만 원
27평형(연립)	23.76평	4억5,786만 원	4억2,489만 원
28평형(타워)	24.49평	4억3,675만 원	4억0,530만 원
31평형(타워)	27.11평	4억6,144만 원	4억2,822만 원
33평형	28.86평	4억8,986만 원	4억5,459만 원

4) 신축 아파트 평형별 조합원분양가

주택 규모	타입	세대수	조합원분양가
59㎡		1,166	3억6,301만 원
67㎡		395	4억0,928만 원
74㎡		1,553	4억5,119만 원
84㎡		745	5억1,062만 원
	테라스	36	5억5,116만 원
	펜트하우스	54	6억0,098만 원
98㎡		48	5억8,954만 원
합 계		3,997	
공사비(시공비)		평당 420만 원	

❹

세대당 평균 대지지분으로 큰 틀 분석하기

S단지는 사업성이 좋은 곳일까요? 먼저 세대당 평균 대지지분을 통해 개략적인 사업성을 파악해봅시다. 이 사업장의 총대지면적은 5만4,840평이고 조합원 세대수는 2,404세대입니다. 따라서 재건축 전 세대당 평균 대지지분은 약 22.81평으로 계산됩니다.

세대당 평균 대지지분 = 총대지면적 / 총세대수
= 5만4,840평 / 2,404세대
= 약 22.81평

이는 15평을 훨씬 넘는 수치입니다. 따라서 종전 세대수에 대비해서 일반분양 물량이 많이 나올 것이고 그만큼 사업성이 좋은 단지라는 것을 예측해볼 수 있습니다. 이제부터 이 단지의 사업성을 구체적으로 분석해 봅시다.

기준이 될 사업장부터 분석해보자

S단지에 기존 23평형 아파트를 보유하고 있는 조합원 박기준 씨는 재건축 후 34평형(전용면적 84㎡)의 신축 아파트를 분양받고자 합니다. 박기준 씨는 분담금을 얼마나 내야 할까요?

이를 구하는 방법은 두 가지였습니다. 첫째는 '분담금 = 조합원분양가 - 권리가액'의 공식을 이용하는 것이고, 둘째는 '분담금 = 조합원 건축원가 - 일반분양 기여 금액'의 공식을 이용하는 것이었습니다.

보다 정확한 분석을 위해서 여기에서는 두 가지 방법을 다 활용해 본 후 결과를 비교해 보겠습니다.

'조합원분양가 - 권리가액' 공식 활용하기

앞서 나왔던 S단지의 관리처분계획 자료를 보면 기존 23평형 아파트의 감정평가액은 3억4,689만 원이고 비례율은 92.84%이므로 이 두 개를 곱해서 산출된 권리가액은 약 3억2,191만 원입니다. 박기준 씨가 34평형(전용면적 84㎡) 아파트를 분양 신청할 경우 조합원분양가는 5억1,062만 원입니다. 이러한 조건을 가지고 박기준 씨가 내야 할 분담금을 계산해봅시다.

이미 조합원분양가와 권리가액을 알고 있는 상황에서 분담금을 구하는 것이므로 '조합원분양가 - 권리가액'의 공식을 이용하면 분담금을 쉽게 도출할 수 있습니다. 박기준 씨의 분담금은 다음과 같이 1억8,871만 원으로 추산됩니다. 이 금액은 관리처분계획에도 이미 나와 있는 수치입니다.

분담금 = 조합원분양가 - 권리가액
= 5억1,062만 원 - 3억2,191만 원
= 1억8,871만원

'조합원 건축원가 - 일반분양 기여 금액' 공식 활용하기

1억8,871만 원이라는 분담금은 과연 얼마나 정확할지, 이번에는 제가 만든 두 번째 공식을 이용해서 계산하고 비교해 봄으로써 검증해 보도록 합시다. 앞서 나온 관리처분계획 자료를 활용하여 단계별로 차근차근 계산해 보겠습니다.

Step 1 : 조합원 건축원가 계산하기

관리처분계획에 나와 있는 평당 공사비(평당 시공비)는 420만 원이므로 이를 이용해서 조합원 건축원가를 구할 수 있습니다. 조합원 건축원가는 순수건축비와 기타사업비를 합한 금액이고, 기타사업비는 순수건축비의 33%라는 것을 기억하시지요?

또한 34평형의 계약면적은 55평이므로, 이를 이용하면 다음과 같이 조합원 건축원가를 구할 수 있습니다. 계산 결과 34평형의 조합원 건축원가는 3억 723만 원입니다.

조합원 건축원가 = 순수건축비 + 기타사업비
= 순수건축비 + (순수건축비 × 33%)
= 순수건축비 × 133%

순수건축비 = 평당 공사비 × 계약면적
= 420만 원 × 55평
= 2억3,100만 원

→ 조합원 건축원가 = 순수건축비 × 133% = (평당 공사비 × 계약면적) × 133%
= (420만 원 × 55평) × 133%
= 3억723만 원

Step 2 : 일반분양 기여 대지지분 계산하기

S단지의 관리처분계획에 따르면 박기준 씨가 가지고 있는 23평형의 대지지분은 20.11평이었습니다. 이중 8.76%(정비계획 상 기부채납 비율)에 해당하는 1.76평이 기부채납되므로 남은 대지지분은 18.35평입니다.

박기준 씨는 34평형(전용면적 84㎡) 아파트를 분양받고 싶어합니다. 그런데 S단지의 경우처럼 용적률이 250% 정도일 때 34평형 아파트 한 채를 짓기 위한 필요 대지지분은 13.25평입니다(특별부록 「용적률별 필요 대지지분표」 참조). 따라서 박기준 씨가 가지고 있는 대지지분 18.35평 중에 13.25평은 조합원분양에 사용되고 나머지 5.1평이 일반분양에 기여하게 됩니다.

일반분양 기여 대지지분 = 보유 대지지분 - 기부채납 - 조합원분양 필요 대지지분
= 20.11평 – (20.11평 × 8.76%) – 13.25평
= 5.1평

Step 3 : 일반분양 기여 금액 계산하기

관리처분계획을 보면 34평형(전용면적 84㎡)의 일반분양 예상가는 5억4,400만 원입니다. 여기에서 34평형의 순수건축비인 2억3,100만 원을 빼면 이 아파트 한 채를 일반분양했을 때 발생하는 수익이 나옵니다. 단, 일반분양 수익을 계산할 때에는 기타사업비를 고려하지 않는다는 것에 유의하시기 바랍니다. 이렇게 계산된 34평형의 일반분양 수익은 3억1,300만 원입니다.

일반분양 수익 = 일반분양가 - 순수건축비
= 5억4,400만 원 - 2억3,100만 원
= 3억1,300만 원

이렇게 나온 수익을 대지지분 1평당 수익으로 환산해 봅시다. 34평형을 짓는 데 필요한 필요 대지지분은 13.25평이므로, 일반분양 수익 3억1,300만 원을 필요 대지지분 13.25평으로 나누면 대지지분 1평당 일반분양 수익은 2,362만 원입니다.

앞서 박기준 씨가 일반분양에 기여한 대지지분은 5.1평이라고 했지요. 따라서 대지지분 1평당 일반분양 수익에 5.1평을 곱하면 박기준 씨가 일반분양에 기여한 금액이 산출되는 것입니다.

대지지분 1평당 일반분양 수익 = 일반분양 수익 / 필요 대지지분
= 3억1,300만 원 / 13.25평
= 2,362만 원

일반분양 기여 금액 = 대지지분 1평당 일반분양 수익 × 일반분양 기여 대지지분
= 2,362만 원 × 5.1평
= 1억2,046만 원

Step 4 : 분담금 계산하기

이제 박기준 씨의 분담금을 구할 수 있습니다. 34평의 조합원 건축원가는 3억723만 원이었으므로 여기에서 일반분양 기여 금액인 1억2,046만 원을 빼면 1억8,677만 원이 나옵니다. 이 금액이 바로 박기준 씨의 분담금입니다.

분담금 = 조합원 건축원가 - 일반분양 기여 금액
= 3억723만 원 - 1억2,046만 원
= 1억8,677만 원

참고로, 오른쪽 표는 이러한 과정을 엑셀 프로그램으로 정리해 본 것입니다. 이 엑셀 표는 저의 블로그(돈되는 재건축 재개발, http://blog.naver.com/jyleenew) 또는 출판사 카페(팔리는 글쓰기, http://cafe.naver.com/96351)에서 무료로 다운받으실 수 있습니다.

두 가지를 비교하여 오차를 줄이자

첫 번째 방식으로 산출된 분담금, 즉 관리처분계획 상 분담금과 제가 만든 공식을 이용해 두 번째 방식으로 산출해 본 분담금을 비교해 봅시다. 첫 번째는 1억8,871만 원이었고 두 번째는 1억8,677만 원입니다.

관리처분계획 상 분담금 : 1억8,871만 원
공식으로 계산된 분담금 : 1억8,677만 원
→ 차액 : 194만 원

성남시 S단지 재건축 사업성 분석 엑셀표

○ 가정사항

* 일반분양 평형	**전용 84㎡(34평)**	
* 계약면적(평)	55	
* 평당 시공비(원)	**4,200,000**	
* 34평 조합원 건축원가	307,230,000	
* 순수건축비(75%)	**231,000,000**	
* 기타사업비(25%)	**76,230,000**	
* 전용면적&용적율	전용 84㎡(34평)	**250%**
* 필요대지지분		13.25
* 해당 평수 대지지분	**20.11**	
* 기부채납비율	**8.76%**	
* 아파트용 대지	18.35	
* 일반분양 기여 대지지분	5.10	

○ 분담금 산출

* 일반분양가 가정(a)	**544,000,000**
* 건축비(b)	231,000,000
* 일반 분양수익(a-b)	313,000,000
* 필요 대지지분	13.25
* 대지 지분 1평당 일반분양 수익	23,622,642
* 일반 분양 기여 대지지분	5.10
* 일반분양 기여금액	120,436,825
* 분담금	**186,793,175**

둘 사이의 차이는 194만 원밖에 나지 않습니다. 이처럼 공사비(시공비)를 이용한 분담금 공식은 생각보다 정확합니다. 특히 S단지처럼 신축 후 중소형평형이 많은 비율을 차지하는 경우에는 더욱 강력한 힘을 발휘합니다.

S단지의 분담금을 산출해 본 이유는 이것을 분당 재건축 아파트의 사업성을 분석할 때 기준으로 삼을 수 있기 때문입니다. 분당은 아직 정비기본계획도 나오지 않은 상황이지만, S단지의 상황을 참조하면 사업성을 분석하는 것

도 불가능한 일은 아닙니다. 다음 장에서는 두 번째 공식을 이용하여 예상 분담금을 추정해보고, 사업성이 있는 아파트를 찾아보도록 하겠습니다.

나의 상황에 맞게 조정하여 분담금 예측하기

송분당 씨는 분당에 위치한 용도지역 3종일반주거지역에 아파트를 보유하고 있습니다. 이 아파트의 공급면적은 34평이고 대지지분은 20평입니다. 재건축이 된다면 송분당 씨는 34평형(전용면적 84㎡) 아파트를 분양받고 싶어 합니다.

아직 사업이 시작되지도 않았지만, 재건축 연한이 돌아오면 곧바로 사업이 시작될 거라는 이야기에 송분당 씨는 벌써부터 분담금이 궁금합니다. 그렇다면 송분당 씨의 분담금은 어떻게 예상할 수 있을까요?

분당 역시 성남시에 속합니다. 성남시의 경우 정비기본계획 상 2종일반주거지역에서 진행되는 재건축 사업은 공통적으로 용적률 250%를 적용받고, 3종일반주거지역은 265%를 적용받습니다.

상황에 맞게 변수 조정하기

앞서 살펴본 성남시 S단지 역시 2종일반주거지역으로서 용적률 250%로 재건축이 진행 중입니다. 기존 23평형 아파트를 보유한 조합원의 대지지분은 20.11평이었고, 이 조합원이 34평형을 신청할 경우의 분담금은 약 1억8,871만 원이었습니다.

용도지역이 다른 것을 제외하면 송분당 씨의 상황과 매우 비슷합니다. 따라서 송분당 씨는 S단지의 상황을 고려하여 본인의 분담금을 유추해 볼 수 있는 것입니다.

다만 몇 가지 변수를 현실적으로 조정해야 합니다. 먼저 S단지의 평당 시공비는 420만 원이었지만, 송분당 씨의 경우에는 평당 공사비(평당 시공비)를 450만 원으로 잡겠습니다. 앞으로 몇 년 후에 이뤄질 사업이므로 물가상승률을 반영한 것입니다.

또한 이곳은 용도지역이 3종 일반주거지역이므로 용적률을 265%로 수정합니다. 이에 따라 필요 대지지분도 12.5평으로 조정됩니다.

기부채납비율 역시 15%로 조정하겠습니다. 앞서 S단지의 경우는 기부채납비율이 정비계획 상 9% 이내로 낮았지만, 일반적인 재건축 사업의 기부채납비율은 10~15%선에서 결정되는 것이 일반적이므로 분당 재건축의 경우에는 좀 더 현실적인 수치를 적용하는 것입니다.

그리고 예상 일반분양가 역시 8억 원으로 높여 잡겠습니다. 현재 판교신도시의 시세를 참고한 금액입니다. 이렇게 변수를 조정하고 난 후 송분당 씨의 상황은 다음과 같이 정리할 수 있습니다.

조합원 송분당 씨의 사례

- 보유 대지지분 : 20평
- 기부채납 비율 : 15%
- 희망 조합원분양 평형 : 34평형(전용면적 84㎡)
- 34평형의 계약면적 : 55평
- 34평형의 필요 대지지분(용적률 265%일 때) : 12.5평
- 평당 공사비 : 450만 원
- 34평형의 일반분양 예상가 : 8억 원

단계별로 분담금 산출하기

이제 공식을 이용해서 분담금을 산출해 봅시다. 방법은 앞에서와 마찬가지로 4단계를 통해 진행됩니다.

Step 1 : 조합원 건축원가 계산하기

34평형 아파트의 계약면적은 55평입니다. 평당 공사비를 450만 원으로 잡으면 34평형 아파트의 순수건축비는 약 2억4,750만 원, 그리고 기타사업비는 약 8,167만 원입니다. 그리고 두 가지를 합한 조합원 건축원가는 3억2,917만 원이라고 추산할 수 있습니다.

34평형의 순수건축비 = 평당 공사비 × 계약면적
= 450만 원 × 55평
= 약 2억4,750만 원

기타사업비 = 34평형의 순수건축비 × 33%
= 2억4,750만 원 × 33%
= 약 8,167만 원

34평형의 조합원 건축원가 = 순수건축비 + 기타사업비
= 약 2억4,750만 원 + 약 8,167만 원
= 약 3억2,917만 원

Step 2 : 일반분양 기여 대지지분 계산하기

송분당 씨가 보유한 대지지분 20평 중 15%에 해당하는 3평은 기부채납되

고 남은 17평에만 아파트가 지어집니다.

앞서 S단지의 경우 용적률 250%가 적용되었으므로 34평형을 짓기 위한 필요 대지지분이 13.25평이었습니다. 하지만 송분당 씨의 아파트는 용적률이 265%이므로 필요 대지지분은 12.5평입니다(특별부록 「용적률 별 필요 대지지분표」 참조). 따라서 대지지분 17평 중 12.5평은 송분당 씨가 희망하는 34평형 아파트를 짓는 데에 쓰이고 나머지 4.5평이 일반분양 기여 대지지분이 됩니다.

일반분양 기여 대지지분 = 보유 대지지분 - 기부채납 - 조합원분양 필요 대지지분
= 20평 – (20평 × 15%) – 12.5평
= 4.5평

Step 3 : 일반분양 기여 금액 계산하기

일반분양가에서 순수건축비를 빼면 한 채당 일반분양 수익이 나옵니다. 34평형 아파트의 일반분양가가 8억 원 정도 할 것이라고 가정했으므로 여기에서 순수건축비 2억4,750만 원을 뺀 5억5,250만 원이 34평형 아파트의 일반분양 수익입니다. 이 아파트를 만드는 데에 대지지분 12.5평이 들어갔으므로 대지지분 1평당 수익은 4,420만 원입니다.

일반분양 수익 = 일반분양가 - 34평형 순수건축비
= 8억 원 - 2억4,750만 원
= 약 5억5,250만 원

대지지분 1평당 일반분양 수익 = 일반분양 수익 / 필요 대지지분
= 5억5,250만 원 / 12.5평
= 약 4,420만 원

송분당 씨는 대지지분 4.5평을 일반분양에 기여하게 됩니다. 따라서 송분당 씨의 일반분양 기여 금액은 1억9,890만 원이 됩니다.

일반분양 기여 금액 = 대지지분 1평당 일반분양 수익 × 일반분양 기여 대지지분
= 4,420만 원 × 4.5평
= 약 1억9,890만 원

Step 4 : 분담금 계산하기

앞서 우리는 이 아파트의 34평형 조합원 건축원가가 3억2,917만 원일 것이라고 추산했습니다. 여기에서 일반분양 기여 금액인 1억9,890만 원을 빼면 1억3,027만 원이 나옵니다. 이것이 바로 송분당 씨의 분담금이라고 예상할 수 있습니다.

분담금 = 34평형 조합원 건축원가 - 일반분양 기여 금액
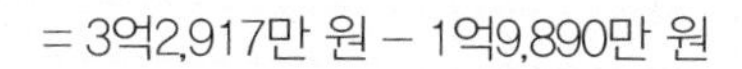
= 3억2,917만 원 – 1억9,890만 원
= 1억3,027만 원

오른쪽 그림은 이러한 과정을 엑셀로 정리해본 것입니다. 계산이 복잡하다고 느끼시는 분들은 참고하시기 바랍니다.

변수는 달라질 수 있다

그런데 이때 감안해야 할 것이 하나 더 있습니다. 예상 분담금 1억3,027만 원은 평당 공사비를 450만 원으로 잡았을 때 나온 결과입니다. 그런데 저는 실제

송분당 씨의 예상 분담금 분석

○ 가정사항

* 일반분양 평형	**전용 84㎡(34평)**	
* 계약면적(평)	55	
* 평당 시공비(원)	**4,500,000**	
* 34평 조합원 건축원가	329,175,000	
* 순수건축비(75%)	**247,500,000**	
* 기타사업비(25%)	**81,675,000**	
* 전용면적&용적율	전용 84㎡(34평)	**265%**
* 필요대지지분		12.50
* 해당 평수 대지지분	**20.00**	
* 기부채납비율	**15.00%**	
* 아파트용 대지	17.00	
* 일반분양 기여 대지지분	4.50	

○ 분담금 산출

* 일반분양가 가정(a)	**800,000,000**
* 건축비(b)	247,500,000
* 일반 분양수익(a-b)	552,500,000
* 필요 대지지분	12.50
* 대지 지분 1평당 일반분양 수익	44,200,000
* 일반 분양 기여 대지지분	4.50
* 일반분양 기여금액	198,900,000
* 분담금	**130,275,000**

분당신도시 아파트가 재건축된다면 평당 공사비는 그보다 더 높을 것이라고 예상합니다. 물가상승률도 반영해야 하지만, 고급 아파트로 짓자는 수요가 있을 것이라고 생각하기 때문입니다. 따라서 예상 분담금은 더 늘어날 가능성이 크다는 것을 감안해야 합니다.

또한 기부채납비율 15%라는 수치 역시 달라질 수 있다는 것을 고려해야 합니다. 일반적인 재건축 아파트의 기부채납비율은 10~15% 정도이기 때문에 만약 기부채납비율이 10%로 줄어든다면 5%에 해당하는 대지면적만큼 일반분양도 늘어날 것이므로 분담금이 줄어들 수 있는 것입니다.

아래 표는 평당 공사비가 450만 원일 때와 500만 원일 때, 그리고 기부채납 비율이 10%일 때와 15%일 때의 분담금을 계산해 본 것이므로 참고하시기 바랍니다. 다만 이러한 예상 분담금은 공식에 의해 추정해 본 결과이며, 실제의 분담금과 차이가 있을 수 있습니다. 백 프로 맹신은 하지 않으셨으면 좋겠습니다.

평당 공사비 및 기부채납비율에 따른 분담금 변화(송분당 씨의 경우)

기부채납 비율	구분	평당 공사비	
		450만 원	500만 원
10%	조합원 건축원가	329,175,000원	365,750,000원
	일반분양 기여 대지지분	5.5평	5.5평
	일반분양 기여 금액	243,100,000원	231,000,000원
	분담금	**86,075,000원**	**134,750,000원**
15%	조합원 건축원가	329,175,000원	365,750,000원
	일반분양 기여 대지지분	4.5평	4.5평
	일반분양 기여 금액	198,900,000원	189,000,000원
	분담금	**130,275,000원**	**176,750,000원**

※ 용적률 265%, 기존 평형 34평형, 조합원분양 34평형일 경우

시간이 갈수록 평당 공사비는 증가할 것이고, 기부채납비율은 성남시의 결정에 따라 달라질 것입니다. 따라서 투자를 결정할 때에는 이처럼 여러 가지 조건을 다양하게 반영해 보고, 지속적인 모니터링을 통해 변수를 조정해 나가야 합니다.

사업성 좋은 지역을 선점하라

송분당 씨의 사례를 보면 대지지분이 20평이고 신축 아파트 34평형의 일반 분양 가격을 8억 원으로 예상할 때, 분담금 1억3,000만 원 정도만 부담하면 신축 34평형 아파트를 분양받을 수 있다는 결론이 나옵니다. 이제 이 사실을 감안하여 투자 전략을 세워야 합니다.

분담금을 감안하여 투자 전략 세우기

여러분이 송분당 씨의 아파트를 매입함으로써 이 지역에 투자하려 한다면, 분담금을 고려하여 매입가를 정해야 합니다. 송분당 씨가 현재 소유한 대지 지분 20평짜리 아파트의 시세가 6억 원 정도라고 가정하고, 이 집을 매입할 경우의 투자 수익이 얼마나 될지 추산해 봅시다.

매입가격 : 6억 원
분담금(예상) : 1억3,000만 원
총매입가 : 7억3,000만 원 (매입가격 + 분담금)
일반분양가(예상) : 8억 원
투자 수익(예상) : 7,000만 원 (일반분양가 − 총매입가)

만약 송분당 씨의 아파트를 7억3,000만 원에 매입할 수 있다면 일반분양가와의 차익을 고려하여 최소 7,000만 원의 투자 수익을 얻을 수 있다는 결론이 나옵니다. 다만 실제 재건축이 진행될 때 평당 공사비가 인상된다면 분담금은 늘어날 수 있습니다. 또 실제 일반분양이 이뤄질 때 일반분양가가 높아진다면 분담금은 줄어들 수 있습니다.

아직 재건축이 가시화되지 않은 시점에서는 시세대로 6억 원에 매입할 수 있습니다. 그러나 재건축이 점점 가까워진다면 매매가는 점점 올라갈 것입니다. 이 점을 감안하여 미리 들어갈 것인지, 혹은 리스크를 줄이기 위해 좀 더 지켜보고 들어갈 것인지를 결정해야 합니다.

괜찮은 지역이라면 미리 관심을 갖자

발 빠른 투자자가 되고 싶다면 분당신도시에 위치한 여러 아파트 중에 사업성이 좋은 후보들을 몇 개 골라두고, 수시로 상황을 모니터링하면서 투자 타이밍을 가늠해보는 것이 좋을 것입니다.

그리고 그 기준이 될 수 있는 것이 앞서 배웠던 세대당 평균 대지지분입니다. 세대당 평균 대지지분이 크면서 용적률도 낮은 아파트가 있다면 훌륭한 투자처가 될 수 있을 것이고, 용적률은 낮지 않지만 세대당 평균 대지지분이 큰 아파트가 있다면 조건에 따라 사업성이 좋을 수 있다는 것을 미리 감안하시기 바랍니다.

분당구 아파트의 세대당 평균 대지지분 비교표

아래의 표는 분당구 아파트들의 용적률 및 세대당 평균 대지지분을 정리해본 것입니다. 분당에 관심 있는 투자자들에게 도움이 되길 바랍니다. 대지지분이 많다고 무조건 재건축 사업성이 좋은 것은 아니고 기타 여건에 따라 사업성은 달라질 수가 있습니다.

이러한 리스트를 제공해 드리는 이유는 이 자료를 만들기 위해서는 시간이 상당히 소요되기 때문에, 제가 미리 제공해 드림으로써 독자들의 편의를 돕기 위함입니다. 어디까지나 객관적인 자료를 참고하시라는 의미일 뿐 이중에서 어떤 아파트를 추천하거나 비판하려는 의도는 전혀 없다는 사실을 알아주시기 바랍니다.

분당구 단지별 세대당 평균 대지지분 리스트

동	마을	단지	용도지역	용적률(%)	입주년도(년.월)	총대지면적(㎡)	총대지면적(평)	세대수	세대당 평균 대지지분(평)
야탑동	장미마을	동부/코오롱	3종	202.01	93.03	10,5331.6	31862.8	2216	14.38
		현대	3종	214.07	93.04	96,705.6	29,253.4	2136	13.70
	매화마을	주공1단지	3종	163.64	95.12	26,360.5	7,974.1	562	14.19
		주공2단지	3종	200.69	95.07	49,155.8	14,869.6	1185	12.55
		주공3단지	2종	101.22	93.06	48,282.0	14,605.3	851	17.16
		주공4단지	2종	133.23	93.07	26,244.0	7,938.8	643	12.35
	탑마을	대우	3종	209.91	92.12	46,258.9	13,993.3	654	21.40
		기산/쌍용/진덕/경향	3종	211.95	93.06	76,715.2	23,206.3	1166	19.90
		경남/벽산	3종	212.82	94.02	85,493.0	25,861.6	1530	16.90
		진흥	2종	149.88	05.05	10,285.7	3,111.4	142	21.91
		주공8단지	2종	146.17	93.05	23,437.0	7,089.7	701	10.11
	목련마을	한신	3종	166.97	94.12	13,188.2	3,989.4	264	15.11
		영남	3종	167.99	95.10	14,643.0	4,429.5	294	15.07
		SK	2종	179.87	98.10	11,166.9	3,378.0	272	12.42

동	마을	단지	용도 지역	용적률 (%)	입주 년도 (년.월)	총대지 면적 (㎡)	총대지 면적 (평)	세대수	세대당 평균 대지지분 (평)
이매동	이매촌	삼환	3종	195.92	94.09	35,745.6	10,813.0	572	18.90
		삼성	3종	196.41	94.04	72,511.0	21,934.6	1162	18.88
		동신9차	3종	190.96	92.10	29,292.3	8,860.9	458	19.35
		진흥	3종	214.35	93.03	40,389.2	12,217.7	828	14.76
		성지	3종	162.52	92.10	19,967.5	6,040.2	304	19.87
		청구	3종	174.48	92.07	50,274.1	15,207.9	710	21.42
		동신3차	3종	190.80	92.10	29,305.9	8,865.0	460	19.27
		동부/코오롱	3종	211.94	93.06	18,213.3	5,509.5	264	20.87
		금강	3종	211.46	92.08	26,100.5	7,895.4	588	13.43
		한신	3종	210.34	93.11	45,519.2	13,769.5	1184	11.63
	아름마을	태영/한성/견영	3종	191.05	92.11	97,729.4	29,563.1	1350	21.90
		삼호/두산	3종	198.62	92.09	75,702.0	22,899.9	1132	20.23
		풍림	3종	204.01	93.08	54,750.7	16,562.1	876	18.91
		효성	3종	211.10	95.05	27,507.3	8,321.0	388	21.45
		선경	3종	183.97	93.10	17,033.3	5,152.6	370	13.93
서현동	시범단지	삼성/한신	3종	204.43	91.09	116,642.4	35,284.3	1781	19.81
		한양	3종	201.52	91.09	123,414.1	37,332.8	2419	15.43
		우성	3종	191.64	92.10	107,932.0	32,649.4	1874	17.42
		현대	3종	194.14	91.11	113,922.1	34,461.4	1695	20.33
	효자촌	현대	3종	185.33	92.05	47,901.4	14,490.2	710	20.41
		동아	3종	187.40	92.07	37,769.5	11,425.3	648	17.63
		삼환	3종	174.59	92.05	36,113.7	10,924.4	632	17.29
		임광	3종	186.80	93.04	47,437.8	14,349.9	732	19.60
		화성/럭키/대우/대창/미래	3종	159.57	94.08	114,787.5	34,723.2	1608	21.59
분당동	장안타운	건영1차	3종	162.12	94.02	88,330.5	26,720.0	1688	15.83
	샛별마을	동성	3종	144.17	92.06	38,947.0	11,781.5	582	20.24
		삼부	3종	144.95	92.05	40,618.0	12,286.9	588	20.90
		우방	3종	211.99	94.04	43,218.0	13,073.4	811	16.12
		라이프	3종	211.39	92.05	39,086.1	11,823.5	796	14.85
수내동	양지마을	한양(5단지)	3종	157.34	92.04	69,336.0	20,974.1	1430	14.67
		금호(1단지)	3종	215.92	93.02	64,849.0	19,616.8	918	21.37
		청구(2단지)	3종	214.26	92.12	52,995.3	16,031.1	768	20.87
		금호, 한양(3단지)	3종	215.91	90.06	53,464.6	16,173.0	814	19.87
	파크타운	대림/서한/삼익/롯데	3종	211.82	93.05	196,770.0	59,522.9	3028	19.66

동	마을	단지	용도 지역	용적률 (%)	입주 년도 (년.월)	총대지 면적 (㎡)	총대지 면적 (평)	세대수	세대당 평균 대지지분 (평)
수내동	푸른마을	벽산/쌍용/신성	3종	179.94	93.03	173,443.2	52,466.6	2610	20.10
정자동	한솔마을	주공4단지	3종	148.11	94.05	59,592.0	18,026.6	1651	10.92
		주공5단지	3종	170.43	94.11	45,046.0	13,626.4	1156	11.79
		주공6단지	3종	173.38	95.10	35,596.7	10,768.0	1039	10.36
		LG	3종	211.94	95.06	40,611.2	12,284.9	598	20.54
		한일	3종	154.95	93.10	29,333.0	8,873.2	416	21.33
		청구	3종	155.83	94.05	54,260.6	16,413.8	858	19.13
	느티마을	3단지	3종	178.60	94.12	37,627.2	11,382.2	770	14.78
		4단지	3종	180.54	94.12	46,622.8	14,103.4	1006	14.02
	상록마을	우성	3종	219.00	95.01	98,901.0	29,917.6	1762	16.98
		라이프	3종	202.63	94.06	46,782.2	14,151.6	750	18.87
	청솔마을	임광/보성	3종	182.98	95.05	26,781.1	8,101.3	568	14.26
	정든마을	한진6단지	3종	191.65	95.06	20,181.4	6,104.9	298	20.49
		한진7단지	3종	182.98	94.12	17,805.0	5,386.0	382	14.10
		한진8단지	3종	188.58	95.06	33,325.0	10,080.8	512	19.69
		신화	3종	214.82	95.10	31,656.0	9,575.9	564	16.98
		우성6단지	3종	174.02	94.06	35,720.0	10,805.3	706	15.30
		동아	3종	174.02	95.05	21,599.0	6,533.7	706	9.25
금곡동	청솔마을	한라	3종	207.99	95.12	30,464.0	9,215.4	768	12.00
		유천/화인	3종	184.12	95.12	29,494.5	8,922.1	624	14.30
		청솔공무원5단지	3종	151.76	94.12	25,210.0	7,626.0	474	16.09
		동아	3종	146.08	95.02	19,848.0	6,004.0	204	29.43
		주공9단지	3종	144.16	95.12	37,994.0	11,493.2	1020	11.27
		성원	3종	210.45	94.08	29,825.0	9,022.1	454	19.87
		대원	3종	205.54	94.05	51,006.8	15,429.6	820	18.82
		계룡	3종	206.87	96.07	19,650.6	5,944.3	492	12.08
		서광/영남	3종	183.98	95.07	19,107.0	5,779.9	408	14.17

동	마을	단지	용도 지역	용적률 (%)	입주 년도 (년.월)	총대지 면적 (㎡)	총대지 면적 (평)	세대수	세대당 평균 대지지분 (평)
구미동	까치마을	롯데/선경/대우	3종	145.83	95.11	61,312.0	18,546.9	976	19.00
		주공2단지	3종	150.66	95.03	38,050.0	11,510.1	768	14.99
		신원	3종	211.73	95.08	55,183.0	16,692.9	882	18.93
		롯데/선경	3종	182.83	95.07	57,093.3	17,270.7	1124	15.37
	하얀마을무지개	주공5단지	3종	131.63	95.08	29,775.0	9,006.9	779	11.56
		신한/건영	3종	256.59	96.02	39,782.0	12,034.1	964	12.48
		LG	3종	210.96	95.08	45,091.0	13,640.0	888	15.36
		대림	3종	209.98	95.07	35,940.4	10,872.0	778	13.97
		주공4단지	3종	170.22	95.12	25,000.8	7,562.7	563	13.43
		청구	3종	206.91	95.07	42,500.2	12,856.3	932	13.79
		금강	3종	167.99	95.11	10,780.8	3,261.2	216	15.10
		삼성/건영	3종	151.90	96.02	44,630.0	13,500.6	498	27.11
		주공12단지	3종	153.14	95.07	43,550.0	13,173.9	905	14.56
		라이프	3종	142.88	96.01	22,863.0	6,916.1	222	31.15
		동아	3종	137.90	95.06	13,297.0	4,022.3	132	30.47
		제일	3종	134.89	95.05	17,549.0	5,308.6	172	30.86

단, 이 표는 2017년 3월을 기준으로 작성된 것으로 조인스랜드 자료를 기준으로 정리한 것입니다. 타 출처의 자료와 수치가 조금씩 다르게 표기될 수 있습니다 . 따라서 참고자료로 활용하시되 투자를 결정하시기 전에는 정확한 정보를 확인하시기 바랍니다.

Chapter 05 Key Point

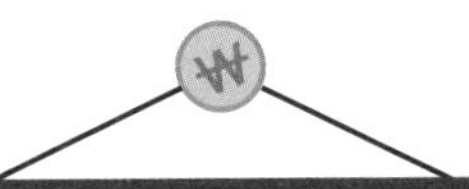

1 세대당 평균 대지지분은 단지의 총대지면적을 조합원 세대수로 나눈 것으로, 그 단지의 조합원들이 보유한 대지지분이 전반적으로 큰지 작은지를 보여준다.

2 세대당 평균 대지지분이 클수록 재건축 시 일반분양 물량이 많이 나오고, 그만큼 분담금이 줄어들어 사업성이 좋다.

3 세대당 평균 대지지분은 여러 단지의 사업성을 대략적으로 알아보고 비교할 때에 요긴하게 활용되며, 용적률이 작다고 무조건 사업성이 좋다고 믿는 '용적률의 함정'에 빠지는 것을 막아준다.

4 재건축 가능 연한을 몇 년 앞두고 있는 분당신도시는 투자자들이 미리 관심을 보이고 있는 지역이지만, 사업이 시작되기 전이라 사업성을 분석할 정보가 없다. 다만 성남시 내의 비슷한 용적률을 가진 재건축 사업장을 분석하고 이를 대입함으로써 미리 사업성을 예측할 수 있다.

남들보다 한 발 빠르게!
재건축 예상 단지 분석하기

목동 재건축 유망 단지를 중심으로

06

미리보기

사업성 분석을 위해서는 조합원분양가, 일반분양가, 일반분양 기여 대지지분 등 다양한 정보가 필요합니다. 그러나 이러한 정보가 완전히 공개될 때까지 기다리다가는 투자 타이밍을 놓칠 수도 있습니다. 남들보다 한 발 빠르게 움직이고 싶다면 남들보다 한 발 빠른 사업성 분석이 필요합니다.

이 챕터에서는 아직 사업이 본격화되지 않은 재건축 단지의 사업성을 미리 분석하는 법을 배웁니다. 같은 지역 내에서 진행되는 비슷한 조건의 사업장을 참고하되 사업장의 개별적 특성에 따라 변수를 조정하는 방법을 알려드립니다.

특히 이번 챕터에서 중심적으로 다룰 목동 재건축 단지는 아직 정비기본계획조차 수립되지 않은 상황이지만, 재건축 가능 연한이 다가오면서 투자자들의 관심이 집중되는 곳입니다. 2018년 이후 재건축 사업 추진이 기대되는 곳으로 대략적인 사업성을 미리 예측해 보겠습니다.

주요 개념 정리

일반분양가에 따른 일반분양 수익 : 재건축 사업의 수익은 조합원분양에 의한 수익과 일반분양에 의한 수익으로 나뉜다. 조합원분양 수익은 시공비와 기타사업비로 사용되므로 실제 수익이 아니지만, 일반분양가는 부동산 시장의 분위기에 따라 결정되므로 실제 수익이 된다. 일반분양가에서 순수건축비를 빼면 일반분양 수익이 나오며, 일반분양 수익이 클수록 사업성이 좋다.

용도지역 : 모든 토지는 토지의 이용 실태 및 특성, 장래의 토지 이용 방향 등을 고려하여 용도지역으로 구분하고 있다. 용도지역에 따라 지을 수 있는 건축물의 종류와 건폐율 및 용적률이 달라진다. 용적률이 높아질수록 아파트 한 세대를 지을 수 있는 필요 대지지분이 줄어들기 때문에 같은 면적의 땅 위에 더 많은 세대를 지을 수 있다.

좋아질 지역은 미리미리 분석해둬야 한다

최근 재건축 시장이 활성화되면서 투자자들의 관심도 높아지고 있습니다. 특히 관리처분계획 인가가 나고 이주 및 철거까지 진행된 사업장들은 투자의 불확실성이 사라진 만큼 거래도 활발하게 진행되는 모습입니다. 그러나 이런 사업장들은 이미 가격이 많이 올라 있기 때문에 추가로 얻을 이익이 적습니다. 그러다 보니 최근에는 투자자들이 사업 초기 단계의 재건축 사업장으로 눈을 돌리는 분위기입니다.

그러나 아무리 가격이 뛰는 게 뻔히 보여도 수익이 나지 않으면 아무 소용 없습니다. 초기 단계의 사업장을 찾는 투자자들이 늘어나면서 부작용도 함께 생기는 듯합니다. 수익이 1억 원은 될 거라고 예상하고 투자했는데, 막상 뚜껑을 열어보니 겨우 2,000만 원밖에 남지 않는다면? 혹은 P(프리미엄)를 1억 원 얹어주고 들어갔지만 나중에 얻은 수익은 겨우 1,000만 원뿐이라면?

말도 안 된다고 생각할 수 있지만 이런 일은 실제로 자주 일어납니다. 그 이유는 대부분 “여기는 ○○억 원까지는 반드시 오를 지역”이라는 주변의 말만 듣고, 실제로 수익이 날지 계산해 보지도 않은 채 ‘묻지마 투자’를 하기 때문입니다.

이런 상황을 이해 못하는 바는 아닙니다. 아직 정비기본계획도 나오지 않은 초기 단계에서 어떻게 수익을 분석할 수 있겠습니까? 구체적 기준이 없으니 정확한 판단도 어려울 수밖에 없습니다.

먼저 진행된 인근 재건축 사업을 참조하자

그런데 정말로 사업이 시작되지 않은 상황에서 미리 사업성 분석을 할 수는 없는 것일까요? 앞에서 살펴보았다시피, 저의 결론은 '충분히 분석이 가능하다'입니다. 이미 우리는 분담금 계산 공식과 세대당 평균 대지지분이라는 강력한 무기를 장착했습니다. 참고할 만한 자료만 있다면 비록 조합조차 설립되지 않은 지역이라도 얼마든지 사업성 분석이 가능한 것입니다.

여기서 '참고할 만한 자료'란 다름 아니라 동일 지역 내에 위치한 다른 사업장의 자료입니다. 재개발과 달리 재건축은 대부분 아파트 등 표준화된 집합건물을 대상으로 이루어지므로, 같은 지역에 속한다면 같은 틀 위에서 진행되는 것이 일반적입니다.

따라서 앞서 진행되고 있는 다른 재건축 사업장의 내용을 참고하면 어느 정도 윤곽을 그리는 것이 가능합니다. 마치 우리가 분당 재건축 유망 아파트를 분석할 때 성남시의 S단지를 참고한 것처럼 말입니다. 단, 이것은 재건축에만 해당되고, 사업 구조가 복잡한 재개발은 이렇게 계산하기가 어렵습니다.

이번 챕터에서는 많은 분들이 궁금해 하시는 목동 재건축 아파트의 사업성을 최대한 자세하게 분석해보려고 합니다. 이를 통해서 아직 사업이 시작되지 않은 유망 단지를 미리 분석하고, 남들보다 한 발 빠르게 진입할 수 있는 요령을 익히는 것입니다.

흔히 '목동 아파트'라고 불리는 목동신시가지아파트는 서울시 양천구 목동과 신정동 일대에 걸쳐 무려 14개 단지가 몰려있는 대규모 아파트 밀집지역입니다. 양천구청은 이 지역에 대해 2015년 11월에 지구단위계획 재정립을 위한 연구용역을 발주하였습니다. 용역 기간은 30개월로 2018년 6월에 결과 보고서가 나올 예정입니다. 용역 결과가 나오고 몇 년 후에는 목동신시가지

아파트의 재건축 사업이 본 궤도에 오를 것으로 보입니다.

이 말은 결국 2017년 현재 이 지역은 정비기본계획조차 나오지 않은 상태라는 뜻입니다. 그러나 서울시에서 진행되고 있는 다른 재건축 사업장의 사례를 참조한다면 우리는 남들보다 한 발 빠른 사업성 분석을 해 볼 수 있습니다.

목동 재건축 단지는 왜 주목받고 있나

목동 아파트 단지는 모두 1985년부터 1988년 사이에 지어졌습니다. 그래서 2015년에 정부가 재건축 가능 연한을 30년으로 단축했을 때 가장 크게 주목받았던 곳 중 하나입니다.

그러나 이곳은 그 이후로 한참이 지나도록 의외로 가격 상승폭이 크지 않았습니다. 비슷한 시기에 관심을 끌었던 개포주공아파트나 고덕주공아파트에 비해 사업 진행 속도가 늦다보니 투자자들의 관심이 적었던 것입니다. 그러다가 2016년 4월부터 무서운 상승세를 보이기 시작하더니 2017년 초반에는 재건축 투자 유망 지역으로서 투자자들의 관심을 가장 많이 끌고 있는 단지 중 하나가 되었습니다.

아직 정비기본계획조차 수립되지 않은 곳이 왜 이렇게 관심을 끌고 있을까요? 이곳에 투자하는 분들 중 상당수는 "그래도 목동이니까"라거나 "대지지분이 크니까"라는 이유를 들곤 합니다. 실제로 이곳 단지들 중에는 대형평수로서 대지지분이 큰 아파트가 많습니다. 게다가 대한민국에서 내로라하는 학군을 가지고 있어 실수요자들이 많습니다. 재건축되기만 하면 사업성이 상당할 것이라는 예측도 틀리지는 않다고 봅니다.

그러나 막연히 돈이 될 거라고 생각하는 것보다는 얼마의 투자금을 들여서 얼마의 수익을 얻게 될지 구체적으로 계산해보는 것이 확실한 투자에 도움이 됩니다. 아직 이 지역에 대한 별다른 자료는 없지만, 서울시에서 진행 중인 다른 사업장을 참고하여 목동 아파트의 재건축 사업성을 예측해 볼 수 있습니다.

그렇다면 어떤 사업장을 참조하면 좋을까요? 각자의 기준이 다르지만, 저는 이 책의 앞부분에서 다뤘던 5층짜리 재건축 아파트인 서울시 B단지의 사례를 참고하고자 합니다. 비교적 최근 사례일 뿐 아니라 비슷한 용적률을 적용받기 때문입니다. 이제부터는 B단지의 사례를 참고하여 목동 아파트 재건축의 미래를 가늠해 보도록 하겠습니다.

꿀팁 실거주와 재건축 투자의 두 마리 토끼 잡기

재건축은 재개발에 비해 사업 진행 속도가 빠르긴 하지만, 그럼에도 상당한 시간이 걸리는 것은 사실입니다. 정비기본계획 단계부터 입주까지 10년 정도 걸리는 게 보통입니다. 재건축 투자를 꺼리는 분들 중에는 "돈이 오래 묶인다"는 이유를 드는 분도 많습니다.

그러나 재건축 투자를 할 때 반드시 입주할 때까지 가지고 가겠다고 생각할 필요는 없습니다. 정비기본계획이 나오기 전이라도 용적률이 낮고 세대당 평균 대지지분이 많은 곳은 미리 선점해 두었다가, 재건축 기대감으로 시세가 오르면 매도하는 전략도 좋습니다.

만약 학군이 좋고 주변환경과 기타 편의시설이 잘 갖춰져 있어 살기 좋은 곳이라면 직접 실거주를 하면서 때를 기다리는 것도 방법입니다. 제가 생각하기에 이런 단지의 대표적인 곳이 바로 분당신도시와 목동신시가지아파트입니다. 학군이 좋으니 자녀들과 함께 실거주를 하다가, 자녀들이 졸업할 때쯤 본격적으로 재건축이 시작된다면 금상첨화이겠지요. 그때쯤 매도하고 빠져나와도 상당히 괜찮은 투자 수익이 예상됩니다.

사업성이 좋고 재건축이 잘 될 것 같은 아파트는 직접 살기에도 좋은 경우가 많습니다. 재건축 투자는 오랜 시간 기다려야 해서 부담스럽다면 실거주를 하면서 마음 편하게 기다리는 것도 방법입니다. 오히려 실거주와 투자의 두 마리 토끼를 잡는 좋은 전략이 될 수 있습니다.

세대당 평균 대지지분으로 개략적 사업성 판단하기

목동 재건축 단지가 정말로 사업성 있는 곳인지 알아보기 위해, 먼저 세대당 평균 대지지분을 살펴봅시다. 앞에서 배웠듯이 세대당 평균 대지지분은 총대지면적을 세대수로 나눈 것으로 개략적인 사업성 비교에 유용합니다.

아래 표는 목동 1단지부터 3단지까지의 용적률과 세대당 평균 대지지분을 나타낸 표입니다. 참고로 1~3단지는 용도지역이 2종일반주거지역입니다. 용적률은 130% 이하이면서 세대당 평균 대지지분은 26평 내지 28평까지로 매우 높은 편입니다.

목동신시가지아파트 1~3단지 평형별 대지지분(2종일반주거지역)

	평형	세대수	세대수 비율	전용면적(평)	대지지분(평)	세대당 평균 대지지분	용적률
1단지	20A평	60	3.19%	15.57	15.9	26.2평	129%
	20B평	60	3.19%	14.37	14.68		
	20C평	60	3.19%	15.57	15.9		
	20D평	60	3.19%	14.37	14.68		
	27A평	144	7.65%	19.97	20.26		
	27B평	288	15.30%	19.77	20.06		
	30A평	25	1.33%	25.18	22.96		
	35A평	100	5.31%	29.67	27.26		
	35B평	45	2.39%	29.31	26.71		
	35C평	180	9.56%	29.67	26.33		
	35D평	180	9.56%	29.99	27.32		
	35E평	90	4.78%	27.61	26.33		
	35F평	90	4.78%	26.77	25.54		
	35G평	90	4.78%	27.24	25.99		
	45A평	25	1.33%	37.26	34.21		

1단지	45B평	100	5.31%	34.83	37.95	26.2평	129%
	45C평	72	3.83%	35.18	35.33		
	58A평	84	4.46%	46.72	43.17		
	58B평	84	4.46%	46.72	43.17		
	합계	1,882	100%	총대지면적	49,307평		
2단지	27A평	180	10.98%	19.91	18.24	28.56평	124%
	27B평	180	10.98%	19.74	18.08		
	30A평	40	2.44%	25.26	23.15		
	35A평	50	3.05%	28.97	26.54		
	35B평	160	9.76%	28.8	26.39		
	35C평	234	14.27%	28.94	26.51		
	35D평	234	14.27%	29.62	27.14		
	35E평	48	2.93%	28.86	26.44		
	45A평	150	9.15%	37	33.9		
	45B평	76	4.63%	37	33.9		
	45C평	19	1.16%	37	33.9		
	45D평	78	4.76%	35.34	32.38		
	55A평	76	4.63%	46.17	42.3		
	55B평	19	1.16%	41.95	38.44		
	55C평	96	5.85%	43.56	39.91		
	합계	1,640	100%	총대지면적	46,887평		
3단지	27A평	600	37.78%	19.66	19.05	27.86평	122%
	30A평	46	2.90%	24.94	24.16		
	35A평	230	14.48%	28.96	28.07		
	35B평	184	11.59%	28.75	27.86		
	35C평	156	9.82%	28.79	27.9		
	45A평	75	4.72%	37.01	35.87		
	45B평	78	4.91%	35.13	34.04		
	55A평	60	3.78%	46.46	45.02		
	55B평	15	0.94%	42.65	41.33		
	55C평	60	3.78%	43.9	42.55		
	55D평	84	5.29%	43.9	42.55		
	합계	1,588	100%	총대지면적	44,164평		

이 책의 앞부분에서 살펴본 대로 서울시 B단지 아파트는 재건축 전의 세대당 평균 대지지분이 28.34평이었습니다. 그리고 재건축 후의 일반분양 물량은 759세대로, 종전 세대수인 890세대와 대비했을 때 약 85.3%로 높았습니다.

물론 이것은 B단지가 재건축 후의 평형을 중소형 중심으로 구성했기 때문이기는 합니다. B단지는 재건축 후 전용면적 84㎡ 이하의 평형을 전체 세대수의 94.55%가 되도록 배치했습니다. B단지뿐 아니라 최근에 진행되는 재건축 아파트들은 대부분 전용면적 84㎡ 이하의 평형을 80% 넘게 배치하여 일반분양 물량을 늘리는 추세입니다.

목동 1~3단지의 세대당 평균 대지지분은 26평 내지 28평으로 B단지와 비슷합니다. 따라서 중소형평형을 중심으로 재건축을 진행한다면 B단지와 마찬가지로 일반분양 물량이 기존 세대수 대비 최소 80% 이상은 될 것입니다.

목동 1~3단지가 전용면적 84㎡ 이하 평형을 전체 세대수의 80% 로 구성하여 재건축한다고 가정했을 때 나올 수 있는 일반분양 물량은 대략 다음과 같습니다.

서울시 B단지의 재건축 전후 상황 비교(관리처분계획 기준)

	재건축 전	재건축 후				
		총분양	일반분양	일반분양 비율	임대분양	임대분양 비율
세대수	890세대	1,745세대	759세대	85.3%	96세대	5.5%
총대지면적	25,224평					
세대당 평균 대지지분	28.34평	14.45평				
용적률	(5층)	249.97%				

목동 1~3단지의 예상 일반분양 물량

단지	기존 세대수	예상 일반분양 물량*		예상 총세대수
		세대수	기존 세대수 대비 비율	
목동 1단지	1,882세대	1,505세대	80%	3,387세대
목동 2단지	1,640세대	1,312세대	80%	2,952세대
목동 3단지	1,588세대	1,270세대	80%	2,858세대

* 일반분양 물량이 기존 세대수 대비 80%라고 가정하였음.

물론 실제로 평형 구성을 어떻게 하느냐에 따라 달라지긴 하겠지만, 그냥 보기에도 엄청난 수량입니다. 일반분양이 많다는 것은 분양 수입이 커진다는 뜻이고, 그만큼 분담금이 낮아지는 것은 당연한 거겠지요? 이처럼 아주 간단한 방법으로 확인해 보더라도 목동 재건축 아파트의 사업성은 매우 좋을 것이라는 예측이 가능합니다.

대지지분이 적으면 무조건 분담금이 많이 나올까

B단지는 현재 용적률 250%를 적용받아 재건축이 진행 중인데, 목동 1~3단지 역시 2종일반주거지역이므로 같은 용적률을 적용받게 됩니다. 본래 서울시의 경우 「도시 및 주거환경 정비기본계획」에 따른 2종일반주거지역의 재건축 허용 용적률은 200%입니다. 그런데 여기에 기부채납비율, 소형아파트 및 임대아파트 비율 등을 조정함으로써 용적률 인센티브를 받을 수 있습니다. 그래서 B단지는 법정상한용적률인 250%까지 용적률을 올린 것입니다. 똑같이 2종일반주거지역인 목동 1~3단지 역시 비슷하게 진행될 것이라고 생각합니다. 참고로, 3종일반주거지역의 경우 허용 용적률은 230%이고 법정상한용적률은 300%입니다.

서울시 B단지의 평형별 대지지분(관리처분계획 기준)

면적			감정평가액	권리가액
분양면적	전용면적	대지권		
18평형	55.12㎡	22.06평	417,193,971원	464,182,528원
21평형	65.10㎡	25.98평	487,799,612원	542,740,482원
24평형	75.69㎡	30.21평	557,540,690원	620,336,498원
27평형	84.67㎡	33.79평	617,255,517원	686,777,006원

앞서 살펴본 바 있듯이 B단지는 재건축 전 기존 18평형 아파트의 대지지분이 22.06평이었습니다. 그런데 목동 1단지는 분양평형이 더 넓지만 대지지분은 오히려 B단지보다 적습니다. 예를 들어 분양평형 27평형(전용면적 65.34㎡)의 경우 대지지분이 20.06평밖에 되지 않습니다. 이는 B단지가 모두 5층짜리인 저층아파트인 반면, 목동 1단지는 5층짜리뿐 아니라 15층짜리 중층아파트가 섞여 있기 때문입니다.

그렇다면 목동 1단지의 대지지분이 더 적으므로, B단지의 같은 평형보다 분담금이 더 많이 나오게 될까요? 꼭 그렇지는 않습니다. B단지의 일반분양가는 평당 2,000만 원 수준일 것으로 예상되는 반면 목동 1단지의 재건축 후 일반분양가는 최소한 평당 3,000만 원은 넘을 것이라고 보기 때문입니다.

물론 이것은 현재 상황에서의 추측일 뿐이지만, 정말로 그렇다면 일반분양가가 높은 만큼 분담금이 줄어들게 됩니다. 따라서 대지지분이 상대적으로 적다고 반드시 분담금이 많이 나온다고 보기는 어렵습니다. 정말로 그러한지, 이제부터는 제가 만든 공식으로 좀 더 자세하게 분담금을 계산해 보도록 하겠습니다.

타 사업장을 참고하여 분담금을 예측할 수 있다

목동신시가지아파트 1단지에 27평형(전용면적 65.34㎡)의 아파트를 보유한 최목동 씨는 이 아파트의 재건축 이야기가 솔솔 흘러나오자 가슴이 들떠 있습니다. 만약 재건축이 된다면 최목동 씨는 34평형(전용면적 84㎡)의 아파트를 분양받고 싶지만, 분담금이 많이 나올까봐 걱정입니다.

4단계 공식으로 분담금 계산해보기

아직 구체적인 자료가 나와 있지 않아서 답답하기만 한 최목동 씨는 어떻게 분담금을 추산해 볼 수 있을까요? 방법은 어렵지 않습니다. 서울시 B단지 재건축 아파트의 관리처분계획을 참조해서 우리가 앞서 배운 4단계의 방식에 따라 분담금을 추산해 보면 됩니다. 분담금을 구하려면 먼저 34평형의 조합원 건축원가를 계산하고, 여기에서 최목동 씨의 일반분양 기여 금액을 빼야 합니다.

Step 1 : 34평형의 조합원 건축원가 계산하기

먼저 34평형 조합원 건축원가를 구해봅시다. 조합원 건축원가는 순수건축비와 기타사업비를 합한 것입니다. 그리고 순수건축비와 기타사업비는 평당 공사비(평당 시공비)를 통해 알 수 있습니다.

앞서 B단지 관리처분계획 상 평당 공사비는 420만 원이었습니다. 그러나 목동 1단지가 재건축될 때쯤이면 평당 공사비가 아마도 500만 원은 될 것이라고 예상됩니다. 그리고 B단지의 경우 34평형 아파트의 계약면적은 55평이었습니다. 이것을 곱하면 34평형 아파트를 짓기 위해 들어가는 순수건축비는 약 2억7,500만 원으로 산출됩니다.

34평형 순수건축비 = 평당 공사비 × 계약면적
= 500만 원 × 55평
= 약 2억7,500만 원

기타사업비는 순수건축비의 33%로 추산할 수 있다고 했습니다. 34평형 아파트가 기준평형이라고 가정할 때, 34평 아파트의 기타사업비는 순수건축비의 33%인 약 9,075만 원으로 추산됩니다.

기타사업비 = 34평형 순수건축비 × 33%
= 2억7,500만 원 × 33%
= 약 9,075만 원

그리고 조합원 건축원가는 이 두 가지를 합한 3억6,575만 원이 되겠지요. 또는 순수건축비의 133%로 계산해도 같은 결과가 나옵니다.

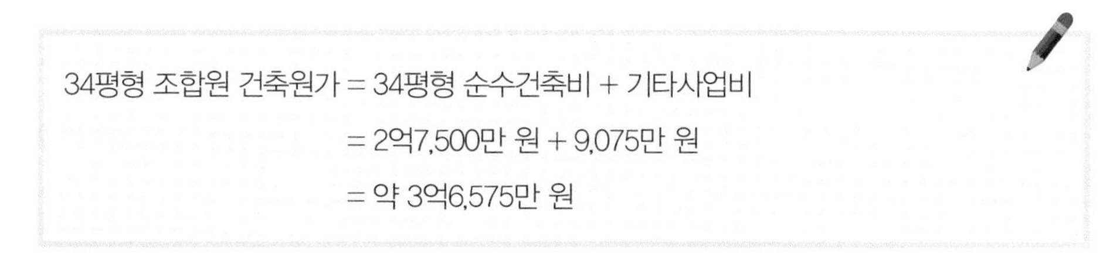
34평형 조합원 건축원가 = 34평형 순수건축비 + 기타사업비
= 2억7,500만 원 + 9,075만 원
= 약 3억6,575만 원

34평형 조합원 건축원가 = 34평형 순수건축비 × 133%
= (평당 공사비 × 계약면적) × 133%
= (500만 원 × 55평) × 133%
= 약 3억6,575만 원

Step 2 : 일반분양 기여 대지지분 계산하기

이번에는 일반분양 기여 대지지분을 계산해 볼 차례입니다. 앞서 최목동 씨가 가진 목동 1단지 27평형(전용 65.34㎡) 아파트의 대지지분은 20.06평이라고 했습니다. 만약 B단지와 마찬가지로 목동 1단지 역시 기부채납비율이 12.5%라면, 최목동 씨의 대지지분 중에 기부채납면적(약 2.5평)을 빼고 남은 대지지분은 약 17.55평입니다.

용적률 250%를 적용할 때 34평형의 조합원분양 필요 대지지분은 13.25평이므로(특별부록 「용적률 별 필요 대지지분표」 참조) 일반분양 기여 대지지분은 4.3평이 됩니다.

일반분양 기여 대지지분
= 보유 대지지분 - 기부채납면적 - 34평형 조합원분양 필요 대지지분
= 20.06평 − (20.06평 × 12.5%) − 13.25평
= 약 4.3평

Step 3 : 일반분양 기여 금액 계산하기

이번에는 일반분양 수익을 계산해봅시다. 일반분양 수익은 일반분양가에서 순수건축비를 빼서 구합니다. 목동 1단지 아파트의 재건축 시 일반분양가는 평당 3,000만 원을 넘을 것이라고 예상되기 때문에, 여기에서는 34평형(전용 84㎡) 아파트의 일반분양가를 10억 원이라고 가정해 보겠습니다.

이 10억 원에서 순수건축비를 빼면 일반분양 수익이 산출됩니다. 이때 기타 사업비는 고려하지 않는다는 것을 기억하시기 바랍니다. 기타사업비는 이미 조합원 건축원가에 모두 반영되었기 때문입니다. 계산 결과 34평형 아파트 한 채를 일반분양했을 때 발생하는 수익은 7억2,500만 원입니다.

일반분양 수익 = 34평형 일반분양가 - 34평형 순수건축비
= 10억 원 - (500만 원×55평)
= 약 7억2,500만 원

34평형 일반분양 아파트의 필요 대지지분은 13.25평 입니다. 따라서 일반분양 수익 7억2,500만 원을 13.25평으로 나누면 대지지분 1평당 일반분양 수익인 5,471만 원이 나옵니다.

대지지분 1평당 일반분양 수익 = 일반분양 수익 / 34평형 필요 대지지분
= 7억2,500만 원 / 13.25평
= 약 5,471만 원

앞서 최목동 씨는 4.3평의 대지를 일반분양에 기여했습니다. 따라서 대지지분 평당 일반분양 수익에 4.3평을 곱하면 최목동 씨가 일반분양에 기여한 금액은 2억3,525만 원이라고 생각할 수 있습니다.

일반분양 기여 금액 = 대지지분 1평당 일반분양 수익 × 일반분양 기여 대지지분
= 5,471만 원 × 4.3평
= 약 2억3,525만 원

Step 4 : 분담금 계산하기

34평형의 조합원 건축원가는 3억6,575만 원이었습니다. 여기에서 일반분양 기여 금액인 2억3,525만 원을 빼면 1억3,050만 원이 나옵니다. 이 금액이 바로 최목동 씨가 내야 할 분담금입니다.

분담금 = 34평 조합원 건축원가 - 일반분양 기여 금액
= 3억6,575만 원 - 2억3,525만 원
= 약 1억3,050만 원

이러한 계산 과정을 엑셀 표를 이용해서 구해보면 오른쪽과 같습니다. 결론적으로 최목동 씨의 예상 분담금은 1억3,050만 원이라고 추산해 볼 수 있습니다.

물론 이것은 정확한 수치가 아니고, 구체적 사업계획이 나오기 전 단계에서 추측해 본 수치일 뿐입니다. 목동 아파트의 재건축 사업이 본격화될 때에는 수치들이 달라질 수 있다는 뜻입니다. 하지만 개략적인 금액을 유추해 봄으로써 투자수익이 어느 정도일지 큰 방향성을 가늠해보는 데에는 충분합니다. 그러므로 여기에서는 사업 초기 단계에서 투자를 결정하기 위한 참고자료 정도로만 생각하시고, 사업성을 추산하는 방법을 익히는 데에 의미를 두시기 바랍니다.

복잡한 공식과 숫자 때문에 머리에 쥐가 난다고 하는 분도 있을 것입니다. 그렇다면 하나만 기억하시기 바랍니다. 아직 구체적인 자료가 나오지 않은 재건축 사업 초창기에는 이미 진행되고 있는 다른 사업장의 자료를 대입해서 개략적인 투자수익을 예측해 볼 수 있다는 사실입니다.

최목동 씨의 예상 분담금 분석

○ 가정사항

* 일반분양 평형	**전용 84㎡(34평)**	
* 계약면적(평)	55	
* 평당 시공비(원)	**5,000,000**	
* 34평 조합원 건축원가	365,750,000	
* 순수건축비(75%)	**275,000,000**	
* 기타사업비(25%)	**90,750,000**	
* 전용면적&용적율	전용 84㎡(34평)	**250%**
* 필요대지지분		13.25
* 해당 평수 대지지분	**20.06**	
* 기부채납비율	**12.50%**	
* 아파트용 대지	17.55	
* 일반분양 기여 대지지분	4.30	

○ 분담금 산출

* 일반분양가 가정(a)	**1,000,000,000**
* 건축비(b)	275,000,000
* 일반 분양수익(a-b)	725,000,000
* 필요 대지지분	13.25
* 대지 지분 1평당 일반분양 수익	54,716,981
* 일반 분양 기여 대지지분	4.30
* 일반분양 기여금액	235,419,811
* 분담금	**130,330,189**

일반분양가가 변하면 사업성은 어떻게 될까

앞서 B단지 재건축 사례에서 살펴보았던 김대박 씨의 기억하시나요? 김대박 씨의 경우는 평당 공사비(평당 시공비) 420만 원, 대지지분 22.06평이었고 신축 34평형 아파트를 조합원분양으로 받을 경우 분담금은 1억2,564만 원이었습니다.

목동 1단지 사례로 살펴본 최목동 씨의 경우는 물가상승률 등을 고려하여 평당 공사비를 500만 원으로 가정했고, 대지지분은 20.06평으로 더 적었는데도 똑같이 34평형 아파트를 조합원분양으로 받을 경우 분담금이 1억3,050만 원이었습니다.

주목해야 할 점은 최목동 씨의 경우가 평당 공사비도 더 높고, 대지지분은 적음에도 불구하고 예상 분담금이 B단지의 김대박 씨와 비슷하게 나왔다는 사실입니다. 왜 그렇게 되었을까요? 가장 큰 이유는 B단지보다 목동 1단지의 일반분양 예상가가 더 높기 때문입니다. 일반분양가가 높아지면서 일반분양 수익도 늘어나고, 그만큼 조합원들 개개인의 일반분양 기여금액이 늘어나면서 분담금이 줄어든 것입니다.

일반분양가가 높을수록 분담금이 줄어든다

이는 재건축 사업에서 대지지분 못지 않게 중요한 것이 일반분양가라는 점을 시사합니다. 만약 목동 1단지의 일반분양가가 10억 원이 아니라 그보다 낮아지거나 높아진다면 최목동 씨의 분담금은 어떻게 변할까요?

아래는 평당 공사비 500만 원, 기부채납비율 12.5%, 용적률 250%라는 조건이 동일할 때 일반분양가가 5,000만 원씩 변함에 따라 최목동 씨의 분담금이 어떻게 달라지는지 계산해본 결과입니다. 계산 방법은 앞에서 했던 4단계 방식을 그대로 적용하면 됩니다.

표를 보면 34평형의 일반분양가가 9억 원일 경우 최목동 씨의 분담금은 1억6,280만 원이 됩니다. 앞에서 살펴본 일반분양가 10억 원일 때보다 약 3,000만 원 정도가 늘어난 금액입니다. 반면 일반분양을 11억 원에 하게 되면 분담금은 9,785만 원으로 약 3,000만 원 정도 줄어들게 됩니다. 결론적으로 최목동 씨의 경우는 일반분양가가 1억 원씩 변동될 때마다 분담금은 약 3,000만 원씩 변동된다고 생각할 수 있습니다.

일반분양가 변동에 따른 최목동 씨의 분담금 변화

일반분양 예상가	9억	9억5,000만 원	10억 원	10억5,000만 원	11억 원
순수건축비	2억7,500만 원	2억7,500만 원	2억7,500만 원	2억7,500만 원	2억7,500만 원
일반분양 수익	6억2,500만 원	6억7,500만 원	7억2,500만 원	7억7,500만 원	8억2,500만 원
대지지분 1평당 일반분양 수익	4,716만 원	5,094만 원	5,471만 원	5,849만 원	6,226만 원
일반분양 기여 대지지분	4.3평	4.3평	4.3평	4.3평	4.3평
일반분양 기여 금액	2억294만 원	2억1,918만 원	2억3,525만 원	2억5,165만 원	2억6,789만 원
34평형 조합원 건축원가	3억6,575만 원	3억6,575만 원	3억6,575만 원	3억6,575만 원	3억6,575만 원
분담금	**1억6,280만 원**	**1억4,656만 원**	**1억3,050만 원**	**1억1,409만 원**	**9,785만 원**

※ 평당 공사비 500만 원, 기부채납비율 12.5%, 용적률 250%를 적용했을 경우

이 아파트가 재건축이 진행되고 일반분양을 하게 될 때쯤에 하필 부동산 경기가 나빠지면 일반분양가가 떨어질 수 있습니다. 그렇게 되면 최목동 씨의 분담금은 늘어나게 될 것입니다. 반대로 일반분양할 때의 부동산 경기가 더욱 좋아져서 일반분양가가 더 높아진다면 최목동 씨의 분담금은 줄어들게 됩니다.

흔히 재건축 투자를 할 때에는 대지면적, 세대수, 용적률 등만 살피는 경우가 많습니다. 하지만 그 외에도 일반분양가가 중요한 영향을 미친다는 것을 잊지 마시기 바랍니다.

이 말의 의미는 주변 시세가 높은 지역일수록 사업성이 좋을 가능성이 높다는 뜻입니다. 주변 시세가 높은 곳은 비록 매입가격이 높고 투자금이 많이 들어갈 수는 있지만, 일반분양 역시 높은 가격에 되면서 분담금이 적을 수 있기 때문입니다. 투자를 결정할 때에는 이러한 점을 반드시 고려하시기 바랍니다.

공사비가 변하면 사업성은 어떻게 될까

지금까지의 계산에서는 평당 공사비를 500만 원으로 가정했지만, 목동 재건축이 본격화될 때에는 평당 공사비가 500만 원보다 높을 수도 있고 낮을 수도 있습니다.

평당 공사비가 오르면 사업비도 늘어나고, 결과적으로 분담금이 늘어날 수 있습니다. 보다 현실성 있는 결과를 도출하기 위해서는 평당 공사비가 예상보다 높아질 경우와 낮아질 경우도 미리 고려해보는 게 좋습니다.

공사비 변동에 따른 최목동 씨의 분담금 변화

평당	450만 원	460만 원	470만 원	480만 원	490만 원	500만 원
순수건축비	2억4,750만 원	2억5,300만 원	2억5,850만 원	2억6,400만 원	2억6,950만 원	2억7,500만 원
일반분양 예상가	10억 원	10억 원	10억 원	10억 원	10억 원	10억 원
일반분양 수익	7억5,250만 원	7억4,700만 원	7억4,150만 원	7억3,600만 원	7억3,050만 원	7억2,500만 원
대지지분 1평당 일반분양 수익	5,679만 원	5,637만 원	5,596만 원	5,554만 원	5,513만 원	5,471만 원
일반분양 기여 대지지분	4.3평	4.3평	4.3평	4.3평	4.3평	4.3평
일반분양 기여 금액	2억4,420만 원	2억4,239만 원	2억4,063만 원	2억3,882만 원	2억3,706만 원	2억3,525만 원
34평형 조합원 건축원가	3억2,917만 원	3억3,649만 원	3억4,380만 원	3억5,112만 원	3억5,843만 원	3억6,575만 원
분담금	**8,497만 원**	**9,410만 원**	**1억317만 원**	**1억1,230만 원**	**1억2,137만 원**	**1억3,050만 원**

※ 일반분양가 10억 원, 기부채납비율 12.5%, 용적률 250%를 적용했을 경우

앞의 표는 평당 공사비가 450만 원 에서 500만 원까지 오를 때의 결과를 10만 원 단위로 시뮬레이션 해 본 것입니다. 단, 34평형의 일반분양가는 10억 원이고, 기부채납비율은 12.5%이며, 용적률은 250%라는 조건을 동일하게 적용했습니다. 구하는 방법은 역시 앞에서 계산해본 4단계 계산 방식을 적용하면 됩니다. 표를 보면 평당 공사비가 450만 원일 때 분담금은 8,497만 원이 되고, 평당 공사비가 460만 원일 때 분담금은 9,410만 원이 됩니다. 평당 공사비가 10만 원씩 늘어날 때마다 약 900만 원에서 1,000만 원 정도씩 분담금이 늘어난다는 것을 알 수 있습니다.

최근에는 고급화된 아파트를 추구하면서 공사비가 높아지는 경향이 있습니다. 공사비는 총사업비의 75%를 차지하는 중요한 항목입니다. 따라서 현실적인 공사비가 어느 정도일지 예측하는 것은 분담금을 추산하기 위한 가장 기본 사항이 됩니다.

기부채납비율이 변하면 사업성은 어떻게 될까

목동신시가지아파트는 지구단위계획 재정립을 위한 연구용역이 진행 중입니다. 용역 결과에 따라 가장 큰 영향을 받게 되는 것이 용적률과 기부채납비율입니다.

목동신시가지아파트는 세대당 평균 대지지분이 전반적으로 크기 때문에 재건축 후 세대수가 상당히 많이 늘어날 것입니다. 그러나 많은 세대수 증가가 예상되는 만큼, 이번 지구단위계획 재정립 용역 결과에는 기부채납비율이 높게 나올 것으로 예측이 됩니다. 세대수가 많아지면 그에 따라 학교나 녹지, 공원 등도 많아져야 하기 때문입니다.

세대수가 많아지면 기부채납도 늘어난다

기부채납비율 높아지면 아파트를 지을 수 있는 대지지분은 줄어들게 됩니다. 그만큼 일반분양 물량이 줄어들기 때문에 분담금에도 안 좋은 영향을 미치게 되지요.

그렇다면 기부채납비율이 변동할 경우 분담금은 어떻게 변화하는지 한 번 계산해 보겠습니다. 이때의 조건은 34평형의 일반분양가가 10억 원, 용적률 250%, 평당 공사비는 500만 원이라고 가정합니다. 구하는 방법은 역시 앞서 살펴본 4단계 계산법을 활용하면 됩니다. 뒤 쪽의 표는 그 결과를 정리한 것입니다.

표를 살펴보면 기부채납비율이 10%일 때 일반분양 기여 대지지분은 4.8평이고 분담금은 1억314만 원입니다. 그리고 기부채납비율이 11%로 1% 증가하게 되면 일반분양 기여 대지지분이 4.6평으로 줄어들면서 분담금은 1억1,408만 원으로 늘어납니다.

결과적으로 기부채납비율이 1%씩 증가하면 일반분양 기여 대지지분이 약 0.2평씩 줄어들면서 분담금은 약 1,000만 원 내지 1,100만 원 정도 증가함을 알 수 있습니다.

앞서 34평형의 일반분양가가 10억 원이고 평당 시공비가 500만 원, 기부채납비율이 12.5%였을 때 최목동 씨의 분담금은 약 1억3,000만 원 정도였습니다. 그런데 만약 연구용역 결과 세대수가 늘어남에 따라 기부채납비율이 늘

기부채납비율 변동에 따른 최목동 씨의 분담금 변화

기부채납 비율	10%	11%	12%	13%	14%	15%
순수건축비	2억7,500만 원	2억7,500만 원	2억7,500만 원	2억7,500만 원	2억7,500만 원	2억7,500만 원
일반분양 수익	7억2,500만 원	7억2,500만 원	7억2,500만 원	7억2,500만 원	7억2,500만 원	7억2,500만 원
대지지분 1평당 일반분양 수익	5,471만 원	5,471만 원	5,471만 원	5,471만 원	5,471만 원	5,471만 원
일반분양 기여 대지지분	4.8평	4.6평	4.4평	4.2평	4.0평	3.8평
일반분양 기여 금액	2억6,261만 원	2억5,167만 원	2억4,072만 원	2억2,978만 원	2억1,884만 원	2억0,790만 원
34평 조합원 건축원가	3억6,575만 원	3억6,575만 원	3억6,575만 원	3억6,575만 원	3억6,575만 원	3억6,575만 원
분담금	**1억314만 원**	**1억1,408만 원**	**1억2,503만 원**	**1억3,597만 원**	**1억4,691만 원**	**1억5,785만 원**

※ 일반분양가 10억 원, 평당 시공비 500만 원, 용적률 250%를 적용했을 경우

어난다면 최목동 씨의 분담금도 늘어나게 될 것입니다.

만약 기부채납비율이 15%로 증가한다면 분담금은 약 2,500만 원 정도 늘어난 1억5,500만 원 정도라고 예상할 수 있습니다. 이처럼 기부채납 비율 역시 사업성에 영향을 미친다는 점을 고려하여 투자를 결정하시기 바랍니다.

용적률이 변하면 사업성은 어떻게 될까

지금까지 살펴본 사업성 분석은 모두 용적률 250% 적용을 가정한 것입니다. 현재 목동 1~3단지는 모두 2종일반주거지역으로서 법정상한용적률이 250%이기 때문입니다. 그런데 만약 연구용역 결과에 따라 이 지역이 용적률 300%까지 적용 가능한 3종일반주거지역으로 종상향이 된다면 결과는 어떻게 될지 궁금하지 않으신가요?

용적률이 달라지면 아파트 한 세대를 짓는 데에 들어가는 필요 대지지분의 크기가 달라집니다. 즉, 용적률 250%일 때 34평형(전용면적 84㎡) 아파트의 필요 대지지분은 13.25평이지만, 용적률이 300%로 높아지면 34평형 아파트의 필요 대지지분은 10.75평으로 줄어듭니다(특별부록 「용적률 별 필요 대지지분표」 참조). 다시 말해서 용적률이 높아지면 같은 면적의 대지 위에 더 많은 아파트를 지을 수 있다는 뜻입니다.

용적률에 따라 필요 대지지분이 달라진다

용적률 250%일 때와 300%일 때 최목동 씨가 보유한 대지지분 20.06평이 어떻게 사용되는지 살펴봅시다. 기부채납비율이 똑같이 12.5%라면 아파트를 지을 수 있는 대지지분은 용적률 250%일 때나 300%일 때나 둘 다 약 17.55

평으로 동일합니다.

그러나 용적률 250%일 때 34평형의 필요 대지지분은 13.25평이므로, 조합원분양을 위한 대지지분을 빼고 나면 최목동 씨가 일반분양에 기여한 대지지분은 4.3평입니다.

반면 용적률 300%일 때 34평형의 필요 대지지분은 10.75평이므로, 조합원분양을 위한 대지지분을 빼고 나면 일반분양에 기여한 대지지분은 훨씬 늘어난 6.8평이 됩니다.

일반분양 기여 대지지분
= 보유 대지지분 - 기부채납 - 34평형 조합원분양 필요 대지지분

→ 용적률 250%일 때
= 20.06평 – (20.06평 × 12.5%) – 13.25평
= 4.3평

→ 용적률 300%일 때
= 20.06평 – (20.06평 × 12.5%) – 10.75평
= 6.8평

여기서 끝이 아닙니다. 필요 대지지분이 줄어들었으므로 대지지분 1평당 일반분양 수익도 높아집니다. 앞에서 용적률이 250%였을 때에는 일반분양가 10억 원, 평당 공사비 500만 원이라는 조건을 전제로 계산했을 때 대지지분 1평당 일반분양 수익이 5,471만 원이었습니다. 그런데 같은 조건에서 용적률만 300%로 높아지면 대지지분 1평당 일반분양 수익은 약 6,744만 원으로 계산됩니다.

대지지분 1평당 일반분양 수익 = 일반분양 수익 / 필요 대지지분
= (일반분양가 - 순수건축비) / 필요 대지지분
= { (10억 원 - 500만 원 × 55평) } / 10.75평
= 약 6,744만 원

일반분양에 기여한 대지지분도 늘어나고, 대지지분 1평당 수익도 늘어났습니다. 그렇다면 두 개를 곱해서 산출하는 일반분양 기여 금액도 늘어나는 것은 당연하겠지요. 계산 결과, 일반분양 기여 금액은 약 4억5,859만 원이 나옵니다.

그런데 이 아파트의 조합원 건축원가는 3억6,575만 원이었습니다. 분담금을 계산해보니 -9,284만 원이 나옵니다.

일반분양 기여 금액 = 대지지분 1평당 일반분양 수익 × 일반분양 기여 대지지분
= 6,744만 원 ×6.8평
= 약 4억5,859만 원

분담금 = 조합원 건축원가 - 일반분양 기여 금액
= 3억6,575만 원 - 4억5,859만 원
= 약 -9,284만 원

마이너스(-)가 붙었다는 것은 무슨 뜻일까요? 바로 조합원들이 그만큼 환급을 받는다는 뜻입니다. 놀랍지 않으신가요? 이게 용적률 250%와 용적률 300%의 사업성의 차이입니다.

오른쪽 표는 용도지역이 3종일반주거지역으로 종상향되었을 때 일반분양가 변동에 따른 최목동 씨의 분담금을 계산해본 것입니다. 조건은 평당 시공

비 500만 원, 기부채납비율 12.5%, 용적률 300%를 전제로 합니다.

표를 보면 일반분양가가 9억 원일 때 최목동 씨는 2,953만 원을 환급받게 되고, 일반분양가가 10억 원이면 9,284만 원을 환급받게 됩니다. 만약 일반분양을 할 시점에 부동산 시장이 좋아서 11억 원에 일반분양을 한다면 무려 1억5,608만 원을 환급받게 됩니다.

결론적으로, 목동신시가지아파트 1단지의 경우 다른 조건이 같다면 용도지역에 따라 분담금이 2억 원 이상도 차이가 납니다. 대지지분이 비슷해도 용도지역이 2종이냐, 3종이냐에 따라서 결과가 엄청나게 달라진다는 것을 알 수 있습니다. 투자자들이 3종일반주거지역을 선호하는 이유를 이제 아실 겁니다. 목동 1~7단지의 지구단위계획 재정립 용역 결과는 2018년 6월에 나올 예정입니다. 이에 따라서 1~3단지가 종상향이 될 수도 있고, 현재와 같이 진행될 수도 있습니다. 참고로 4~7단지는 현재 3종일반주거지역입니다.

용적률 300%일 때 일반분양가에 따른 최목동 씨의 분담금 변화

일반분양 예상가	9억 원	9억5,000만 원	10억 원	10억5,000만 원	11억 원
순수건축비	2억7,500만 원	2억7,500만 원	2억7,500만 원	2억7,500만 원	2억7,500만 원
일반분양 수익	6억2,500만 원	6억7,500만 원	7억2,500만 원	7억7,500만 원	8억2,500만 원
대지지분 1평당 일반분양 수익	5,813만 원	6,279만 원	6,744만 원	7,209만 원	7,674만 원
일반분양 기여 대지지분	6.8평	6.8평	6.8평	6.8평	6.8평
일반분양 기여 금액	3억9,528만 원	4억2,697만 원	4억5,859만 원	4억9,021만 원	5억2,183만 원
34평 조합원 건축원가	3억6,575만 원	3억6,575만 원	3억6,575만 원	3억6,575만 원	3억6,575만 원
분담금	**−2,953만 원**	**−6,122만 원**	**−9,284만 원**	**−1억2,446만 원**	**−1억5,608만 원**

※ 평당 공사비 500만 원, 기부채납비율 12.5%, 용적률 300%를 적용했을 경우

만약 종상향이 된다면 사업성은 좋아질 것이 분명합니다. 다만 종상향이 되면 재건축 후 세대수가 훨씬 많아지므로 이에 따른 학교용지, 공원, 도로 등의 기부채납 비율이 높아질 가능성도 배제할 수 없습니다. 따라서 종상향이 되면 무조건 분담금을 환급받는다고 생각하시면 안 되고, 기부채납비율도 눈여겨봐야 할 것입니다.

만약 목동신시가지아파트에 재건축을 염두에 두고 투자를 하고 싶다면 우선 대지지분이 큰 물건이 좋고, 당연히 2종 보다는 3종 지역의 아파트를 선택하는 것이 좋고, 무엇보다 세대당 평균 대지지분이 많은 단지를 선택하는 것이 좋습니다. 왜냐하면 세대당 평균 대지지분이 많다는 것은 그만큼 일반분양물량이 많아서 총분양수입이 증가하게 되고 그러면 사업성이 좋아지기 때문입니다. 사업성이 좋으면 당연히 조합원들에게 더 많은 혜택을 줄 수 있고 분담금도 줄어듭니다.

다른 사업장에도 적용이 가능하다

이 표는 목동에만 해당되는 것이 아닙니다. 좀 더 폭넓게 활용한다면 서울시 내의 용도지역 3종일반주거지역인 곳 중에서 대지지분이 약 20평 정도인 아파트를 찾아 투자수익을 계산할 때에도 유용합니다.

예를 들어 이러한 조건에 맞는 아파트인데 일반분양가가 10억 원으로 예상된다고 합시다. 우리는 이미 이 아파트의 분담금이 약 -9,284만 원, 즉 9,284만 원을 환급받는다는 사실을 알고 있습니다. 만약 이 아파트의 현재 시세가 8억5,000만 원이라면 이 아파트에 대한 투자금은 약 7억5,716만 원이라는 것을 알 수 있겠지요.

투자금 = 매입가격 + 예상 분담금
= 8억5,000만 원 - 9,284만 원
= 약 7억5,716만 원

그리고 이 아파트의 일반분양가가 10억 원이라고 예상했으므로, 투자수익은 약 2억4,284만 원이라고 예측해 볼 수 있습니다.

투자수익 = 일반분양 예상가 - 투자금
= 10억 원 - 7억5,716만 원
= 약 2억4,284만 원

만약 서울시에 있으면서 용도지역 3종일반주거지역이고 대지지분이 약 20평 정도로 비슷하지만, 일반분양가는 약 9억 원으로 예상되는 아파트라면 어떨까요? 앞의 표에서 살펴본 바에 의하면 분담금은 −2,953만 원, 즉 2,953만 원을 환급받는다는 결론이 나오므로 이를 고려하여 투자금을 산출할 수 있습니다.

이처럼 하나의 재건축 사업장에 대한 분담금 표를 만들어두면 비슷한 조건의 다른 아파트 재건축에도 적용이 가능합니다. 변수를 조정해 가며 활용할 수 있기 때문입니다. 재건축 사업의 자료를 분석하는 것은 그 자체로 다른 투자를 위한 디딤돌이 되는 것입니다.

목동신시가지아파트 단지별 대지지분표

지금까지의 사업성 분석은 목동신시가지아파트 1~3단지를 기준으로 살펴보았습니다. 이 단지는 2종일반주거지역으로 법정상한용적률 250%를 적용받습니다. 그런데 말씀드렸듯이 목동신시가지아파트 4~7단지는 3종일반주거지역으로 용적률 300%를 적용받는 지역입니다. 또한 양천구 신정동에 위치한 목동신시가지아파트 8~14단지 역시 3종일반주거지역으로 법정상한용적률 300%를 적용받습니다. 따라서 이들 단지의 사업성 분석을 하기 위해서는 용적률 300%일 때를 기준으로 하셔야 합니다.

이 지역에 관심 있는 독자들을 위해 3종일반주거지역에 속하는 4~7단지와 8~14단지의 대지지분표를 정리해보았습니다. 앞에 등장한 1~3단지의 대지지분표와 함께 투자에 참고하시기 바랍니다.

목동신시가지아파트 4~7단지 평형별 대지지분(3종일반주거지역)

	평형	세대수	세대수 비율	전용면적 (평)	대지지분 (평)	세대당 평균 대지지분	용적률
4단지	20A평	264	19.10%	14.73	13.87	22.17평	125%
	20B평	324	23.44%	14.29	13.46		
	20C평	6	0.43%	14.29	13.46		
	27A평	84	6.08%	20.44	19.25		
	27B평	150	10.85%	19.77	18.61		
	27C평	6	0.43%	19.82	18.66		
	35A평	96	6.95%	28.94	27.24		
	35B평	24	1.74%	28.7	27.01		
	35C평	32	2.32%	28.82	27.13		

4단지	35D평	8	0.58%	28.14	26.49	22.17평	125%
	35E평	84	6.08%	28.84	27.15		
	35F평	84	6.08%	29.15	27.44		
	45A평	32	2.32%	37.18	35		
	45B평	8	0.58%	32.69	30.77		
	45C평	84	6.08%	34.98	32.93		
	55A평	41	2.97%	43.02	40.5		
	55B평	55	3.98%	43.02	40.5		
	합계	**1,382**	**100%**	**총대지면적**	**30,552**		
5단지	27A평	480	25.97%	19.69	19.05	29.30평	117%
	30A평	18	0.97%	25.25	24.43		
	30B평	27	1.46%	24.7	23.9		
	35A평	72	3.90%	28.8	27.87		
	35B평	18	0.97%	28.19	27.28		
	35C평	72	3.90%	28.8	27.87		
	35D평	108	5.84%	28.82	27.89		
	35E평	27	1.46%	28.21	27.29		
	35F평	108	5.84%	28.74	27.81		
	35G평	192	10.39%	28.82	27.89		
	35H평	192	10.39%	28.76	27.83		
	45A평	60	3.25%	37.04	35.85		
	45B평	15	0.81%	36.43	35.25		
	45C평	102	5.52%	34.93	33.8		
	45D평	90	4.87%	34.93	33.8		
	55A평	60	3.25%	46.24	44.74		
	55B평	15	0.81%	42.68	41.3		
	55C평	96	5.19%	43.11	41.72		
	55D평	96	5.19%	43.37	41.97		
	합계	**1,848**	**100%**	**총대지면적**	**54,147**		
6단지	20A평	594	43.61%	14.5	13.1	20.99평	139%
	27A평	240	17.62%	19.69	17.79		
	35A평	288	21.15%	28.75	25.97		
	45A평	48	3.52%	34.84	31.48		
	45B평	96	7.05%	34.84	31.48		
	55A평	48	3.52%	43.07	38.91		
	55B평	48	3.52%	43.07	38.91		
	합계	**1,362**	**100%**	**총대지면적**	**28,435**		
7단지	20A평	480	18.82%	16.3	15.49	21.33평	125%
	20B평	240	9.41%	17.97	17.08		
	27A평	960	37.65%	20.15	19.15		
	27B평	192	7.53%	22.42	21.31		
	27C평	48	1.88%	19.48	18.52		
	35A평	609	23.88%	30.61	29.1		
	35B평	21	0.82%	26.94	25.6		
	합계	**2,550**	**100%**	**총대지면적**	**54,450**		

목동신시가지아파트 8~14단지 평형별 대지지분(3종일반주거지역)

	평형	세대수	세대수 비율	전용면적 (평)	대지지분 (평)	세대당 평균 대지지분	용적률
8단지	20평	834	61.69%	16.62	12.7	16.82평	154.92%
	27평	278	20.56%	21.71	16.56		
	35평	8	0.59%	28.1	21.44		
	38평	232	17.16%	35.26	24.32		
	합계	1,352	100%	**총대지면적**	22,748		
9단지	20평	240	11.82%	16.28	13.5	25.69평	133.35%
	27평	600	29.56%	21.59	17.89		
	30평	21	1.03%	25.71	21.3		
	35평저층	84	4.14%	30.35	25.14		
	35평고층	18	0.89%	27.44	22.73		
	38평	567	27.93%	32.18	26.66		
	45평저층	85	4.19%	38.12	31.58		
	45평고층	240	11.82%	38.28	31.71		
	55평저층	55	2.71%	48.01	39.77		
	55평고층	120	5.91%	47.44	39.31		
	합계	2,030	100%	**총대지면적**	52,154		
10단지	20평	570	26.38%	16.28	14.95	20.30평	153.08%
	27평	555	25.68%	21.24	19.5		
	30평A	14	0.65%	25.71	23.61		
	30평B	15	0.69%	24.06	22.09		
	38평저층	160	7.40%	32.08	29.46		
	38평고층	503	23.28%	31.94	29.32		
	45평저층	30	1.39%	37.66	34.58		
	45평고층	228	10.55%	38.43	35.33		
	55평저층	30	1.39%	47.45	43.57		
	55평고층	55	2.55%	47.4	43.57		
	합계	2,161	100%	**총대지면적**	43,869		
11단지	20평고층	720	45.14%	15.57	16.62	20.21평	120.78%
	20평저층	40	2.51%	17.94	19.14		
	27평고층	795	49.84%	20.04	21.38		
	27평저층	40	2.51%	22.89	24.43		
	합계	1,595	100%	**총대지면적**	32,229		

12단지	20평저층	230	12.37%	17.17	16.2	20.32평	119.87%
	20평고층	240	12.90%	16.17	15.3		
	27평저층	190	10.22%	22.01	20.8		
	27평고층	1200	64.52%	21.67	20.4		
	합계	**1,860**	**100%**	**총대지면적**	**37,809**		
13단지	20평	240	10.53%	16.3	12.21	21.51평	159.64%
	27평	780	34.21%	21.4	16.07		
	30평저층	24	1.05%	25.53	19.1		
	35평저층	120	5.26%	30.03	22.51		
	35평고층	600	26.32%	29.84	22.41		
	38평고층	14	0.61%	31.45	23.57		
	45평저층	80	3.51%	37.68	28.29		
	45평고층	196	8.60%	37	27.78		
	55평저층	32	1.40%	47.38	35.57		
	55평고층	8	0.35%	45.91	34.47		
	합계	**2,280**	**100%**	**총대지면적**	**49,047**		
14단지	20평	720	23.23%	16.64	13.36	24.92	122.38%
	27평	620	20.00%	21.6	17.33		
	30평	410	13.23%	25.38	20.37		
	35평	30	0.97%	28.03	22.5		
	38평	875	28.23%	32.76	26.29		
	45평	145	4.68%	39.12	31.4		
	55평	60	1.94%	47.67	38.26		
	합계	**3,100**	**100%**	**총대지면적**	**77,262**		

단, 이 표는 2017년 3월을 기준으로 작성된 것으로 조인스랜드 자료를 기준으로 정리한 것입니다. 타 출처의 자료와 수치가 조금씩 다르게 표기될 수 있습니다 . 따라서 참고자료로 활용하시되 투자를 결정하시기 전에는 정확한 정보를 확인하시기 바랍니다.

Chapter 06 Key Point

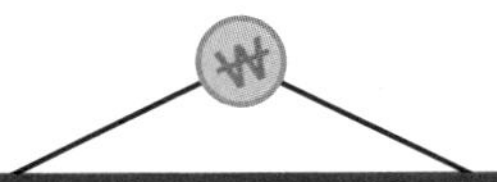

1 재건축 사업이 매우 초기 단계이거나 아직 사업이 본격적으로 시작되지 않은 경우라도, 같은 지역 내 비슷한 조건의 사업장 관리처분계획 내용을 참고하면 미리 사업성 분석을 할 수 있다. 단, 실제 사업이 시작될 때까지 지속적 모니터링을 통해 달라진 변수를 고려해야 한다.

2 일반분양가가 높아지면 일반분양 수익이 많아지므로 사업성은 좋아진다.

3 공사비(**시공비**)가 높아지면 총사업비가 늘어나므로 사업성은 낮아진다.

4 기부채납비율이 높아지면 일반분양 물량이 줄어들므로 사업성은 낮아진다.

5 용적률이 높아지면 필요 대지지분이 줄어들고, 따라서 일반분양 물량이 늘어나므로 사업성은 좋아진다.

Chapter

도전!
재개발 사업성 분석

경기도 C구역·D구역, 서울시 E구역
재개발 실제 사례를 중심으로

07

미리보기

지금까지의 사업성 분석이 재건축 단지를 중심으로 살펴본 것이라면, 이번 챕터에서는 재개발의 사업성 분석을 이야기합니다. 재개발은 재건축에 비해 사업성 분석이 쉽지 않습니다. 주택의 형태가 통일되어 있지 않고 조합원들의 이해관계가 복잡하기 때문에 매우 다양한 변수가 작용하기 때문입니다.

그렇지만 재건축보다 정확도는 떨어질지언정 재개발의 사업성 분석도 불가능한 것은 아닙니다. 재건축의 사업성 분석 공식에 몇 가지 변수를 고려함으로써 대략적인 투자의 방향을 살펴볼 수 있는 것입니다. 사업성을 분석해봄으로써 리스크를 점검해본 투자자와 그렇지 않은 투자자의 성공률은 당연히 차이를 보일 것입니다.

이번 챕터에서는 세 개의 사례를 살펴볼 예정입니다. 먼저 경기도 C구역의 조합창립총회 책자를 통해 사업 초기 단계에서의 분석법을 익히는 법을 알려드립니다. 그리고 경기도 D구역의 조합원분양 신청 안내문을 통해 사업 후반부의 분석법을 익힙니다. 마지막으로 서울시 E구역 관리처분계획 사례를 통해서 실제 일반분양이 이뤄질 경우의 변수를 고려해봄으로써 재개발의 사업성 분석의 오차 범위를 고려하는 요령까지 알아봅니다.

주요 개념 정리

평균 감정평가액 : 조합원들이 재개발 사업 구역 내에 소유한 부동산에 대해 평균적으로 얼마의 감정평가액이 나오는지 보여주는 지표. 종전자산평가 총액, 즉 전체 사업장의 감정평가액의 총합을 토지등소유자의 수로 나눠서 구한다. 정확한 값은 아니지만, 구역 내에서 가장 보편적인 형태의 부동산은 대략 얼마 정도로 평가받는지 짐작해보는 데에 도움이 된다.
<u>평균 감정평가액 = 종전자산평가 총액 / 토지등소유자 수</u>

관리처분계획 수립 및 인가 : 재건축 또는 재개발 사업이 진행되어 본격적인 이주와 철거를 앞둔 시점에서 얼마의 비용을 사용할 것이며, 얼마의 물량을 얼마의 가격에 분양할 것인지를 구체적으로 계획한 것이 '관리처분계획'이다. 이러한 관리처분계획이 지자체에 의해 인가되면 본격적으로 이주 및 철거가 이뤄지고, 건축과 일반분양이 진행된다. 관리처분계획이 나오면 대부분의 불확실성이 해소된 것이므로 투자자가 많이 몰려들지만, 이미 프리미엄이 시세에 많이 반영된 상태이므로 수익률이 높지는 않다.

재건축 공식이 재개발에 통하지 않는 이유

지금까지 꼼꼼하게 책을 읽으신 분이라면 재건축의 사업성을 분석하는 방법에 대해 상당히 익숙해지셨을 겁니다. 그것만으로도 여러분은 투자를 할 때 유용하게 사용할 무기를 장착하신 셈입니다. 재건축 사업은 대부분 정해진 틀 위에서 사업이 진행되기 때문에 방법만 잘 익혀두면 어느 사업장이든 비슷하게 적용할 수 있기 때문입니다.

문제는 재개발입니다. 이 책의 앞부분에서 설명한 재건축과 재개발의 차이를 기억하시나요? 요점만 말씀드리면, 재건축은 정비기반시설이 어느 정도 갖춰진 지역에서 노후된 건물만 다시 짓는 사업이지만, 재개발은 정비기반시설조차 갖춰지지 못한 지역을 완전히 바꾸는 사업입니다. 따라서 재개발 사업장은 상대적으로 낙후된 지역인 경우가 많고 기존 주택의 형태 역시 단독주택, 빌라, 상가, 무허가 건축물 등이 혼재되어 있는 경우가 많습니다.

이런 지역은 변수가 굉장히 많습니다. 집의 형태와 크기, 연식 등이 통일되어 있지 않기 때문에 감정평가액이 들쭉날쭉하고 조합원들의 이해관계도 복잡합니다. 그래서 사업이 진행되는 도중에도 잡음이 많을 수밖에 없고 진행 속도 자체도 더딥니다. 진행 속도가 더디면 중간에 예측하지 못한 상황이 생길 가능성도 더 커지고, 그만큼 사업비가 더 들어갈 수 있습니다.

이런 이유 때문에 재개발은 재건축에 비해 사업성 분석이 까다로울 뿐 아니라, 분석을 한다 해도 그 오차범위가 클 수밖에 없습니다. 그렇다면 재개발은 어쩔 수 없이 '촉'에 의지해서 투자를 해야 하는 것일까요? 그렇지 않습니다. 비록 오차 범위가 크다고 해도, 분석조차 해 보지 않고 투자하는 사람과 그래도 한 번쯤 분석을 해보고 투자하는 사람은 분명히 차이가 납니다.

여기에서는 재개발 사업을 개략적으로나마 분석해 볼 수 있는 방법을 알려드리고자 합니다. 조금 복잡하긴 하지만 지금까지의 내용을 충실히 익힌 독자라면 쉽게 이해할 수 있을 것입니다. 다만 재건축의 사업성 분석에 비해 상대적으로 정확도가 떨어질 수 있다는 점은 항상 염두에 둘 필요가 있습니다.

초창기에는 재개발도 재건축과 비슷하다

앞서 재건축 사업성을 분석하기 위해 제가 고안해서 알려드린 공식 중에 총사업비와 공사비(시공비)의 비율을 기억하시지요? 총사업비 중에서 공사비가 차지하는 비율이 약 75%, 기타사업비가 차지하는 비율이 약 25%라는 사실을 이용한 공식 말입니다.

총사업비 = 공사비 + 기타사업비
기타사업비 = 공사비 × 33%

→ 총사업비 = 공사비 × 133%

이 공식은 대부분의 재건축 사업장에서 큰 오차 없이 적용된다고 말씀드렸는데, 사실은 재개발 사업장에서도 마찬가지입니다. 즉, 재개발 사업장도 처음에 사업을 시작할 때에는 '공사비 : 기타사업비 = 75 : 25'라는 비율이 얼추 들어맞습니다. 다만 사업이 진행될수록 기타사업비의 금액이 추가되면서 비율이 달라지는 것뿐입니다.

정말 그러한지 실제 사례를 통해 살펴봅시다. 아래 내용은 현재 재개발이 진행되고 있는 경기도 C구역의 조합설립총회 책자 내용을 일부 발췌하여 편집한 것입니다. 이 책자는 조합을 설립하기 위한 총회를 열기 전에 조합 이전 단계인 추진위원회에서 토지등소유자들에게 보내는 안내책자입니다. 즉, 아직 사업이 본격적으로 시작되기 전에 사업의 내용을 안내하는 자료인 것입니다. 그럼에도 이 책자 역시 개략적인 분담금을 알 수 있는 내용을 몇 가지 담고 있습니다.

책자 내용 중에 '정비사업비 산출금액'이라는 내용을 살펴보겠습니다. 말 그대로 정비사업을 진행하면서 발생하는 비용을 개략적으로 예측한 금액입니다.

C구역 조합창립총회 자료 중 정비사업비 총액 (총사업비)

(단위 : 천원)

구 분	금 액	비 고
신 축 비	548,777,357	인근지역 시공자 선정 입찰단가를 참고하여 산정
철 거 비	7,126,979	향후 계약 조건에 따라 변경되며, 선정되는 시공자 제시
기타사업비	178,458,441	신축비 및 철거비를 제외한 모든 항목 포함
합 계	734,362,777	

가. 신축비 및 철거비 산출내역

1) 인근 지역에서 시공자로 선정된 도급공사비를 참고하여 공사비를 산정하였으며, 조합설립인가 이후 선정되는 시공자의 입찰단가 및 계약조건에 따라 변경 및 확정됩니다.

ㅇ 신축비 산정 : 신축연면적 × 평당 3,850,000원

2) 철거비는 「도시 및 주거환경정비법」 제11조 제4항에 의거 선정된 시공자가 공사비에 포함하여 제안을 하며, 인근 구역의 단가를 참고로 하여 산출하였습니다.

ㅇ 철거비 산정 : 신축연면적 × 평당 50,000원

이 구역의 경우 신축비가 약 5,487억 원, 철거비가 약 71억 원으로 잡혀 있는 것을 볼 수 있습니다. 이것을 합하면 공사비가 되는데 금액은 약 5,558억 원입니다. 아래 세부항목을 보시면 철거비까지 합쳐서 평당 공사비(평당 시공비)는 390만 원으로 책정되었음을 알 수 있습니다.

기타사업비는 약 1,784억 원입니다. 그리고 공사비와 기타사업비를 합한 총사업비는 약 7,343억 원이라고 나와 있습니다. 비율을 한 번 계산해 볼까요? 계산 결과 공사비는 총사업비의 약 75.6%를 차지하고, 기타사업비는 약 24.3%를 차지한다는 것을 알 수 있습니다. 이제 막 시작 단계인 재개발 사업장에서는 '75 : 25'의 비율이 얼추 지켜지고 있는 것입니다.

총사업비 중 공사비의 비율 = (공사비 / 총사업비) × 100
= (5,558억 원 / 7,343억 원) × 100
= 약 75.6%

총사업비 중 기타사업비의 비율 = (기타사업비 / 총사업비) × 100
= (1,784억 원 / 7,343억 원) × 100
= 약 24.3%

왜 나중으로 갈수록 비율이 달라질까

이처럼 사업이 처음 시작될 때에는 재건축이나 재개발 모두 '공사비 : 기타사업비 = 75 : 25'의 비율이 비슷하게 나옵니다. 그러나 재건축과 달리 재개발은 후반부로 갈수록 기타사업비의 비율이 높아집니다. 그 이유는 재건축의 경우 현금청산자가 거의 없는 반면 재개발은 현금청산자뿐 아니라 세입자 주거이전비, 상가영업보상비 등을 지급해야 하기 때문입니다. 참고로, 여러 재개발 구역의 관리처분 사례를 분석해보면 현금청산자의 비율은 전체 토지등 소유자의 10~20% 정도가 일반적입니다.

이런 비용들이 추가되면서 기타사업비가 많아지면 75 대 25의 비율은 달라지게 됩니다. 공사비의 금액은 줄지 않지만 기타사업비의 금액이 커지면서 상대적으로 공사비 비율이 75%보다 훨씬 적어지게 되는 것입니다.

게다가 조합창립총회 때 책정되었던 총사업비의 개략적 금액은 시간이 흘러 관리처분계획 때가 되면 대부분 증가하게 됩니다. 시공사가 선정되고 관리처분계획 시 본계약이 이뤄질 때까지 몇 년의 시간이 걸리다 보니, 그 사이 공사비에 물가상승분이 반영되기 때문입니다. 그런데 공사비가 증가하게 되면 이 비용을 대여하기 위한 금융비용도 증가하기 때문에 전체적인 총사업비는 늘어나게 됩니다.

재개발 사업 초반부와 후반부의 사업비 비율 변화

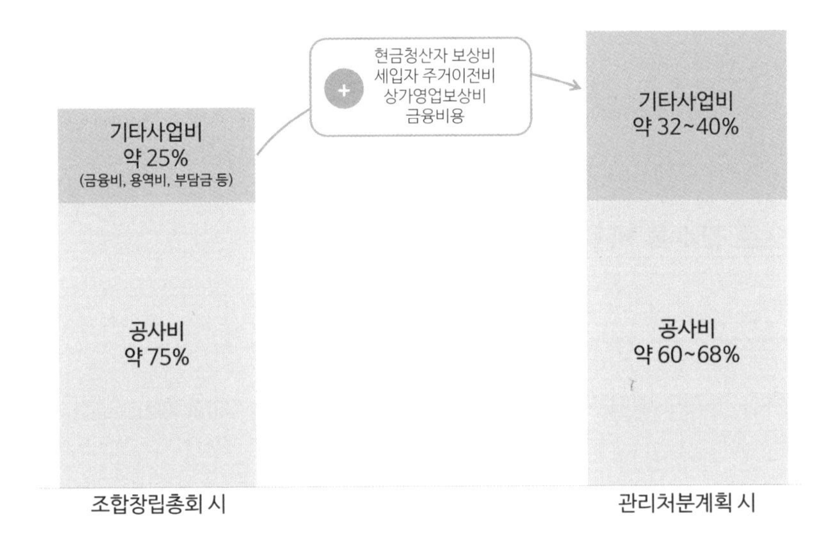

이것을 반영하고 난 후의 정비사업비 항목을 보면 세입자 주거이전비·상가영업보상비·현금청산자 보상비가 약 15~17%를 차지하고, 금융비용이 약 5~8%, 기타비용(각종 용역비, 각종 부담금 등)이 약 12~15% 정도를 차지하는 것이 일반적입니다. 결국 기타사업비로만 약 32~40% 정도가 나가는 것입니다.

단, 이 비율은 여러 사업장을 개략적으로 살펴본 수치일 뿐입니다. 구역별 변수가 다양한 것이 재개발 사업인만큼, 각 사업장의 상황에 따라 이러한 비율에도 편차가 크게 생긴다는 점을 유념하시기 바랍니다.

조합 설립 단계에서의 분석

이처럼 재개발에서 '공사비는 총사업비의 75%'라는 사실은 사업 초기 단계에만 유효합니다. 그럼에도 이 비율은 꼭 기억할 필요가 있습니다. 그 이유는 사업 계획을 제대로 세웠는지를 살펴보는 단서가 되기 때문입니다.

쉽게 말해서, 조합창립총회 책자를 보실 때에는 공사비가 총사업비의 약 75%를 차지하는지 살펴보셔야 합니다. 2~3% 정도 차이가 난다면 모르지만, 만약 10% 가까이 차이가 난다면 무언가 이상하다고 의심해 볼 필요가 있습니다.

실제로 최근에 조합 설립을 준비 중인 한 사업장을 방문해서 조합설립총회 책자를 열람한 적이 있습니다. 그런데 공사비가 총사업비의 85%를 차지하고, 기타사업비는 겨우 15%에 불과했습니다. 이 사실을 확인한 후 저는 이곳에 투자할 생각을 접었습니다.

공사비 비율이 비상식적으로 높다는 것은 무엇을 의미할까요? 이것은 상대적으로 기타사업비가 너무 적게 책정되어 있다는 뜻입니다. 그런데 앞서 설명했듯이 재개발에서는 사업이 후반부로 진행될수록 기타사업비가 늘어납니다. 사업 초반에 기타사업비를 25%로 넉넉하게 잡아놔도 나중에 사업비가 추가될 판인데 15%밖에 잡아놓지 않았다는 것은 앞으로 기타사업비가 엄청나게 추가될 것임을 의미합니다.

기타사업비는 모두 조합원들이 부담할 몫입니다. 이 사업장은 조합 설립 당시에 예상했던 분담금보다 나중에 나올 실제 분담금이 더 많아지게 될 것입니다.

'공사비는 총사업비의 75%'를 기억하자

공사비의 비율을 통해 어떻게 개략적 사업성을 예측할 수 있는지, 구체적으로 시뮬레이션 해보도록 하겠습니다.

비슷한 세대수와 규모를 가지고 있는 개발1동과 개발2동이 있는데 둘 다 재개발이 추진되면서 조합창립총회를 준비하고 있다고 합시다. 두 지역의 평당 공사비는 400만 원, 건축 연면적은 1만 평으로 동일합니다. 다만 정비사업추산액을 살펴보니, 개발1동은 공사비가 총사업비의 75%로 잡혀있는 반면, 개발2동은 85%로 잡혀있다고 합시다. 두 사업장의 상황을 어떻게 추측해 볼 수 있을까요?

개발1동과 개발2동은 모두 평당 공사비가 400만 원이고 연면적이 1만 평이므로, 공사비는 둘 다 400억 원으로 같습니다. 그러나 똑같이 400억 원이라는 금액인데 개발1동은 이것이 전체의 75%인 반면 개발2동은 85%입니다. 이 말을 뒤집어 보면, 개발1동의 총사업비는 약 533억 원인 반면 개발2동의 총사업비는 약 471억 원이라는 뜻이 됩니다.

개발1동과 개발2동의 상황 비교(예시)

	개발1동	개발2동
평당 공사비	400만 원	
연면적	1만 평	
공사비	400억 원	
공사비 비율	75%	85%
기타사업비	133억 원	71억 원
기타사업비 비율	25%	15%
총사업비	533억 원	471억 원

[개발1동의 경우]

총사업비 × 75% = 400억 원

→ 총사업비 = 400억 원 / 75% = 약 533억 원

[개발2동의 경우]

총사업비 × 85% = 400억 원

→ 총사업비 = 400억 원 / 85% = 약 471억 원

각 사업장의 총사업비가 나왔으니, 여기에서 공사비(시공비)를 빼면 기타사업비를 구할 수 있습니다. 계산 결과 개발1동의 기타사업비는 약 133억 원, 개발2동의 기타사업비는 약 71억 원으로 추산됩니다. 개발2동의 기타사업비가 개발1동보다 훨씬 적은 것을 알 수 있습니다.

[개발1동의 경우]

기타사업비 = 총사업비 × 25%

= 약 533억 원 × 25%

= 약 133억 원

[개발2동의 경우]

기타사업비 = 총사업비 × 15%

= 약 471억 원 × 15%

= 약 71억 원

이것은 무엇을 의미할까요? 사업비가 더 적게 들어가니까 개발2동이 개발1동보다 좋다고 봐야 할까요? 그렇게 생각하고 접근한다면 큰 실수를 저지를 수 있습니다.

면적과 세대수가 비슷한 두 사업장에서 한 쪽의 기타사업비만 유난히 적게 들어간다는 것은 뭔가 이상합니다. 혹시 개발2동 추진위원회는 일부러 기타사업비를 적게 잡아서 책자를 작성한 것이 아닐까요? 사업성을 좋아보이게 하려면 총사업비를 줄임으로써 비례율을 높여야 하는데, 총사업비 중에서 평당 공사비를 줄일 수는 없으니 기타사업비를 최대한 적게 잡은 것이 아닐까요? 그래서 조합원들의 동의를 쉽게 받으려고 한 것은 아닐까요? 여러 가지 의심을 가져 볼 만합니다.

만약 정말 그런 것이라면 조합창립총회 때 빠졌던 항목들이 나중에 관리처분계획 단계에서 뒤늦게 반영될 것입니다. 그리고 그때 늘어나는 기타사업비만큼 조합원들의 분담금도 늘어날 것입니다.

이런 이유 때문에 조합창립총회 안내책자를 볼 때에는 총사업비에서 공사비가 차지하는 비율을 꼭 확인해야 합니다. 이 비율이 맞지 않으면 추후 분담금이 늘어날 가능성이 높은 것입니다. 비록 나중에 가면 '공사비는 총사업비의 75%'라는 공식이 적용되지 않겠지만, 적어도 조합창립총회 책자에서만큼은 이 공식이 적용된다는 사실을 기억하시기 바랍니다.

공사비가 늘어날 수도 있다

공사비의 비율뿐 아니라 평당 공사비 역시 눈여겨봐야 할 부분입니다. 대부분의 조합창립총회 책자에서는 평당 공사비를 책정하고, 여기에 건축 연면적을 곱해서 전체 공사비를 계산합니다. 만약 평당 공사비가 적게 잡혀 있다면 전체 공사비도 적게 나올 것이고, 그만큼 사업비가 줄어들면서 비례율은 높아질 것입니다. 그런데 이것도 혹시 억지로 비례율을 끌어올리려는 의도가 숨어있지는 않은지 확인해야 하는 것입니다.

인근에 시공사 선정이 이뤄진 사업장이 있다면 그곳을 참고해서 평당 공사비가 적정하게 잡혔는지를 확인할 수 있습니다. 만약 옆 동네의 평당 공사비가 400만 원인데 우리 사업장은 350만 원밖에 잡혀있지 않다면 어떨까요? 나중에 실제로 사업이 진행될 때 공사비가 최소 400만 원으로 올라갈 가능성이 높다고 봐야 합니다.

평당 공사비를 낮게 잡으면 총사업비도 낮아지고, 그만큼 비례율은 높아집니다. 앞에서 등장한 개발1동의 경우를 바탕으로, 평당 공사비가 400만 원에서 20만 원씩 떨어지거나 높아질 때 비례율이 어떻게 변하는지를 한 번 살펴봅시다. 이때 종후자산평가액(총분양수입)은 1,533억 원, 종전자산평가액(감정평가액)은 1,000억 원이라고 가정하겠습니다.

아래의 표를 보면 개발1동의 평당 공사비가 20만 원씩 늘어날 때마다 비례율은 약 2.7%씩 줄어드는 것을 확인할 수 있습니다. 현재 조합창립총회 책자에 잡혀있는 평당 공사비는 400만 원이지만, 추후 평당 공사비가 줄어들거나 늘어날 수 있습니다. 이럴 경우까지 미리 계산해 보는 것이 좋습니다.

평당 공사비 변화에 따른 비례율 변화(예시)

평당 공사비	공사비	총사업비	비례율
360만 원	360억 원	480억 원	105.3%
380만 원	380억 원	507억 원	102.6%
400만 원	400억 원	533억 원	100.0%
420만 원	420억 원	560억 원	97.3%
440만 원	440억 원	587억 원	94.6%

※ 연면적은 1만 평, 종후자산평가액은 1,532억 원, 종전자산평가액은 1,000억 원으로 가정함.

※ 공사비가 총사업비의 75%를 차지한다고 가정함.

조합 설립 단계는 사업의 초창기이기 때문에 앞으로 다양한 변수가 생겨날 것입니다. 그래서 이 단계에서는 조합창립총회 책자의 수치를 그대로 믿을 것이 아니라, 앞으로 발생할 수 있는 다양한 경우의 수를 예측해 보는 것이 중요합니다. 최악의 경우 내가 부담해야 할 리스크가 얼마나 될지 미리 가늠해본 후 투자를 결정해야 하는 것입니다.

한 발 빠르게 감정평가액 예측해보기

많은 재개발 전문가들은 감정평가액이 공개된 후에 투자를 하라고 말합니다. 그 이유는 감정평가액이 공개되면 대부분의 불확실성이 사라지고 어느 정도 분명한 수익성이 산출되기 때문입니다. 이때에는 생각보다 낮은 사업성에 실망한 매물들이 시장에 나오기도 하므로 투자하기에 좋은 타이밍인 것은 사실입니다.

그러나 불확실성이 사라지고 리스크가 줄어드는 만큼 수익성은 낮아질 수밖에 없습니다. 모두가 사업성 분석을 완료하고 망설임 없이 투자를 시작하기 때문이지요. 투자 성과를 높이기 위해서는 항상 남들보다 한 발 먼저 시작해야 하는 법입니다.

그렇다면 감정평가액이 발표되기 전에 남들보다 한 발 먼저 사업성을 분석하는 방법은 없을까요? 재건축과 달리 재개발에서는 감정평가액을 예측하는 것이 무척 어렵습니다. 사업이 진행되는 곳의 단독주택 또는 다가구주택은 연식, 대지지분, 건축구조 등이 천차만별이기 때문입니다.

다만 대략적인 예측은 해 볼 수 있습니다. 여기에서는 수많은 시행착오 끝에 제가 나름대로 개발해서 사용하고 있는 방법을 알려드리려고 합니다. 단, 이 방법은 정확한 수치를 구하는 절대공식이 아니라 개략적인 수치를 추정하는 방법이라는 걸 기억하시고 큰 틀에서만 참조하시기 바랍니다.

감정평가액과 시세는 완전히 별개다

흔히 감정평가액은 시세와 비슷하게 나오지 않느냐고 생각하는 사람들이 많습니다. 그러나 현실에서 감정평가액은 시세보다 낮게 나오는 것이 일반적입니다.

그 이유는 첫째, 만약 감정평가액이 시세와 비슷하거나 더 높으면 현금청산을 하고 빠져나가는 조합원이 많아지기 때문에 가능하면 감정평가액을 높이지 않으려고 조합이 노력하기 때문입니다. 둘째, 재개발 사업이 진행될수록 투자 수익에 대한 기대가 더해지면서 시세는 올라가는 반면 감정평가액은 변하지 않기 때문입니다.

중요한 것은 시세와 감정평가액이 별개라는 사실입니다. 어떤 투자자들은 이러한 사실을 간과한 채 시세보다 싸게 나왔거나 대지지분이 크면 무조건 매입하기도 합니다. 그러나 나중에 실제 감정평가액이 나온 후 계산해 보면 감정평가액이 너무 적고 분담금이 너무 많이 나와서 별로 수익을 올리지 못하는 경우도 부지기수입니다.

감정평가액을 예측해 보는 것은 리스크 관리와 수익성 분석을 위해 반드시 필요한 과정입니다. 특히, 감정평가액에 대한 기준을 가지고 있으면 갑자기 매물이 나왔을 때 여기에 얼마의 P(프리미엄)가 붙어 있는지도 가늠할 수 있습니다.

만약 내가 예상한 감정평가액은 8,000만 원인데 매물은 1억 원에 나왔다고 하면 나는 2,000만 원의 P를 주고 이 물건을 사는 셈입니다. 그러나 감정평가액이 얼마인지 모른다면 지금 이 매물에 붙은 P가 2,000만 원인지 5,000만 원인지 제대로 판단하기 어렵습니다.

미리 추산해보는 '평균 감정평가액'

조합창립총회 자료를 보면 이 구역의 종전자산평가 총액과 토지등소유자의 수를 알 수 있습니다. 종전자산평가 총액은 토지등소유자들이 갖고 있는 부동산의 감정평가액을 모두 합한 금액입니다.

그렇다면 토지등소유자 한 명당 가지고 있는 부동산의 감정평가액을 평균적으로 구하는 것이 가능하지 않을까요? 종전자산평가 총액을 토지등소유자의 수로 나누는 것입니다. 이것이 바로 '평균 감정평가액'으로, 이 지역 감정평가액의 개략적인 기준이 됩니다.

평균 감정평가액 = 종전자산평가 총액 / 전체 토지등소유자 수

앞서 살펴봤던 C구역의 조합창립총회 책자를 다시 살펴보겠습니다. 책자에 나와 있는 종전자산평가 총액은 약 4,055억 원이었고, 토지등소유자 수는

경기도 C구역 재개발 조합창립총회 책자 중 '산정기준'

구분	금액	산출근거
총분양수입(A)	1,284,541,198	조합원분양, 일반분양 및 부대복리시설 수입
총사업비용(B)	734,362,777	
개발이익(C)	550,178,421	A − B
종전자산평가 총액(D)	405,517,188	

$$\frac{1{,}284{,}541{,}198 - 734{,}362{,}777}{405{,}517{,}188} \times 100 \quad \boxed{\fallingdotseq 135.67\%}$$

※ 상기 금액은 추산액으로서 사업추진 과정에서 변경될 수 있습니다.

1,707세대였습니다. 즉 1,707세대가 4,055억 원의 재산을 나눠서 가지고 있다는 뜻입니다. 따라서 이 구역의 평균 감정평가액은 약 2억3,755만 원이라고 추산해볼 수 있습니다.

평균 감정평가액 = 종전자산평가 총액 / 전체 토지등소유자 수
= 4,055억 원 / 1,707명
= 약 2억3,755만 원

물론 이 값은 절대적인 금액이 아니고 말 그대로 '평균'입니다. 어떤 집은 이보다 높을 것이고 또 어떤 집은 이보다 낮을 것입니다. 다만 그 지역에 가장 많이 분포하고 있는 형태의 주택이라면 대략 이 정도 수준일 거라고 추정할 수는 있습니다.

예를 들어 C구역에 가장 많이 분포하고 있는 주택의 형태는 대지면적 18~20평, 건물연면적 30평 내외의 주택입니다. 이러한 주택의 감정평가액은 대략 2억3,755만 원 정도일 거라고 추산할 수 있습니다. 그보다 면적이 작거나 크면 그 부분을 감안해서 감정평가액도 조금 낮추거나 높여서 추산하면 됩니다.

만약 감정평가액이 2억3,000만 원 정도로 추산되는 주택인데 2억6,000만 원에 매물로 나왔다고 합시다. 이 경우 우리는 이 주택에 대해 3,000만 원의 P를 주고 사는 셈이 됩니다.

이처럼 감정평가액을 대략 유추하는 것만으로도 투자에 큰 도움이 됩니다. 다만 이러한 방법은 제한된 정보를 가지고 추산하는 방법일 뿐 정확한 금액을 알려주는 것은 아니라는 점을 유념하시기 바랍니다.

'프리미엄'을 고려하면 선택이 분명해진다

감정평가액 예측 가격을 현실 투자에 어떻게 적용할 것인지 생각해 봅시다. 재개발 구역에서 열심히 발품을 팔다가 아래와 같은 매물을 발견했다고 합시다.

[매물 조건]

전용면적 : 14평(방 3개)

연식 : 1990년식

매매가격 : 2억 원

예상 감정평가액 : 1억5,000만 원

이 구역의 인근 지역에서 이 정도 물건은 대략 매매가 1억7,000만 원, 전세가 1억3,000만 원 정도에 거래되고 있다고 합니다. 그런데 2억 원에 팔겠다고 하니, 매매 시세보다 3,000만 원 정도 비싸게 나와 있는 것입니다. 이 매물을 사는 것이 좋을까요, 사지 않는 것이 좋을까요?

예상 감정평가액이 1억5,000만 원이므로, 2억 원에 매수한다면 5,000만 원의 P를 주고 사는 셈입니다. 과연 이 금액을 낼 만 한 가치가 있는지 알기 위해서 한 번 계산을 해봅시다.

통상 사업성이 좋은 재개발 구역이라면 조합원분양가는 일반분양가보다 약 20% 정도 낮게 책정되는 것이 일반적입니다. 이 지역 인근의 시세를 조사해보니 25평형 아파트의 일반분양가는 5억 원 정도로 예상된다고 합시다. 그렇다면 조합원분양가는 약 4억 원 정도일 것입니다.

조합원분양가가 일반분양가보다 1억 원 정도 낮으므로, 조합원분양을 받는다면 그때부터 시세차익을 1억 원 정도 얻는 셈입니다. 그러나 P를 5,000만 원 얹어주었으니 실제 남는 수익은 5,000만 원 정도일 것입니다.

프리미엄(P) = 매입가격 - 감정평가액

= 2억 원 - 1억5,000만 원

= 약 5,000만 원

예상 시세차익 = 일반분양가 - 조합원분양가 – 프리미엄

= 5억 원 - 4억 원 - 5,000만 원

= 약 5,000만 원

개략적인 수익률에 대한 감을 잡았다면 이제 선택을 할 차례입니다. 시세차익이 1억 원 이상이니까 5,000만 원의 P를 주고서라도 매입하겠다고 결정할 수도 있습니다. 반대로 5,000만 원이나 P를 주기는 싫으니 매입하지 않겠다고 결정할 수도 있습니다. 어느 쪽이든 선택은 여러분의 몫입니다.

중요한 것은 이러한 선택이 이뤄지기 위해서는 개략적인 수익률을 산출하고, 그에 따라 합리적으로 판단해야 한다는 점입니다. P가 얼마인지도 모르겠고 얼마의 시세차익을 얻게 될지도 모르는데 '그냥 돈이 될 것 같아서' 덜컥 사버리고 후회하는 일은 없기 바랍니다.

감정평가액은 왜 시세보다 낮은 경우가 많을까

한 가지 알아두셨으면 하는 것은, 현실에서 감정평가액은 대부분 시세보다 낮다는 사실입니다. 그 이유는 크게 두 가지입니다.

첫째, 조합은 감정평가액을 가능하면 시세보다 낮게 잡으려는 경향이 있습니다. 감정평가액이 시세보다 높으면 현금청산을 하고 나가려는 조합원들이 많아집니다. 그렇게 되면 조합은 이들에게 지급할 현금을 시공사나 금융기관에서 빌려와야 하므로 금융비용, 즉 이자가 많이 발생하게 됩니다.

특히 재개발 구역 내의 상가주택, 근린상가 등 감정평가액이 큰 물건을 소유한 조합원 중에서 현금청산을 하는 사람이 많습니다. 이들 입장에서는 이미 월세를 받으면서 충분히 수익을 올리며 잘 살고 있는데 굳이 몇 년간 월세도 못 받으면서 새 아파트를 분양받을 이유가 없기 때문입니다. 오히려 이들에게는 청산금을 받아서 인근의 상가주택이나 근린상가를 매입하는 것이 더 이득일 수 있습니다. 일반적으로 재개발 구역의 현금청산자 비율은 10~20% 정도가 보통입니다.

둘째, 사업이 진행될수록 재개발 기대수익에 따른 프리미엄이 붙기 때문입니다. 사업 초기 단계에서는 불확실성이 커서 많은 투자자들이 투자를 망설이기 때문에 시세가 낮지만, 사업이 진행될수록 불확실성이 제거되면서 어느 정도 투자수익에 대한 확신이 생기고 투자자들이 몰려들게 됩니다. 따라서 사업이 진행되면 될수록 시세는 올라가지만, 감정평가액은 그대로이기 때문에 둘 사이에 격차가 생깁니다.

₩ 감정평가액이 낮다고 무조건 나쁜 건 아니다

흔히 감정평가액은 무조건 높게 나와야 조합원에게 유리하다고 생각하지만, 반드시 그렇지는 않습니다. 감정평가액이 높아지면 그 합계인 종전자산평가액도 커지는데, 그러면 비례율이 낮아질 수 있습니다. 비례율을 구하는 공식이 '(종후자산평가액 - 총사업비) / 종전자산평가액×100'이기 때문입니다.

감정평가액이 적다고 무조건 분담금이 늘어나는 것은 아닙니다. 낮게 감정평가된 만큼 조합원분양가를 낮춰주는 경우도 있기 때문입니다. 또한 감정평가액이 줄어든 만큼 비례율이 높아진다면 권리가액은 더 높아질 수 있고, 일반분양가가 높아질 가능성이 있다면 오히려 이익이 될 수 있습니다. 따라서 투자를 할 때에는 감정평가액만 보지 마시고 비례율, 권리가액, 일반분양 예상가, 조합원 분양가를 종합적으로 고려해서 판단해야 합니다.

조합원들 중에는 실제 감정평가 결과가 시세보다 적게 나온 것을 보고 실망해서 집을 급매로 처분하는 경우가 있습니다. 만약 비례율이나 조합원분양가, 일반분양 예상가를 고려했을 때 괜찮은 물건이라면 감정평가액이 좀 적더라도 과감하게 잡는 것이 현명한 투자입니다.

감정평가액 확정 단계에서의 분석

2016년 3월경, 경기도에 위치한 D구역 재개발 사업장의 감정평가액이 조합원들에게 통보되었습니다. 이때의 감정평가액은 시세보다 낮았는데, 당시 감정평가액에 붙은 P(프리미엄)는 1,000만 원에서 1,500만 원 사이였습니다.

P가 이렇게 책정된 이유는 일반분양 예정가 때문이었습니다. 당시 조합원분양 신청 안내문을 보면 조합원분양가는 평당 1,180만 원으로 책정되었는데 25평형을 기준으로 하면 2억9,500만 원입니다. 그런데 일반분양 예정가는 평당 1,240만 원이었습니다. 25평형 기준으로 3억1,000만 원이었던 것이지요. 이때 추정비례율은 100%였습니다. 조합원분양가와 일반분양 예정가의 차이가 약 1,500만 원밖에 되지 않자 P도 딱 거기까지만 붙었던 것입니다.

감정평가액이 통보된 후 실제로 2억 원에 나온 매물이 있었습니다. 이 물건의 감정평가액은 1억8,500만 원으로 통보되었는데, 매도인은 여기에 P로 1,500만 원을 붙여서 내놓은 것입니다. 아마도 매도인은 조합원분양을 받아봐야 별 재미가 없을 것이라고 예상한 듯합니다.

그러나 알고 보면 이것은 굉장히 매력적인 투자 물건이었습니다. 그 이유는 3억1,000만 원이라는 일반분양 예정가가 너무 저렴하게 잡힌 금액이었기 때문입니다. 인근 시세는 그보다 1억 원 정도 높은 4억 원대였고, 심지어 전세가도 그보다 5,000만 원 정도 높았습니다. 만약 예상이 맞아떨어진다면 이 물건은 1,500만 원의 P를 주고 약 1억 원의 수익을 올릴 수 있는 좋은 기회인 것입니다.

이 사업장의 일반분양 예정가는 왜 그렇게 낮았던 것일까요? 그 이유는 추정비례율 때문이라고 생각됩니다. 당시 조합원분양 신청 안내문을 보면 이 사업장의 추정비례율은 약 100%에 맞춰져 있었습니다.

그런데 이 구역의 신축 세대수는 총 5,087세대이고 그중에서 조합원분양 세대수는 2,293세대, 임대아파트를 제외한 일반분양 세대수는 1,929세대입니다. 조합원수 대비 일반분양 비율이 80%가 넘습니다. 이런 조건에서 비례율은 약 100%였습니다. 일반분양 물량이 많다 보니 일반분양 예정가를 낮게 책정해도 추정비례율이 100%에 맞춰질 수 있었던 것입니다.

조합 입장에서는 일반분양 예정가가 높아서 비례율이 높아진 상태로 관리처분계획을 작성하면 여러 가지 리스크를 감수해야 합니다. 추후 일반분양 시점에 부동산 시장이 안 좋을 경우 일반분양가를 다시 낮춰야 하는데, 그러면 조합원들이 반발할 것이 뻔합니다. 반대로 관리처분계획 상 일반분양 예정가보다 실제 일반분양가가 높다면 비례율과 권리가액이 오르고 분담금은 낮아지게 됩니다. 조합 입장에서는 당연히 후자의 경우가 더 나을 것입니다.

이 물건을 매도한 사람은 이런 생각을 하지 못한 채 단순히 조합원분양 신청 안내문만 보고 조합원분양가와 일반분양 예정가의 차이가 얼마 나지 않자 실망해서 매도를 했던 것입니다. D구역은 앞으로 1~2년 뒤 일반분양이 예정되어 있는데, 만약 정말로 관리처분계획 상 일반분양 예정가보다 실제 일반분양가가 높아진다면 이 물건의 투자 수익은 많이 늘어날 것입니다.

일반분양가가 높아질 가능성은 없을까

만약 예상대로 D구역의 실제 일반분양가가 올라간다면 비례율은 어떻게 달라질까요? 그것을 알아보기 위해, 아파트 한 채당 높아질 일반분양가를 1,000만 원에서부터 1억 원까지로 잡은 후 비례율을 직접 계산해 보았습니다. 이때 총사업비와 종전자산평가액은 변동이 없다고 가정합니다. 그 결과는 아래 표와 같습니다. 표를 살펴보면 일반분양가가 한 채당 1,000만 원씩 오를 때 비례율은 약 3.5%씩 증가한다는 것을 알 수 있습니다. 일반분양가를 지금보다 한 채당 5,000만 원 올릴 경우 비례율은 약 117%로 높아지고 7,000만 원 올릴 경우 약 124%로 높아짐을 알 수 있습니다(❶).

일반분양가가 5,000만 원 높아질 경우

그렇다면 일반분양가가 5,000만 원 올랐을 경우의 투자 수익은 어떻게 될

일반분양가 상승액에 따른 비례율 변화 (경기도 D구역의 사례)

분양가 상승액 (한 채당)	수입 증가액	총분양수입	총사업비	종전자산 평가액	비례율
0원	0원	16,667.0억 원	11,247억 원	5,426억 원	99.89%
1,000만 원	192.9억 원	16,859.9억 원	11,247억 원	5,426억 원	103.45%
2,000만 원	385.8억 원	17,052.8억 원	11,247억 원	5,426억 원	107.00%
3,000만 원	578.7억 원	17,245.7억 원	11,247억 원	5,426억 원	110.56%
4,000만 원	771.6억 원	17,438.6억 원	11,247억 원	5,426억 원	114.11%
5,000만 원	964.5억 원	17,631.5억 원	11,247억 원	5,426억 원	117.67%
6,000만 원	1,157.4억 원	17,824.4억 원	11,247억 원	5,426억 원	121.22% ❶
7,000만 원	1,350.3억 원	18,017.3억 원	11,247억 원	5,426억 원	124.78%
8,000만 원	1,543.2억 원	18,210.2억 원	11,247억 원	5,426억 원	128.33%
9,000만 원	1,736.1억 원	18,403.1억 원	11,247억 원	5,426억 원	131.89%
10,000만 원	1929.0억 원	18,596.0억 원	11,247억 원	5,426억 원	135.44%

※ 일반분양 1,929세대, 평균 조합원분양가 1,180만 원(평당), 평균 일반분양가 1,240만 원(평당) 기준.

까요? 이때의 비례율은 117%로 올라가기 때문에 권리가액도 그만큼 올라갑니다. 감정평가액은 1억8,500만 원으로 동일하지만, 권리가액은 여기에 비례율 117%를 곱한 2억1,645만 원이 됩니다.

분담금은 조합원분양가에서 권리가액을 빼서 계산합니다. 조합원분양가가 2억9,500만 원이라고 했으므로 권리가액을 뺀 분담금은 7,855만 원이 됩니다.

분담금 = 조합원분양가 - 권리가액
= 조합원분양가 - (감정평가액 × 비례율)
= 2억9,500만 원 - (1억8,500만 원 × 117%)
= 7,855만 원

결론적으로, 이 물건은 2억 원에 매수했고 여기에 분담금 7,855만 원이 더해지므로 총매입가는 2억7,855만 원이 됩니다. 그런데 우리는 실제 일반분양가가 5,000만 원 올라서 3억6,000만 원이 되었다고 가정하는 중입니다. 그렇다면 총매입가 2억7,855만 원을 내고 3억6,000만 원짜리 집을 얻게 된 셈입니다. 단순히 계산해도 8,000만 원이 넘는 수익을 올리게 되는 것입니다.

총매입가 = 주택 매입가 + 분담금
= 2억 원 + 7,855만 원
= 2억7,855만 원

시세차익 예상가 = 일반분양 예상가 - 총매입가
= 3억6,000만 원 - 2억7,855만 원
= 8,145만 원

일반분양가가 7,000만 원 높아질 경우

이번에는 이 물건의 일반분양가가 7,000만 원 오를 경우를 생각해봅시다. 이 경우 비례율은 124%로 높아집니다.

감정가액은 1억8,500만 원이지만 권리가액은 여기에 비례율 124%를 곱한 2억2,940만 원입니다. 그리고 분담금은 조합원분양가 2억9,500만 원에서 권리가액을 뺀 금액인 6,560만 원입니다. 결론적으로 이 경우의 총매입가는 주택 매입가인 2억 원에 분담금 6,560만 원을 합한 2억6,560만 원이 됩니다.

분담금 = 조합원분양가 - 권리가액
= 조합원분양가 - (감정평가액 × 비례율)
= 2억9,500만 원 - (1억8,500만 원 × 124%)
= 6,560만 원

총매입가 = 주택 매입가 + 분담금
= 2억 원 + 6,560만 원
= 2억6,560만 원

이때는 일반분양가가 7,000만 원 오른 3억8,000만 원으로 가정한 상황입니다. 정말 그렇게 된다면 우리는 총매입가 2억6,560만 원으로 3억8,000만 원짜리 집을 사는 셈이 됩니다. 예상 시세차익은 1억1,440만 원이 넘습니다.

시세차액 예상가 = 일반분양 예상가 - 총매입가
= 3억8,000만 원 - 2억6,560만 원
= 1억1,440만 원

재미있는 사실은 일반분양가가 5,000만 원 올랐을 때보다 7,000만 원 올랐을 때의 총매입가가 더 적다는 점입니다. 일반분양가가 5,000만 원 올랐을 때의 비례율보다 7,000만 원 올랐을 때의 분담금이 더 적기 때문입니다. 일반분양가가 높아지면서 비례율이 올라갔고 그만큼 권리가액이 늘어나면서 나타난 결과입니다. 이것은 일반분양가가 높아지면서 발생하는 수익금이 비례율이라는 장치를 통해 조합원들에게 더 많이 돌아가게끔 설계된 것이라고 볼 수 있습니다.

주목해야 할 것은 따로 있다

이 물건은 프리미엄 1,500만 원을 얹어줌으로써 거래가 성사되었습니다. 일반분양가가 최소 5,000만 원에서 7,000만 원은 인상될 것이라는 예상에 따른 것입니다. 만약 그 예상이 맞아떨어진다면 일반분양가가 많이 인상될수록 분담금은 줄어들고 투자 수익은 더욱 커지게 될 것입니다.

결론적으로, 감정평가가 공개된 시점에서 눈여겨봐야 할 것은 조합원분양가와 일반분양 예정가의 차이가 얼마나 크게 나느냐가 아닙니다. 그보다는 일반분양 예정가가 주변시세에 비해 높게 책정되었는지 아니면 낮게 책정되었는지를 확인해야 합니다. 만약 주변 시세보다 낮게 책정되어 있다면 실제 일반분양가는 높아질 가능성이 충분합니다.

따라서 이 시점에서는 일반분양 완판이 가능한 적정 분양가가 어느 정도인지 예측해 보고, 일반분양가 인상에 따른 비례율을 계산해서 투자 수익을 분석하는 것이 더욱 효율적입니다.

관리처분계획 단계에서의 분석

재개발 사업의 틀이 대부분 확정되는 시기는 관리처분계획 단계입니다. 관리처분계획은 종전자산을 어떻게 관리하고 종후자산을 어떻게 처분할 것인지에 대한 구체적 계획입니다. 관리처분계획을 위한 주민총회가 통과되면 지자체에 관리처분계획 인가 신청을 하게 되고, 관리처분계획이 인가되면 이주 및 철거에 들어갑니다.

관리처분계획이 나올 때쯤이면 사업의 불확실성이 거의 제거된 상태이므로 사업성 분석이 매우 용이합니다. 그래서 많은 투자자들이 몰리는 시기이기도 하지만, 동시에 이미 P(프리미엄)가 많이 붙어서 수익은 상대적으로 높지 않을 수 있습니다. 이제부터는 서울시 E구역의 사례를 이용해서 관리처분계획 자료를 들여다보는 방법부터 살펴봅시다.

오른쪽의 내용은 서울시 E구역 관리처분계획 책자의 실제 내용을 일부 발췌하여 편집한 것입니다. 우리가 중요하게 살펴볼 것은 먼저 이곳의 사업성입니다. 따라서 사업성의 지표인 비례율을 구성하는 주요 요소를 중심으로 살펴보면 됩니다.

공사비

우선 총사업비는 약 3,271억 원입니다(❶). 그중에서 '공사비' 합계는 약 2,146억 원인데, 이는 총사업비의 65.62%를 차지하는 비중입니다(❷). 앞서

서울시 E구역 관리처분계획 중 소요비용추산액

항목				금액		비율	
총사업비				327,125,351,664		100.00%	❶
소용비용추산액	조사측량비	조사측량비		421,266,000		0.13%	
		지질조사비		77,000,000		0.02%	
		문화재조사비		11,915,100		0.00%	
	설계감리비	설계비		1,524,372,011		0.47%	
		감리비		4,400,494,989		1.35%	
	공사비	대지조성공사비				0.00%	❷
		건축시설공사비		208,153,000,000	404만 원/평	63.63%	
		부대시설공사비				0.00%	
		단지외부공사비		6,502,129,900		1.99%	
		건축물 철거비				0.00%	
		지장물 정비	건축물 철거비			0.00%	
			범죄예방/이주관리/석면 해체/지장물 철거			0.00%	
		기타공사비				0.00%	
	보상비	국공유지매입비		5,287,486,714		1.62%	❸
		손실보상비	청산대상자 청산금	46,584,685,850		14.24%	
			영업손실보상비(상가 등)	1,753,000,000		0.54%	
		이주비	주거대책비	2,204,784,668		0.67%	
			기타이주보상비	2,420,000,000		0.74%	
	관리비	조합운영비		1,650,000,000		0.50%	
		조합총회비용		300,000,000		0.09%	
		변호사 및 기타수수료		1,050,000,000		0.32%	
	외주용역비	외주용역비	감정평가수수료	838,272,000		0.26%	
			정비사업전문관리용역비	1,424,856,998		0.44%	
			교통영향평가용역비	55,000,000		0.02%	
			환경영향평가용역비	270,050,000		0.08%	
			정비기반시설용역비	143,419,760		0.04%	
			기타용역비	404,800,000		0.12%	
			정비계획용역비	165,000,000		0.05%	
	부대비용	각종 부담금	광역교통시설부담금	234,656,680		0.07%	
			학교용지부담금	1,545,920,000		0.47%	
			하수도부담금	372,731,180		0.11%	
			도시가스시설부담금	96,840,000		0.03%	
		제세공과금	각종 등기비	500,000,000		0.15%	
			채권매입비	11,302,000		0.00%	
			제세공과금	714,167,815		0.22%	
		기타경비	분양보증수수료	1,240,000,000		0.38%	
			민원처리비	500,000,000		0.15%	
		예비비		15,420,000,000		4.71%	❽
		사업비 대여금 이자		8,000,000,000		2.45%	
		조합원 이주비 대여금 이자		8,600,000,000		2.63%	
	합계			327,125,351,664		100.00%	

설명한 대로, 재개발 사업장도 사업 초기에는 공사비가 총사업비의 약 75%를 차지하지만 사업이 진행될수록 그 비중은 줄어듭니다. 이 자료는 사업 초기가 아닌 관리처분계획의 자료이므로 기타사업비가 늘어나면서 공사비의 비율이 줄어든 것입니다.

평당 공사비는 404만 원으로 잡혀있습니다. 인근 지역의 공사비를 참조하면 적당한 금액이라고 판단됩니다.

기타사업비

공사비가 65.62%를 차지하므로, 그 나머지인 34.38%는 모두 기타사업비입니다. 재건축 사업처럼 기타사업비가 약 25%를 차지하지 못하는 주요 원인은 '보상비'입니다(❸).

관련 항목을 보면 '손실보상비' 중에서 '청산 대상자 청산금'이 약 465억 원으로 14.24%를 차지하고, '영업손실보상비(상가 등)'가 약 17억5,000만 원으로 0.54%를 차지합니다. '주거대책비'와 '기타이주보상비' 등 세입자 이주비 관련 보상금 합계는 약 46억 원으로 1.41%를 차지합니다.

서울시 E구역 관리처분계획 중 수입추산액

자금 조달 계획	계		327,125,351,664			
	금융기관자금		327,125,351,664			
수입 추산액	계		440,512,138,400			❺
	주택 분양 수입	조합원	196,842,900,000			
		임대아파트	31,439,097,500			
		일반	200,549,990,900			❹
		보류시설	3,490,300,000			
		부대복리시설	8,189,850,000			
	기타					

이 항목들을 모두 합한 비율은 약 16.19%이고, 여기에 국공유지매입비를 합하면 전체 보상비는 총사업비의 17.81%를 차지합니다. 사업장마다 다르지만, 재개발 사업장의 현금청산자 비율이 전체 토지등소유자의 10~20% 정도일 때 보상비는 총사업비의 15~17%를 차지하는 것이 일반적입니다.

총분양수입

왼쪽 아래의 표는 관리처분계획 자료 중 '수입추산액' 항목인데, 여기에 '주택분양수입'이 나와 있습니다(❹). 말 그대로 주택을 분양해서 얻은 수입으로 조합원분양을 통해 얻은 수익과 일반분양을 통해 얻은 수익은 물론 임대아파트, 기타 부대시설을 통한 수입까지 포함됩니다.

이 주택분양수입이 곧 총분양수입, 다시 말하면 '종후자산평가액'이 됩니다. 관리처분계획에 나와 있는 E구역의 총분양수입 합계는 약 4,405억 원입니다(❺).

종전자산평가액

종전자산평가액은 현금청산자 외에 조합원분양을 신청한 조합원들의 자산 가치의 합을 의미합니다. 다시 말해, 각 조합원들의 감정평가액을 모두 합하면 종전자산평가액이 나옵니다. E구역의 종전자산평가액은 약 1,149억 원입니다(❻).

서울시 E구역 관리처분계획 중 추정비례율

추정 비례율	(총수입-공통소요비용)/종전자산평가액 = 98.63%		❼
	공통부담소요비용	327,125,351,664	
	분양대상토지 등의 종전자산평가액	114,965,045,485	❻
	지급청산총액	113,386,786,736	

추정비례율

총분양수입, 총사업비, 종전자산평가액을 알았으므로 이제 비례율을 알 수 있습니다. 비례율 공식에 해당 변수들을 대입하여 구한 E구역의 추정비례율은 약 98.63%입니다(❼). 이는 관리처분계획에도 나와 있는데, 사업이 아직 완료되지 않았으므로 추정비례율이라고 하는 것입니다.

비례율 = (총분양수입 - 총사업비) / 종전자산평가액 × 100
= (약 4,405억 원 - 약 3,271억 원) / 약 1,149억 원 × 100
= 98.63%

비례율이 낮으니 사업성도 나쁠까

관리처분계획을 보면 E구역의 추정비례율은 100%를 넘지 않습니다. 그렇다면 E구역은 사업성이 나쁜 지역이라고 봐야 할까요? 추가부담금이 발생하는 것은 아닐까요?

꼭 그렇다고 보기는 어렵습니다. 그 첫 번째 이유는 앞쪽에서 살펴본 소요비용추산액 표 중 '예비비' 항목에서 찾아볼 수 있습니다(❽). 예비비는 만약의 상황이 발생할 것에 대비해 책정해두는 예산으로 통상 총사업비의 1% 정도입니다. 이 사업장의 예비비는 약 4.71%로, 일반적인 재개발 사업장보다 많이 책정되어 있습니다.

예비비가 많다는 것은 어떤 의미일까요? 예비비가 많이 책정되어 있으면 나중에 사정이 생겨서 추가로 돈을 투입해야 할 때 유용하게 활용할 수 있습니다. 즉, 예비비를 넉넉하게 잡아놓았다는 것은 이 사업장이 그럴 만한 여유가 있다는 것을 보여줍니다. 만약 E구역의 예비비가 다른 구역과 비슷하게 1% 수준이었다면 총사업비는 약 100억 원 정도 줄어들었을 것입니다. 그랬다면 비례율도 높아져서 100%를 넘겼을 것이라 생각됩니다.

이 사업장에서 왜 예비비를 높게 잡았는지는 관리처분계획의 수치만으로 알 수 없습니다. 어쨌든 중요한 것은 사업성을 판단할 때 단순히 비례율의 숫자만 볼 것이 아니라, 수치들 사이의 관계와 숨어있는 의미를 살펴봐야 한다

서울시 E구역의 조합원분양가(관리처분계획 상)

평형 (전용면적)	분양 평형 (평)	조합원 분양가 (만 원)	평단가 (만 원)	신축아파트 세대수 (임대 제외)				
				소계	비율	조합원 분양	일반 분양	보류 시설
39m²	19.17	26,100	1,362	24	2.70%	4	19	1
49m²	23.73	32,300	1,361	24	2.70%	8	13	3
59m²	26.08	35,500	1,361	241	27.08%	237	4	0
84Am²	34.44	46,100	1,339	324	36.40%	134	187	3
84Bm²	34.86	46,100	1,322	152	17.08%	57	93	2
99Am²	41.13	51,000	1,240	50	5.62%	20	30	0
99Bm²	41.13	51,000	1,240	25	2.81%	14	11	0
114m²	47.2	58,000	1,229	50	5.62%	4	46	0
합계				890	100.00%	478	403	9

서울시 E구역의 일반분양 예정가(관리처분계획 상)

평형 (전용면적)	분양평형 (평)	평단가 (만 원)	세대수	평균분양가 (만 원)
39m²	19.17	1,439	19	27,599
49m²	23.73	1,413	13	33,552
59m²	26.08	1,575	4	41,092
84Am²	34.44	1,433	187	49,355
84Bm²	34.86	1,414	93	49,323
99Am²	41.13	1,364	30	56,140
99Bm²	41.13	1,325	11	54,517
114	47.2	1,287	46	60,778

는 사실입니다.

두 번째 이유는 일반분양가입니다. C구역의 관리처분계획 상 일반분양 예상가는 평당 1,287만 원에서 1,575만 원 사이입니다. 그러나 먼저 사업이 진행되었던 인근 아파트의 현재 시세를 고려하면 실제 일반분양가는 이보다 높아질 가능성이 매우 큽니다. 이에 대해서는 잠시 후에 자세히 알아보겠습니다.

일반분양가의 변수 고려하기

재개발의 사업성 분석이 재건축에 비해 어려운 이유는 다양한 변수가 존재하기 때문입니다. 따라서 재개발 사업성 분석은 그러한 변수에 따른 불확실성을 얼마나 제거하느냐에 달려있다고 해도 과언이 아닙니다. 관리처분계획이 나왔다면 불확실성의 상당부분이 제거된 것이지만, 아직도 변수는 남아있습니다.

변동의 가능성이 가장 큰 것은 일반분양가이고, 그 다음은 공사비입니다. 그런데 이 두 가지는 비례율에 직접적인 영향을 미칩니다. 일반분양가는 총분양수입의 상당부분을 차지하고, 공사비는 총사업비의 상당부분을 차지하기 때문입니다.

따라서 재개발 사업성 분석을 제대로 하기 위해서는 일반분양가와 공사비가 변동될 수 있다는 사실을 고려해야 합니다. 최소 얼마에서 최대 얼마까지 변동이 가능하다는 것을 염두에 두고 분석하는 것입니다.

E구역의 경우 관리처분계획 상 평당 공사비는 404만 원으로, 특별한 사정이 생기지 않는다면 착공 후에 공사비가 크게 변동되지는 않을 것으로 보입니다. 인근 지역의 평당 공사비 시세와 대략 비슷한 수준이기 때문입니다. 그러나 일반분양가는 언제든 변동될 수 있습니다. 일반분양을 할 때의 부동산 시장이 좋다면 높아질 것이고, 반대의 경우에는 낮아질 것입니다.

E구역은 2017년 상반기 중에 일반분양을 진행하는 것으로 예정되어 있습니

다. 2017년 3월 현재의 분위기만 놓고 봤을 때에는 관리처분계획 상 일반분양 예정가가 주변 시세보다 낮게 책정되어 있다고 판단되므로 실제 일반분양가는 인상될 가능성이 높아 보입니다.

만약 일반분양가가 지금보다 높아진다면 이 지역의 사업성은 더욱 좋아질 것입니다. E구역의 일반분양가가 변동함에 따라 비례율이 어떻게 변하는지 알아보도록 하겠습니다.

일반분양가는 비례율에 어떤 영향을 줄까

관리처분계획에는 일반분양 예정가가 나와 있습니다. 그러나 예정가는 어디까지나 예정가일 뿐, 실제 일반분양을 할 때 일반분양가는 높아질 수도 혹은 낮아질 수도 있습니다.

평당 일반분양가 변동 시 총분양수입의 변화

전용 면적	분양 면적	세대수	평당 분양가 인상 시 증가하는 수입		
			100만 원 인상	200만 원 인상	300만 원 인상
39.86㎡	19.17평	19	3억6,423만 원	7억2,846만 원	10억9,269만 원
49.74㎡	23.73평	13	3억849만 원	6억1,698만 원	9억2,547만 원
59.51㎡	26.08평	4	1억432만 원	2억864만 원	3억1,296만 원
84.74㎡	34.44평	187	64억4,028만 원	128억8,056만 원	193억2,084만 원
84.85㎡	34.86평	93	32억4,198만 원	64억8,396만 원	97억2,594만 원
99.94㎡	41.13평	30	12억3,390만 원	24억6,780만 원	37억170만 원
99.83㎡	41.13평	11	45억2,430만 원	90억4,860만 원	135억7,29만 원
114.86㎡	47.20평	46	21억7120만 원	43억4,240만 원	65억1,360만 원
증가액 총계			143억1,683만 원	286억3,366만 원	429억5,049만 원

※ 계산방식 : 증가하는 수입 = 평당 인상 금액 × 분양면적 × 세대수

E구역 관리처분계획 자료를 보면 일반분양 예정가는 평당 약 1,288만 원부터 약 1,576만 원까지로 나와 있습니다. 이 경우의 관리처분계획 상 추정비례율은 약 98.63%였습니다.

비례율 = (종후자산평가액 - 총사업비) / 종전자산평가액 × 100
= (약 4,405억 원 - 약 3,271억 원) / 약 1,149억 원 × 100
= 약 98.63%

만약 일반분양가를 평당 100만 원씩 높이면 비례율은 어떻게 달라질까요? 다른 조건은 모두 동일하다는 전제 하에 종후자산평가액만 늘어난다면 비례율이 높아지리라고 예상할 수 있습니다.

위의 표를 보면 일반분양가가 평당 100만 원 높아졌을 때 총분양수입은 약 143억 원이 늘어난 약 4,548억 원이 된다는 것을 알 수 있습니다. 이때 총사업비는 변함없이 약 3,271억 원이고 종전자산평가액 역시 변함없이 약 1,150억 원이므로, 이를 대입하면 비례율은 111.1%로 계산됩니다. 관리처분계획보다 약 12.47%p 정도 높아진 것입니다.

비례율 = (종후자산평가액 - 총사업비) / 종전자산평가액 × 100
= (약 4,548억 원 - 약 3,271억 원) / 약 1,149억 원 × 100
= 약 111.1%

같은 방식으로 평당 일반분양가가 200만 원씩 오를 때와 300만 원씩 오를 때의 비례율을 계산해 보면 뒤 쪽의 표와 같습니다. 표를 살펴보면 일반분양가가 높아질수록 총분양수입도 늘어나고, 그에 따라 비례율도 높아지는 것을 확인할 수 있습니다.

일반분양가 인상에 따른 비례율 변화

인상 가격	총수입 증가액	비례율
기존	0원	98.6%
평당 100만 원	143억1,683만 원	111.1%
평당 200만 원	286억3,366만 원	123.5%
평당 300만 원	429억5,049만 원	136.0%

※ 일반분양 세대수는 총 403세대, 총사업비 및 종전자산평가액은 동일한 조건임.

지금까지 보여드린 사업성 분석법은 모두 E구역의 관리처분계획 자료를 기준으로 계산한 것입니다. 그런데 재미있는 사실이 있습니다. 2016년 말 E구역은 서울시에 '사업시행변경인가'를 신청합니다. 주요 골자는 재정비촉진계획을 변경하여 분양 세대수를 늘리겠다는 것입니다.

이에 따르면 기존 총 1,076세대였던 신축세대가 총 1,192세대로 늘어나면서, 일반분양 세대도 기존 412세대에서 511세대로 늘어납니다. 일반분양 물량이 99세대 많아진 것입니다. 이에 따라 총분양수입은 증가할 수밖에 없을 것이고, 비례율은 더욱 올라갈 것으로 보입니다.

앞으로 E구역은 일반분양가를 얼마나 인상하느냐에 따라 사업성이 판가름 날 것입니다. 물론 분양가를 지나치게 높인다면 오히려 미분양이 발생할 수도 있으므로, 완판이 될 수 있는 수준에서 일반분양가를 책정하여 사업성을 높이는 것이 바람직할 것입니다.

비례율 상승이 기대되면 큰 물건 투자가 유리하다

E구역처럼 앞으로 일반분양 수익이 증가하면서 비례율이 높아질 것으로 예상되는 구역에 투자를 할 때에는 감정평가액이 작은 물건보다는 큰 물건에 투자하는 것이 유리합니다. 비례율이 달라지면 감정평가액이 낮으냐 높으냐에 따라 조합원 개개인의 유·불리가 갈립니다.

예를 들어 설명해 보겠습니다. 같은 재재발 지역의 주택을 소유하고 있는 김일억 씨와 박이억 씨가 있다고 합시다. 김일억 씨가 소유한 주택의 감정평가액은 1억 원, 박이억 씨가 소유한 주택은 2억 원입니다. 두 사람은 똑같이 조합원분양가 4억 원짜리 아파트를 분양받고 싶어 합니다. 그렇다면 비례율이 높아지거나 낮아질 때 두 사람의 상황은 어떻게 달라질까요?

먼저 비례율이 100%일 경우를 살펴봅시다. 김일억 씨와 박이억 씨의 권리가액 및 분담금은 각각 아래와 같을 것입니다. 이에 따르면 김일억 씨가 박이억 씨보다 1억 원의 분담금을 더 내야 합니다.

김일억 씨

권리가액 = 감정평가액 1억 원 × 비례율 100% = 1억 원

분담금 = 조합원분양가 4억 원 - 권리가액 1억 원 = 3억 원

박이억 씨

권리가액 = 감정평가액 2억 원 × 비례율 100% = 2억 원

분담금 = 조합원분양가 4억 원 - 권리가액 2억 원 = 2억 원

₩ 비례율이 높아지면 감정평가액이 클수록 유리하다

이번에는 비례율이 110%로 높아졌을 때를 살펴봅시다. 비례율이 10% 상승함에 따라 김일억 씨와 박이억 씨의 권리가액 및 분담금은 아래와 같이 달라집니다.

김일억 씨

권리가액 = 감정평가액 1억 원 × 비례율 110% = 1억1,000만 원

분담금 = 조합원분양가 4억 원 - 권리가액 1억1,000만 원 = 2억9,000만 원

박이억 씨

권리가액 = 감정평가액 2억 원 × 비례율 110% = 2억2,000만 원

분담금 = 조합원분양가 4억 원 - 권리가액 2억2,000만 원 = 1억8,000만 원

이전과 비교했을 때 두 사람의 분담금은 모두 줄어들긴 했습니다. 하지만 김일억 씨는 1,000만 원만 줄어든 반면 박이억 씨는 2,000만 원이 줄어들었습니다. 비례율이 높아지면 감정평가액이 높게 나왔던 박이억 씨가 금액적으로 더 유리해집니다.

₩ 비례율이 낮아지면 감정평가액이 클수록 불리하다

그렇다면 이번에는 반대로 비례율이 10% 낮아져 90%가 되었을 때를 생각해 봅시다. 김일억 씨와 박이억 씨의 권리가액 및 분담금은 각각 아래와 같이 계산됩니다.

김일억 씨

권리가액 = 감정평가액 1억 원 × 비례율 90% = 9,000만 원

분담금 = 조합원분양가 4억 원 - 권리가액 9,000만 원 = 3억1,000만 원

박이억 씨

권리가액 = 감정평가액 2억 원 × 비례율 90% = 1억8,000만 원

분담금 = 조합원분양가 4억 원 - 권리가액 1억8,000만 원 = 2억2,000만 원

비례율이 낮아지면서 두 사람 다 분담금이 늘어난 것은 마찬가지이지만, 김일억 씨는 1,000만 원만 더 내면 되는 반면 박이억 씨는 2,000만 원을 더 내야 합니다. 이번에는 박이억 씨가 금액적으로 불리해진 것입니다.

요약하자면, 비례율이 높아지면 감정평가액이 높은 사람이 낮은 사람보다 상대적으로 유리해집니다. 물론 이것은 어디까지나 상대적으로 그렇다는 것이고, 비례율이 높아지면 어쨌든 김일억 씨와 박이억 씨 모두에게 이익인 것은 마찬가지지요.

하지만 비례율이 낮아져서 추가부담금이 나올 때에는 문제가 생길 수도 있습니다. 감정평가액이 높은 사람이 낮은 사람보다 추가부담금을 더 많이 내게 되기 때문입니다. 없던 돈이 들어올 때에는 넘어갈 수 있지만, 있던 돈이 나갈 때에는 불만이 커지는 게 인지상정입니다.

앞으로 이 지역의 비례율이 높아질 것이라고 예상된다면 감정평가액이 큰 물건을 매수하는 게 좋고 반대로 비례율이 낮아질 것이라고 예상된다면 감정평가액이 낮은 물건을 사시는 게 좋습니다.

Chapter 07 Key Point

1 재개발은 재건축에 비해 다양한 변수가 작용하므로 정확한 사업성 분석이 어렵다. 그러나 비록 오차범위가 넓더라도 투자 결정 전 사업성을 분석해 보는 것이 실패를 줄이는 길이다.

2 재개발 역시 사업 초기에는 재건축과 마찬가지로 '공사비 : 기타사업비 = 75% : 25%'의 비율을 보인다. 따라서 조합창립총회 자료의 공사비 비율이 75%보다 많이 크거나 작을 경우에는 원인이 무엇인지 점검해야 한다.

3 사업장 내 조합원들이 가진 부동산의 평균적 감정평가액을 의미하는 '평균 감정평가액'을 활용하면 감정평가액이 통보되기 이전에도 대략적인 추측이 가능하다.

4 관리처분계획이 나올 경우 대부분의 불확실성은 제거된 것이지만, 추후 일반분양가와 공사비(시공비)가 달라질 가능성이 있다. 특히 실제 일반분양가에 따라 사업성이 크게 달라지므로 일반분양가가 최소값일 때부터 최대값일 때까지 다양한 경우의 수를 분석해 보는 것이 좋다.

틀을 깨는 투자가 **필요하다**

08

미리보기

이제 독자 여러분도 재건축과 재개발의 사업성 분석이 상당부분 가능할 것입니다. 쉬운 내용은 아니지만, 실제 사례를 이용해서 적용하다 보면 방법을 금방 익힐 수 있을 것입니다.
이번 챕터에서는 사업성을 분석하는 것 외에 재건축·재개발과 관련된 또 다른 투자 전략에 대해 알아봅니다. 조합원 입주권을 선점해서 매도하는 것 외에도 일반분양가 상승을 노리고 나중에 들어가는 단기 투자, 사업이 진행되면서 발생할 이주수요를 노리는 투자, 요즘 관심을 끌고 있는 1+1(원 플러스 원) 투자 등 다양한 전략이 존재합니다.
투자에 정해진 길은 없습니다. 끊임없는 공부와 노력을 바탕으로 부동산을 보는 안목을 넓히다 보면 어느 순간 남들이 미처 생각하지 못한 방법으로 수익을 내는 길이 열립니다. 그런 사람들을 우리는 투자 고수라고 부릅니다. 재건축·재개발과 관련된 다양한 전략을 살펴보며 고수의 자질을 키워 봅시다.

주요 개념 정리

이주수요 : 재건축·재개발 사업이 진행되어 주택 철거가 이뤄지면 기존에 살던 사람들은 새로운 거주지를 구해야 한다. 이를 실무에서는 이주수요라 부른다.

1+1(원 플러스 원) 분양 : '1조합원 2주택 분양'을 의미하는 말로, 조합원 한 세대에게 두 개의 입주권을 주는 것. 기존 주택의 종전자산평가액이나 주거전용면적이 커서 일정 기준을 충족하면 전용면적 60㎡ 이하의 주택을 추가로 분양받을 수 있다. 장단점이 있으므로 조건을 잘 따져서 신청하는 것이 좋다.

아직 투자하기에 늦지 않았을지 모른다

요즘처럼 정보를 쉽게 얻고 공유하는 시대에는 재건축·재개발에 대한 정보도 순식간에 퍼져나갑니다. 어느 지역에서 사업이 진행된다더라 하는 이야기를 듣고 달려가 보면 이미 발 빠른 투자자들이 진입한 상태이고, P(프리미엄)가 붙어서 가격이 많이 올라있는 경우가 부지기수입니다.

그러나 아직 포기하기는 이릅니다. 비록 재건축·재개발 사업이 거의 다 진행되고 이주를 시작해서 이제 건축과 일반분양만 남은 지역이라 하더라도 아직 기회는 남아 있습니다. 만일 일반분양가가 더 오를 가능성이 있다면 말입니다.

이주를 시작한 곳도 다시 보자

현재 이주를 시작한 곳이라면 관리처분계획이 세워진 것은 아마도 1~2년쯤 전일 것입니다. 그런데 2016년에서 2017년 현재를 기준으로 생각해보면, 이주를 시작한 현재와 달리 1~2년쯤 전에는 분양 시장이 그렇게 활발하지 않았습니다. 그렇다면 아마도 관리처분계획에 책정된 일반분양 예정가가 현재 시세에 비해 저렴할 가능성이 높겠지요.

이런 곳들은 관리처분계획에서 책정했던 것보다 높은 가격에 일반분양을 하게 될 것입니다. 그렇다면 최종적으로 비례율이 높아지면서 조합원들의 분담금도 줄어들 가능성이 높습니다.

오히려 이런 곳은 짧은 시간 내에 수익을 올릴 수 있으므로 이것이 장점일 수 있습니다. 조금 늦은 단계에 들어가더라도 투자금이 회수되는 기간이 짧은 것입니다. 실제로 최근에는 이런 전략을 이용해서 투자하기에 좋은 곳들이 여럿 보이고 있습니다.

상승기에는 분담금이 줄어드는 것에 집중하자

부동산 시장의 흐름이 좋을 때에는 일반분양가가 올라가기 때문에 추가부담금이 나오지 않을까 걱정할 필요가 별로 없습니다. 그보다는 원래 내야 했던 분담금이 얼마나 줄어들 수 있을지를 따져보는 게 중요합니다.

부동산 시장이 상승기일 때에는 여유가 좀 있다면 감정평가액이 큰 물건을 매입하는 것이 좀 더 유리합니다. 일반분양가가 높아지면 비례율이 상승할 텐데, 감정평가액이 클수록 그 혜택을 많이 보기 때문입니다. 감정평가액이 크면 비례율이 높아졌을 때 줄어드는 분담금 금액이 더 큽니다.

반대로 부동산 시장의 흐름이 좋지 않아서 일반분양가가 낮아지거나 사업비가 많이 들어갈 듯한 분위기라면 감정평가액이 작은 빌라를 매수하는 게 상대적으로 나을 수 있습니다. 비례율이 올라갈 때와 내려갈 때 감정평가액에 따라 유·불리가 어떻게 갈리는지에 대해서는 앞 챕터에서 다룬 바 있으니 참고하시기 바랍니다.

또 하나의 투자 전략 '이주수요를 잡아라'

2017년 현재 수도권에 위치하면서 사업시행인가가 나고 감정평가액이 공개된 구역들은 P(프리미엄)이 상당히 붙어 있습니다. 그래서 시세대로 사면 일반분양 예정가와 거의 차이가 없는 곳들이 대부분입니다. 그러다보니 별로 수익을 기대하기 어려운 지역이 많습니다.

그렇다고 아직 감정평가액이 나오지 않은 구역의 물건을 매수하자니 겁이 나고 어렵다는 생각이 듭니다. 물론 그런 지역에서 사업성을 분석하는 방법에 대해서도 이미 알려드린 바 있지만, 초보자라면 겁을 먹을 만도 합니다.

이런 분들은 투자를 포기해야 할까요? 아닙니다. 이런 곳에서도 새로운 투자 전략 하나를 생각해 볼 수 있습니다. 어쩌면 실제 재건축·재개발 투자 못지않게 쏠쏠한 투자가 있는데, 바로 '이주수요 투자'입니다.

사업이 진행되는 인근 지역을 노려라

오른쪽 표는 성남 본시가지에서 진행되고 있는 재건축·재개발 구역의 사업진행 상황을 제가 2015년도부터 정리해둔 것입니다. 이 표에는 각 구역별로 시공사, 현재 사업 진행 단계, 예상 이주 시기, 조합원 수, 세입자 수, 일반분양 수량 등이 정리되어 있습니다. 단, 표에 나와 있는 숫자는 사업이 진행되면서

성남시 재건축·재개발 이주 예정 세대수 (2017년 3월 현재)

사업 방식		구역명	시공사	사업 단계	예상 이주 시기	기존세대수			분양물량				총분양 물량 (ⓑ)
						권리자 (조합원)	세입자	합계 (ⓐ)	임대	일반 분양	일반 분양 비율	합계	
재개발	LH 시행 순환 재개발	중 1구역	코오롱 글로벌	2016년 7월 관리처분 총회	2016년 7월	1,143	2,572	3,715	408	844	74%	1,987	2,395
		금광 1구역	대림 이편한 세상	2016년 7월 관리처분 총회	2016년 7월	2,293	5,206	7,499	865	1,929	84%	4,222	5,087
		신흥 2구역	GS 대우 컨소시엄	조합원 분양 신청중	2017년 6월	2,119	4,369	6,488	807	1,818	86%	3,937	4,744
	민영	산성 구역	GS –대우 –SK	조합 설립 후 시공사 선정중	2018년	1,707	3,783	4,499	602	1,232	72%	2,939	3,541
		상대원 2구역	대림 이편한 세상	시공사 선정 후 정비계획 변경중	2018년	2,307	5,228	7,535	796	2,201	95%	4,508	5,304
	합 계							29,736					21,071
	세대수 증감 (ⓑ – ⓐ)							–8,665					
재건축	민영	건우 아파트	두산건설	일반 분양 완료	신축중	470		470		33	7%	503	503
		신흥 주공	랜드마크 사업단 (현산, 포스코, 롯데)	이주 완료	2016년 9월	2,406		2,406		1,619	67%	3,997	3,997
		금광 3구역	한양건설	이주 예정	2017년 상반기	638				182	29%	711	711
	합 계							2,876					5,211
	세대수 증감 (ⓑ – ⓐ)							+2,335					
전 체 합 계						13,083	21,158	**34,241**	3,478	9,858		22,804	**47,353**
개발 후 세대수 증감 (ⓑ – ⓐ)								–6,330					
예상 이주 세대수			2016년			14,090							
			2017년 이후			18,522							

변동이 되므로 백 프로 정확한 수치는 아님을 미리 밝힙니다.

저는 관심 있는 지역의 자료를 이런 식으로 미리 정리해두곤 합니다. 투자 물건을 찾을 때에 매우 큰 도움이 되기 때문입니다. 성남은 제가 거주하는 지역이자 제 사무실이 위치하는 곳이라 좀 더 구체적으로 정리해 두긴 했지만, 그 외의 지역도 마찬가지입니다. 여러분도 평소에 관심을 가진 지역이 있다면 이런 식으로 정리해 놓으시기를 권합니다.

성남 본시가지에는 5개의 재개발 구역과 3개의 재건축 구역이 있습니다. 재개발 사업장 중 3개 구역(중1구역, 금광1구역, 신흥2구역)은 LH공사에 의해 순환재개발 방식으로 사업이 진행 중이고, 2개 구역(산성구역, 상대원2구역)은 민간조합 방식으로 사업이 진행중입니다.

재건축이 진행되는 곳은 3개 구역(금광3구역, 신흥주공아파트, 건우아파트)입니다. 이중에는 시공사가 선정이 되어서 사업시행인가를 위한 작업을 진행 중인 곳도 있고, 어떤 곳은 이미 관리처분총회가 끝나서 이주를 하는 곳도 있습니다.

이 표에서 특히 관심 있게 살펴볼 부분은 '기존세대수'의 합계입니다. 말 그대로 현재 살고 있는 세대의 숫자를 말하는데, 조합원 수와 세입자 수를 합친 세대수입니다. 표를 보면 성남 지역 내 8개 사업장의 조합원 세대는 총 1만 1,940세대, 세입자 세대는 총 2만1,158세대입니다. 세입자 수가 조합원 수보다 약 1.6배 많습니다. 그 이유는 이 지역의 집 중 상당수가 대지 20평에 지하 1층, 지상 2층의 구조로 주인 세대가 한 개 층에 거주하고 나머지에 세입자가 거주하기 때문입니다. 성남의 재개발 구역 내에는 이런 주택들이 약 80%, 빌라가 약 20% 정도 됩니다.

재건축·재개발 사업 전 이 지역의 총세대수는 3만3,250세대로 나와 있습니다. 한 세대에 가족 수가 세 명씩이라고 가정하면 이 지역의 인구는 약 10만 명이라고 추산할 수 있습니다. 이 10만 명의 인구는 앞으로 재건축·재개발을 위해 집이 헐리고 다시 지어지는 동안 어딘가로 이사를 가야 합니다. 현재 성남의 본시가지라고 할 수 있는 중원구와 수정구의 인구가 합해서 50만 명인데, 그중 20%에 해당하는 인구가 앞으로 5년간 살 집이 필요한 것입니다.

'이 사람들은 어디로 이사를 갈 것인가?'

이것이 또 하나의 투자 포인트입니다. 재건축·재개발 구역 내에 위치한 조합원 매물을 매수하는 것도 좋은 방법이지만, 조합원들이 이사를 갈 만한 지역을 선점한 후 이주 타이밍에 맞춰 이분들에게 매도하는 것도 좋은 방법입니다. 어찌 보면 재건축·재개발 매물을 매수하는 것보다 위험부담이 적은 투자라고 할 수도 있습니다. 저의 경우는 2015년도에 이 표를 만든 후 경기도 광주와 성남 등 재개발 구역 인근의 주택을 매수했고, 1년이 지난 2016년 말부터 순차적으로 매도를 하는 중입니다. 1년 전과 비교했을 때 매매가는 약 10~20% 정도 상승한 상태입니다.

재개발 후에는 집이 모자라게 된다

위의 표에서 또 한 가지 유심히 봐야 할 것이 '세대수 증감' 부분입니다. 재개발 후 이 지역에는 8,665세대의 주택이 감소하고, 재건축 후에는 2,335세대의 주택이 늘어납니다. 합치면 이 지역 전체에서 6,330세대의 집이 줄어드는 것입니다.

재건축·재개발 사업이 모두 진행되고 난 후에 집이 많아지는 게 아니라 오히려 줄어든다니, 의아한 분들도 계실 겁니다. 많은 사람들이 착각하는 것 중 하나는 재개발 사업이 완료되면 세대수가 늘어날 것이라는 생각입니다. 재건축 사업의 경우는 맞는 말이지만, 재개발은 그렇지 않습니다.

이유는 입주권의 숫자 때문입니다. 성남시 재개발 구역에는 지하 1층과 지상 2층으로 지어진 주택에 총 3세대가 사는 경우가 많지만, 재개발 이후의 입주권은 집주인 세대에게만 나옵니다. 위 표에서 재개발 후에 8,665세대가 줄어드는 이유는 그것입니다.

비록 재건축 사업을 통해 2,335세대가 늘어나지만, 재개발로 줄어드는 세대수와 합하면 전체적으로 6,330세대가 줄게 됩니다. 그런데 성남은 앞으로 재건축보다 재개발이 이뤄지는 곳이 더 많습니다. 뒤집어 생각하면 앞으로 성남시의 주택 수는 계속 줄어들 것이라고 볼 수 있습니다.

이것은 비단 성남시에만 적용되는 것은 아닙니다. 서울시의 경우도 재개발 사업이 진행될수록 주택 수는 줄어들게 됩니다. 게다가 재건축·재개발이 많이 진행될수록 저가 주택은 줄어들고 중·고가의 아파트가 계속 지어질 것이므로, 돈이 부족한 사람들은 더 저렴한 곳을 찾아 그 지역을 떠날 수밖에 없습니다. 그리고 반대로 재개발 구역 인근의 저렴한 주택은 수요가 늘어날 수밖에 없겠지요.

이처럼 재개발 사업이 진행 중인 구역 인근의 빌라나 아파트, 다가구주택에 관심을 가지는 것은 훌륭한 투자 전략입니다. 지면 관계상 이주수요 투자에 대한 자세한 내용을 이 책에 다 담지는 못하지만, 다음 책이나 강의를 통해서 이에 대해 알려드릴 기회를 만들어 보겠습니다.

'원 플러스 원' 투자에 주목하자

재건축·재개발에서는 일정한 조건을 갖추면 기본적인 조합원분양 외에도 전용면적 60㎡ 이하의 아파트를 추가로 분양받을 수 있습니다. 이것이 바로 1조합원 2주택 분양, 흔히 '1+1(원 플러스 원)' 분양이라고 하는 방식입니다. 큰 평수에는 조합원 본인이 실거주하고, 작은 평수에는 월세를 놓아 수익을 올릴 수 있다고 해서 최근에 인기가 많아졌습니다.

이때 추가로 분양받는 주택의 가격은 조합원분양가가 아니라, 조합에서 자율적으로 결정하도록 되어 있습니다. 최근의 추세를 보면 일반분양 예정가보다 5~10% 정도 낮은 가격에 책정되는 경향이 있습니다.

원 플러스 원(1+1) 분양을 받을 수 있는 조건

1+1 분양을 받을 수 있는 조건은 '도시 및 주거환경 정비법' 48조에 나와 있습니다.

「도시 및 주거환경 정비법」 48조

종전자산평가액 또는 주택의 주거전용면적의 범위 내에서 2주택을 공급할 수 있다.

이에 따르면 종전자산의 감정평가액이 1+1로 분양받는 아파트의 가격을 합산한 금액보다 크거나, 주거전용면적이 1+1로 분양받는 아파트를 합산한 전용면적보다 커야 합니다.

예를 들어, 내가 기존에 가지고 있던 주택의 감정평가액이 5억 원이라고 합시다. 만약 조합원분양가가 3억5,000만 원이라면 분양가 1억5,000만 원 이하의 작은 아파트를 추가로 분양받을 수 있습니다.

또한 내가 기존에 가지고 있던 주택이 전용면적 145㎡짜리인데, 조합원분양으로 전용면적 84㎡짜리 아파트를 받는다고 합시다. 그렇다면 남은 면적인 전용면적 59㎡ 이하의 작은 아파트를 추가로 분양받을 수 있습니다. 이때 추가로 분양받는 아파트는 반드시 전용면적 60㎡ 이하여야 합니다.

일반적인 재건축·재개발 사업장에서 1+1 분양을 받을 수 있는 유형은 대부분 다음과 같습니다.

전용면적 145㎡ 이상 = 전용면적 84㎡ + 전용면적 59㎡

전용면적 135㎡ 이상 = 전용면적 84㎡ + 전용면적 49㎡

전용면적 120㎡ 이상 = 전용면적 59㎡ + 전용면적 59㎡

전용면적 100㎡ 이상 = 전용면적 49㎡ + 전용면적 49㎡

이때 주의할 점이 있습니다. 만약 내가 신청한 추가 주택의 평형을 다른 사람들도 많이 신청해서 경합이 붙게 되면, 이때는 1+1 신청자보다 1주택 신청자에게 우선권이 부여된다는 점입니다.

특히 추가 분양이 이뤄지는 60㎡ 이하의 소형평형은 선호도가 높기 때문에 경합이 이뤄질 가능성이 높습니다. 이 경우 1+1 분양은 불가능하고 입주권을 한 개만 받게 됩니다.

만약 기존 주택의 전용면적이 100㎡라서 조합원분양으로 49㎡짜리를, 추가

분양으로 49㎡를 신청했다고 합시다. 이론상으로는 1+1 분양이 가능하지만, 이미 49㎡를 신청한 조합원이 많을 것이므로 현실에서는 분양이 쉽지 않습니다. 이렇게 되면 조합원은 추가로 분양을 받을 수 없을 뿐 아니라 49㎡짜리의 작은 집 하나만 남게 됩니다.

따라서 1+1 분양은 주로 전용면적 145㎡ 이상을 소유한 경우에 신청하는 게 일반적입니다. 이렇게 되면 조합원분양으로 84㎡짜리를, 추가 분양으로 59㎡짜리 혹은 49㎡짜리를 신청할 수 있습니다. 만약 추가로 신청한 전용면적 59㎡짜리 또는 49㎡짜리에서 경합이 발생해서 1주택만 공급받게 된다고 해도 최소한 전용면적 84㎡를 분양받을 수 있기 때문입니다.

3년 전매제한에 주의하자

또 하나 주의해야 할 점은 1+1 분양을 통해 추가로 공급받은 전용면적 60㎡ 이하의 주택은 이전고시 후 3년 동안 전매제한이 된다는 점입니다. 즉, 3년 동안은 팔 수 없습니다.

특히 착각하지 말아야 할 것은 '이전고시'와 '입주'가 다른 개념이라는 사실입니다. 준공이 되면 입주를 하게 되는데 이때는 아직 아파트에 대한 소유권 보존등기가 이루어지지 않습니다. 소유권 보존등기가 이루어지려면 이전고시가 나야 하는데 이전고시는 대부분 입주 후 몇 개월이 지난 후에야 이루어집니다. 즉, 입주 후 3년이 지났어도 추가로 공급받은 전용면적 60㎡ 이하의 주택에 대한 전매제한이 풀리지 않을 수 있는 것입니다.

입주 후 몇 개월 안에 이전고시가 정상적으로 이뤄진다면 다행이지만, 추가 부담금 문제 등으로 인해 이전고시가 늦어지는 경우도 있습니다. 이럴 때에는 그만큼 전매제한 기간도 늘어납니다.

헷갈리시는 독자들은 '아파트 소유권 보존등기 후 3년간 전매제한'이라고 기억하셔도 좋습니다. 이전고시를 해야만 아파트에 대한 소유권 보존등기를 할 수 있기 때문입니다.

분리매각이 어렵다

추가로 분양받은 아파트가 아닌 본래의 조합원아파트는 3년간의 전매제한을 적용받지 않습니다. 그래서 이전고시가 나기 전에 매매를 할 수 있습니다. 그러나 문제는 두 아파트를 분리매각할 수 없다는 점입니다.

만약 이전고시가 늦어져서 건물 등기도 늦어진다면, 비록 이미 입주가 완료되어 잘 살고 있다 해도 이 아파트는 아직 온전한 아파트가 아니라 입주권 상태일 뿐입니다. 소유권 보존등기가 이뤄지지 않았기 때문에 아직 두 아파트의 소유권도 분리되지 않습니다. 따라서 이전고시 이전에 매매를 하려면 각

1+1 분양 시 분리매각이 가능한 시점

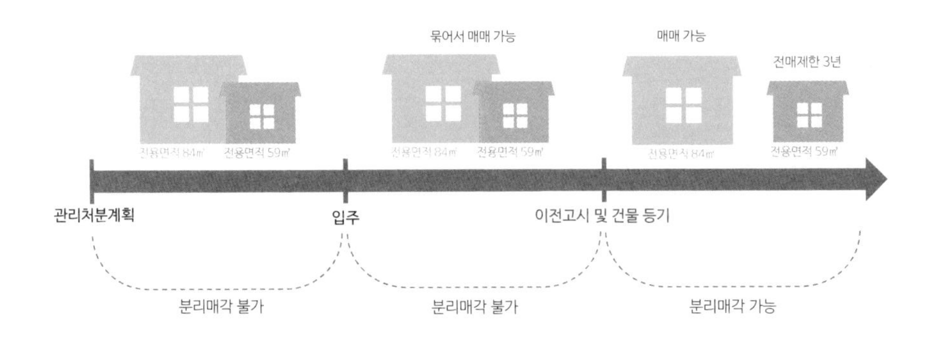

각 분리해서 매매할 수 없고 두 개를 함께 매매해야 합니다. 그러나 이 경우에는 매매가격이 커지므로 거래도 쉽지 않다는 점을 참고하시기 바랍니다.

1+1 분양은 다양한 장점이 있긴 하지만, 개인적으로는 자금의 여유가 충분하신 분만 신청하는 것이 좋다고 봅니다. 혹시 중간에 급하게 매도해서 현금화를 해야 할 경우 거래가 잘 되지 않으면 다른 자금 계획에도 악영향을 줄 수 있기 때문입니다. 왼쪽의 그림은 분리매각이 가능한 시점을 한 눈에 알아볼 수 있게 그림으로 그린 것이니 참고하시기 바랍니다.

세금 문제를 고려하자

세금 문제 역시 고려해야 합니다. 1+1 분양을 받은 사람은 건물 등기가 완료되는 순간 자동으로 2주택자가 되기 때문에 양도소득세 비과세 등의 혜택을 받을 때 문제가 생깁니다. 부동산 세금에는 양도소득세 외에도 1주택자에게 주어지는 혜택이 많은데, 1+1 분양을 받게 되면 이 혜택은 모두 소멸될 수 있습니다.

세금 문제는 각각의 상황에 따라 변수가 매우 다양하므로 이 책에서 전부 다루기는 어렵습니다. 따라서 1+1 분양을 받고자 하신다면 사전에 미리 세무 전문가의 상담을 받아보실 것을 권합니다.

Chapter 08 Key Point

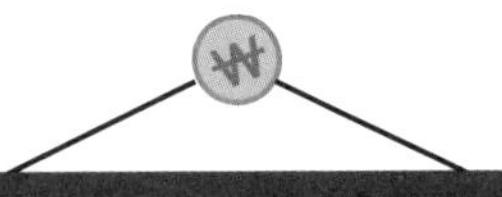

1 관리처분계획이 나온 후에도 일반분양가가 상승할 가능성이 있다면 투자를 고려해 볼 만하다.

2 재건축·재개발이 진행되는 지역의 인근 주택을 선점함으로써 재건축·재개발로 인한 이주수요를 노리는 투자도 가능하다.

3 기존 주택의 감정평가액이나 전용면적이 크면 일정 조건에 따라 1+1(원 플러스 원) 분양을 받을 수 있다. 다만 1+1 투자는 장점과 단점이 공존하므로 상황에 맞게 고려해야 한다.

마치며_

노하우는 있어도 왕도는 없다

제 이름은 이정열, 그리고 활동할 때에 사용하는 닉네임은 '열정이넘쳐'입니다. 눈치 채셨겠지만 제 닉네임은 본명을 뒤집어서 만든 것입니다. 닉네임을 그렇게 지은 것은 첫째로는 제 이름이 나름 멋있다고 생각하기 때문이고, 둘째로는 무엇보다도 '열정'이라는 단어를 좋아하기 때문입니다.

적지 않은 시간 동안 부동산 투자를 해오면서 저는 늘 열정을 가진 사람이 성공한다는 것을 믿어왔습니다. 처음에는 투자에도 왕도가 있을 거라 생각했고, 그것을 찾기 위해 참 열심히도 돌아다녔습니다. 그러나 지금은 '노하우는 있어도 왕도는 없다'라는 것이 제 생각입니다. 부동산뿐 아니라 한 분야를 어느 정도 파고들어 본 사람이라면 누구나 공감하지 않을까 합니다.

제가 강의를 처음으로 한 것은 2016년 3월이었습니다. 저의 멘토이자 경매 사부님이신 호빵 님의 요청으로 1시간 30분 정도 재건축·재개발 투자 특강을 하게 됐는데, 강의가 끝난 후 호빵 님은 저에게 정식으로 강의를 해보라고 권하셨습니다. 처음에는 제 능력이 그렇게 뛰어나지 않다고 생각해서 고사했지만 그래도 사부님께 인정을 받으니 기분이 참 좋았습니다.

그러다가 몇 개월이 지나고 그동안 틈틈이 만들었던 자료들을 보니 문득 다른 사람들과 지식을 나누는 것도 좋겠다는 생각이 들었습니다. 그래서 그해 여름 스무 명을 앞에 두고 세 시간짜리 강의를 하게 됐습니다. 호빵 님은 공식 강의를 주최해보자고 하셨고, 이번에는 바로 그러겠다고 했습니다. 이유는 단순합니다. 뭔가 이유가 있어서 자꾸 시키는 거겠지라고 생각했기 때문입니다. 한 달 후 열심히 보강한 자료로 첫 공식 강의를 열었고, 지금은 다양한 곳에서 강의를 하면서 아프리카TV 방송도 시작했고, 제법 팬들도 생겨난 것 같습니다.

이제는 왜 사부님이 그렇게 강의를 하라고 했었는지 이해가 됩니다. 예전에는 저만 보는 자료였기 때문에 꼼꼼히 정리를 하지 않았지만, 이제는 수강생들에게 설명을 해야 하고 자료도 제공해야 하기 때문에 혹시 빠진 게 없는지 여러 번 체크를 하게 됩니다. 뿐만 아니라 자료를 수집할 때에도 예전보다 더욱 꼼꼼해졌습니다. 강의를 하면서 더 많이 배운다는 말의 의미를 이제는 알 것 같습니다.

그날 잊을 수 없는 또 하나의 기억이 있습니다. 다음카페 '부동산에 미친 사람들의 모임(부미모)'과 네이버카페 '발품'을 이끌고 계신 골목대장 님이 뒷풀이 때 "이 강의는 나에게 천만 원짜리 강의였다"라고 극찬을 해주신 것입니다. 지역분석의 일인자이신 분께 그런 칭찬을 들으니 몸 둘 바를 몰랐습니다. 이후 골목대장 님께서는 본인 강의를 하실 때 수강생들에게 저에 대한 이야기를 많이 해주셨는데, 오늘날 제가 나름 이름이 알려지게 된 것은 그 덕분이라고 생각합니다.

그렇게 강의를 하다 보니 결국 책까지 내게 되었습니다. 그 과정에서 뵙게 된 분이 『투에이스의 부동산 절세의 기술』의 저자 투에이스 님입니다. 출간과 관련해서 몇 가지 자문을 구할 일이 있었는데, 마치 자기 책이 나오는 것처럼 도와주셨습니다. 본인이 첫 책을 내면서 터득하신 노하우를 아낌없이 나눠주시고 다양한 홍보 창구도 알려주셔서 큰 도움이 되었습니다. 지금 이 책이 나올 수 있었던 것은 처음 강사의 길을 열어주신 호빵 님, 그 길을 적극 지원해주신 골목대장 님, 집필과 홍보를 적극 도와주신 투에이스 님 덕분입니다.

처음 쓰는 책이라 실수가 많았는데 곁에서 많은 아이디어와 수정 의견을 주신 잇콘의 독자에디터 1기 여러분께도 감사를 전합니다. 덕분에 최대한 독자들의 눈높이에 맞춘 글을 쓸 수 있었고 결과적으로 두 배는 더 좋은 책이 나올 수 있었습니다.

감사해야 할 분들이 또 있습니다. 2016년 만든 네이버밴드에서 함께 공부하고 투자 물건 분석도 함께 했던 멤버들입니다. 아침 출근 시간부터 잠들기 전까지 관련 기사와 고민해 볼 이슈를 올려 주시고, 본인의 투자 물건과 함께 왜 매수했는지까지도 아주 상세하게 공유해 주시는 멤버들에게 감사합니다. 혼자서 투자하다 보면 지쳐 떨어지는 경우가 많은데, 요즘은 이 분들 덕분에 '혼자 가면 빨리 갈 수 있지만 함께 가면 멀리 간다'는 말을 실감하고 있습니다.

감사의 말을 전했으니 미안하다는 말도 해야겠습니다. 강의를 하기 전에는 저녁 7시면 퇴근해서 아이들과 함께 저녁을 먹고, 운동도 하고, 주말이면 야외로 외출도 많이 했었는데 강의를 시작하고부터는 바쁘다는 핑계로 자주 아이들과 놀아주지 못하고 있어서 미안한 마음뿐입니다. 그래도 아빠 책 나온다고 하니 매우 기뻐하는 아이들의 모습을 보면서 힘들어도 열심히 이 책을 썼습니다. 아이들에게 자랑스러운 아빠가 되고 있다는 사실에 뿌듯합니다.

아이들이 아직 어리고 아내가 직장을 다니기 때문에 오후부터 저녁까지는 어머니께서 아이들의 간식을 챙겨주시고 저녁 준비도 해주십니다. 항상 고맙고 죄송하게 생각하지만, 제가 경상도 남자라서 표현을 잘 못합니다. 이 책을 빌려 어머니께 항상 고맙고 감사하고 사랑한다는 말을 전하고 싶습니다.

마지막으로 우리 예쁘니 강미리. 나랑 결혼해 줘서 고맙고, 내가 하는 일에 대해 항상 믿음으로 후원해 줘서 지금의 내가 있다고 생각해. 강미리, 사랑한다.

특별부록

01. 용적률 별 **필요 대지지분표**

02. 평당 공사비에 따른 **조합원 건축원가표**

03. 일반분양가에 따른 **대지지분 1평당 일반분양 수익표**

04. 서울시 아파트 **주요 단지 용적률표**

01 용적률 별 필요 대지지분표

'필요 대지지분'이란 아파트 한 채를 지을 때에 필요한 대지지분의 크기로, 용적률에 따라 달라집니다. 아래 표는 25평형(전용면적 59㎡) 아파트와 34평형(전용면적 84㎡) 아파트의 필요 대지지분을 나타낸 표입니다. 단, 아파트 단지의 설계 특성에 따라 조금씩 달라질 수 있으며, 34평형 이하의 아파트가 전체 세대수의 80% 이상을 차지하는 경우에 특히 정확도가 높습니다.

용적률	25평형 (전용면적 59㎡)	34평형 (전용면적 84㎡)
250%	9.75평	13.25평
255%	9.5평	13평
265%	9평	12.5평
275%	8.5평	12평
285%	8평	11.5평
295%	7.5평	11평
300%	7.25평	10.75평

02 평당 공사비에 따른 **조합원 건축원가표**

조합원 건축원가는 순수건축비(공사비 또는 시공비)와 기타사업비의 합으로 구해집니다. 이때 순수건축비는 평당 공사비에 계약면적을 곱해서 구할 수 있는데, 계약면적이란 분양면적에 주차장, 노인정, 경비실 등 편의시설에 대한 세대당 지분을 합한 면적을 말합니다.

평당 공사비 (만 원)	25평형 (전용면적 59㎡, 계약면적 40평)			34평형 (전용면적 84㎡, 계약면적 55평)		
	조합원 건축원가 (만 원)	순수 건축비 (만 원)	기타 사업비 (만 원)	조합원 건축원가 (만 원)	순수 건축비 (만 원)	기타 사업비 (만 원)
400	23,260	16,000	7,260	29,260	22,000	7,260
410	23,842	16,400	7,442	29,992	22,550	7,442
420	24,423	16,800	7,623	30,723	23,100	7,623
430	25,005	17,200	7,805	31,455	23,650	7,805
440	25,586	17,600	7,986	32,186	24,200	7,986
450	26,168	18,000	8,168	32,918	24,750	8,168
460	26,749	18,400	8,349	33,649	25,300	8,349
470	27,331	18,800	8,531	34,381	25,850	8,531
480	27,912	19,200	8,712	35,112	26,400	8,712
490	28,494	19,600	8,894	35,844	26,950	8,894
500	29,075	20,000	9,075	36,575	27,500	9,075
510	29,657	20,400	9,257	37,307	28,050	9,257
520	30,238	20,800	9,438	38,038	28,600	9,438
530	30,820	21,200	9,620	38,770	29,150	9,620
540	31,401	21,600	9,801	39,501	29,700	9,801
550	31,983	22,000	9,983	40,233	30,250	9,983

03 일반분양가에 따른 **대지지분 1평당 일반분양 수익표**

'대지지분 1평당 일반분양 수익'이란 말 그대로 한 평의 땅을 이용해서 건축한 아파트를 일반분양함으로써 얻은 수익을 말합니다. 일반분양을 통해 얻은 수익을 대지지분으로 나눠서 구합니다. 아래의 표는 대지지분 20평을 보유한 조합원이 전용면적 84㎡의 아파트를 조합원분양 신청했을 때를 가정합니다. 이때의 기부채납비율은 15%, 평당 공사비는 450만 원이라고 전제합니다.

- 조합원 건축원가 = (평당 공사비 × 계약면적) × 133% = (450만 원 × 55평) × 133% = 32,917만 원
- 순수건축비 = 평당 공사비 × 계약면적 = 450만 원 × 55평 = 24,750만 원
- 기부채납 대지지분 = 보유 대지지분 × 기부채납비율 = 20평 × 15% = 3평

용적률	250%	255%	265%	275%	285%	295%	300%
일반분양 기여 대지지분[1]	3.75평	4평	4.5평	5평	5.5평	6평	6.25평
필요 대지지분	13.25평	13평	12.5평	12평	11.5평	11평	10.75평
일반분양가	**대지지분 1평당 일반분양 수익[2]**						
4억 원	1,151만 원	1,177만 원	1,224만 원	1,275만 원	1,331만 원	1,391만 원	1,418만 원
5억 원	1,905만 원	1,947만 원	2,024만 원	2,109만 원	2,201만 원	2,301만 원	2,348만 원
6억 원	2,660만 원	2,716만 원	2,824만 원	2,942만 원	3,070만 원	3,210만 원	3,279만 원
7억 원	3,415만 원	3,485만 원	3,624만 원	3,775만 원	3,940만 원	4,119만 원	4,209만 원
8억 원	4,169만 원	4,254만 원	4,424만 원	4,609만 원	4,809만 원	5,028만 원	5,139만 원
9억 원	4,924만 원	5,023만 원	5,224만 원	5,442만 원	5,679만 원	5,937만 원	6,069만 원
10억 원	5,679만 원	5,793만 원	6,024만 원	6,275만 원	6,548만 원	6,846만 원	7,000만 원
12억 원	7,188만 원	7,331만 원	7,624만 원	7,942만 원	8,287만 원	8,664만 원	8,860만 원
14억 원	8,698만 원	8,870만 원	9,224만 원	9,609만 원	1억27만 원	1억482만 원	1억720만 원
15억 원	9,452만 원	9,639만 원	1억24만 원	1억442만 원	1억896만 원	1억1391만 원	1억1,651만 원

1) 일반분양 기여 대지지분 = 보유 대지지분 - 기부채납 대지지분 – 필요 대지지분
2) 대지지분 1평당 일반분양 수익 = (일반분양가 - 순수건축비) / 필요 대지지분

04 서울시 아파트 주요 단지 용적률표

본 표는 2017년 3월 기준 '조인스랜드' 자료를 기준으로 정리한 것으로, 자료 출처와 단지별 상황에 따라 수치에 일부 차이가 있을 수 있습니다. 투자 결정 전에 반드시 확인하시기 바랍니다.

동명	단지명	용도 지역	입주년월	용적률	총대지 면적 (㎡)	총대지 면적 (평)	세대수	세대당 평균 대지지분 (평)
● 강남구								
개포동	개포주공1단지	2종	1982년 11월	72.56	279,028.1	84,553.97	5040	16.78
	개포주공3단지	2종	1983년 6월	75.65	63,956.90	19,380.88	1160	16.71
	개포주공4단지	2종	1982년 12월	80.23	158,942.2	48,164.30	2841	16.95
	개포주공5단지	3종	1983년 10월	151.04	55,858.00	16,926.67	940	18.01
	개포주공6단지,7단지	3종	1983년 10월		114,040.7	34,557.79	1960	17.63
	개포현대(200동)	3종	1986년 7월		4,192.70	1,270.52	72	17.65
	개포LG자이	3종	2004년 6월	250.00	15,487.30	4,693.12	212	22.14
	경남	3종	1984년 3월	175.66	55,053.10	16,682.76	678	24.61
	대청/대치2단지	3종	1992년 10월		121,040.4	36,678.91	2575	14.24
	시영	2종	1984년 6월	77.61	112,354.9	34,046.94	1970	17.28
	우성3차	3종	1984년 12월	178.76	32,106.90	9,729.36	405	24.02
	우성6차	2종	1988년 2월	106.80	20,726.80	6,280.85	270	23.26
	우성8차	2종	1987년 9월	192.74	12,464.60	3,777.15	261	14.47
	우성9차	2종	1991년 1월	249.33	8,779.50	2,660.45	234	11.37
	현대1차	3종	1984년 4월	179.38	35,682.40	10,812.85	416	25.99
	현대2차	3종	1986년 1월	156.82	52,368.20	15,869.15	558	28.44
	현대3차	2종	1986년 4월	147.60	19,960.10	6,048.52	198	30.55
	현대전화국조합(220동)	3종	1988년 9월		1,168.30	354.03	54	6.56
논현동	강남파라곤	일상	2007년 2월	789.03	3,340.10	1,012.15	58	17.45
	거평프리젠	3종	1996년 9월	332.00	1,623.10	491.85	113	4.35
	경남논현	2종	1996년 9월	325.00	2,398.90	726.94	60	12.12
	논현동부센트레빌	3종	2003년 12월	298.94	6,556.70	1,986.88	160	12.42
	논현동양파라곤	2종	2004년 7월	264.76	16,271.80	4,930.85	203	24.29
	논현두산위브1단지	2종	2004년 6월	226.07	6,444.00	1,952.73	130	15.02
	논현두산위브2단지	2종	2004년 6월	244.03	6,077.00	1,841.52	136	13.54
	논현베르빌	3종	2002년 12월	270.98	3,415.00	1,034.85	65	15.92

동명	단지명	용도 지역	입주년월	용적률	총대지 면적 (㎡)	총대지 면적 (평)	세대수	세대당 평균 대지지분 (평)
논현동	논현신동아파밀리에	3종	1997년 7월	245.73	23,288.30	7,057.06	644	10.96
	논현월드메르디앙	3종	2007년 3월	236.34	4,032.40	1,221.94	82	14.90
	논현한진로즈힐	2종	2004년 5월	222.54	4,023.23	1,219.16	81	15.05
	논현한화꿈에그린	3종	2005년 5월	248.35	2,430.70	736.58	70	10.52
	논현E편한세상	3종	2005년 7월	249.49	3,209.00	972.42	63	15.44
	동현	3종	1986년 10월		35,534.90	10,768.15	548	19.65
	마일스디오빌	준주거	2004년 12월	599.43	2,435.20	737.94	260	2.84
	쌍용	2종	1996년 7월	333.29	3,222.60	976.55	111	8.80
	아크로힐스논현	3종	2014년 12월	299.82	14,623.90	4,431.48	334	13.27
	우민	2종	2002년 7월	269.15	2,619.50	793.79	70	11.34
	청학	3종	1976년 12월		483.40	146.48	70	2.09
대치동	개포우성1차	3종	1983년 12월	178.93	51,768.30	15,687.36	690	22.74
	개포우성2차	3종	1984년 12월		36,959.80	11,199.94	450	24.89
	대치롯데캐슬리베	3종	2006년 12월	299.80	6,921.20	2,097.33	144	14.56
	대치삼성1차	3종	2000년 7월	261.51	39,272.30	11,900.70	960	12.40
	대치쌍용1차	3종	1983년 3월	169.85	47,261.00	14,321.52	630	22.73
	대치쌍용2차	3종	1983년 11월	176.16	24,418.00	7,399.39	364	20.33
	대치아이파크	3종	2007년 7월	274.94	36,229.10	10,978.52	768	14.29
	대치우정에쉐르1	일상	2004년 4월	548.09	1,065.20	322.79	80	4.03
	대치한신휴플러스	3종	2005년 5월	248.37	2,750.80	833.58	66	12.63
	대치현대	3종	1999년 6월	341.23	18,595.00	5,634.85	630	8.94
	대치효성	3종	1999년 8월	296.70	2,561.80	776.30	83	9.35
	동부센트레빌	3종	2005년 1월	297.68	49,161.10	14,897.30	805	18.51
	래미안대치팰리스1,2단지	3종	2015년 9월	258.65	78,777.70	23,872.03	1618	14.75
	래미안대치하이스턴	3종	2014년 2월	347.49	14,779.30	4,478.58	354	12.65
	롯데캐슬	3종	2002년 6월	315.92	6,024.40	1,825.58	142	12.86
	선경1,2차	3종	1983년 12월	179.34	78,636.20	23,829.15	1034	23.05
	선경3차	3종	1990년 10월	204.21	2,260.40	684.97	54	12.68
	선릉역대우아이빌5차	일상	2004년 4월	694.91	1,799.80	545.39	150	3.64
	세영팔레스	3종	2002년 1월	237.02	2,805.70	850.21	67	12.69
	우성1차	3종	1984년 1월	179.92	29,874.00	9,052.73	476	19.02
	은마	3종	1979년 12월	204.18	239,225.8	72,492.67	4424	16.39
	테헤란로대우아이빌	일상	2004년 4월	109.66	1,989.40	602.85	371	1.62

동명	단지명	용도 지역	입주년월	용적률	총대지 면적 (㎡)	총대지 면적 (평)	세대수	세대당 평균 대지지분 (평)
대치동	포스코더샵	3종	2004년 9월	299.22	17,662.30	5,352.21	276	19.39
	한보미도1,2차	3종	1983년 11월	179.46	193,063.2	58,504.00	2435	24.03
	현대	3종	1990년 4월	243.55	4,064.30	1,231.61	120	10.26
도곡동	개포럭키	3종	1986년 1월	187.54	6,198.00	1,878.18	128	14.67
	개포우성4차	3종	1985년 12월	149.50	44,764.90	13,565.12	459	29.55
	개포우성5차	3종	1986년 10월	179.57	8,527.10	2,583.97	180	14.36
	개포한신	3종	1985년 12월	145.63	36,473.00	11,052.42	620	17.83
	경남	3종	2005년 6월	356.95	9,315.30	2,822.82	348	8.11
	극동스타클래스	일상	2007년 3월	629.07	2,920.40	884.97	96	9.22
	대림	3종	1992년 11월	251.81	7,633.10	2,313.06	197	11.74
	대림아크로빌	일상	1999년 12월	936.89	14,000.40	4,242.55	490	8.66
	대우양재디오빌	일상	2004년 4월	882.07	794.10	240.64	155	1.55
	도곡렉슬	3종	2006년 1월	274.39	138,750.3	42,045.55	3002	14.01
	도곡삼성래미안	3종	2001년 12월	291.08	30,443.60	9,225.33	732	12.60
	도곡쌍용예가	3종	2011년 5월	298.34	17,532.00	5,312.73	384	13.84
	도곡아이파크1차	3종	2007년 3월	295.95	15,561.80	4,715.70	321	14.69
	도곡아이파크2차	3종	2006년 2월	232.75	4,942.20	1,497.64	58	25.82
	도곡아이파크3차	2종	2007년 4월	203.70	5,112.90	1,549.36	72	21.52
	도곡한신	3종	1988년 7월	235.00	19,922.00	6,036.97	421	14.34
	도곡현대	2종	1992년 12월	228.02	9,501.00	2,879.09	211	13.64
	도곡현대하이페리온	3종	2004년 4월	245.19	5,854.40	1,774.06	71	24.99
	롯데캐슬모닝	2종	2003년 10월	295.44	3,147.30	953.73	60	15.90
	매봉삼성	3종	1995년 8월	386.49	2,925.00	886.36	132	6.71
	삼성	2종	1994년 12월	139.32	14,073.30	4,264.64	231	18.46
	삼익	3종	1983년 6월	177.12	17,655.00	5,350.00	247	21.66
	삼호	3종	1984년 1월	169.37	10,500.20	3,181.88	144	22.10
	아카데미스위트	일상	2004년 11월	996.76	6,759.80	2,048.42	414	4.95
	양재sk허브프리모	일상	2006년 1월	629.61	3,089.80	936.30	176	5.32
	역삼럭키	3종	1995년 12월	248.76	52,825.50	16,007.73	1094	14.63
	역삼우성	3종	1986년 10월	185.59	20,293.00	6,149.39	390	15.77
	우성캐릭터199	일상	1998년 8월	620.37	10,690.50	3,239.55	199	16.28
	중명하니빌	3종	1997년 5월	251.71	2,005.60	607.76	110	5.53

동명	단지명	용도 지역	입주년월	용적률	총대지 면적 (㎡)	총대지 면적 (평)	세대수	세대당 평균 대지지분 (평)
도곡동	타워팰리스1차	일상	2002년 1월	919.65	33,696.10	10,210.94	1297	7.87
	타워팰리스2차	일상	2003년 2월	923.11	20,636.00	6,253.33	813	7.69
	타워팰리스3차	일상	2004년 4월	791.30	17,990.20	5,451.58	480	11.36
	포스트코	3종	2002년 2월	295.09	5,129.00	1,554.24	64	24.29
	현대그린	3종	1995년 3월	304.06	5,592.10	1,694.58	171	9.91
	현대비전21	일상	1999년 12월	990.22	2,900.20	878.85	232	3.79
삼성동	래미안삼성1차	2종	2006년 5월	227.14	8,080.80	2,448.73	133	18.41
	롯데캐슬프레미어	3종	2007년 3월	269.63	38,359.70	11,624.15	713	16.30
	미켈란107	일상	2003년 12월	699.42	1,382.10	418.82	64	6.54
	미켈란147	일상	2004년 11월	943.80	998.00	302.42	67	4.51
	삼부(102동)	3종	1998년 12월	235.26	1,506.60	456.55	40	11.41
	삼부아그레빌	2종	2003년 6월	459.14	1,639.80	496.91	67	7.42
	삼성금호어울림	3종	2003년 9월	251.35	3,173.20	961.58	68	14.14
	삼성대성유니드	3종	2004년 6월	231.57	2,644.70	801.42	59	13.58
	삼성동중앙하이츠빌리지	3종	2004년 12월	269.46	16,107.40	4,881.03	298	16.38
	삼성래미안1단지	2종	2006년 1월	211.50	4,427.60	1,341.70	77	17.42
	삼성래미안2차	3종	2007년 3월	273.55	16,067.20	4,868.85	275	17.70
	삼성래미안5단지	2종	2006년 1월	213.96	8,730.40	2,645.58	112	23.62
	삼성롯데	3종	2000년 4월		9,974.30	3,022.52	339	8.92
	삼성롯데캐슬킹덤	2종	2005년 12월	234.95	9,108.30	2,760.09	118	23.39
	삼성리치빌	준주거	2003년 3월	364.57	1,557.00	471.82	48	9.83
	삼성우정에쉐르2	일상	2004년 12월	548.47	779.20	236.12	60	3.94
	삼성파크	3종	2001년 12월	290.11	5,357.40	1,623.45	114	14.24
	삼성포스코더샵	일상	2003년 8월	849.34	1,745.00	528.79	72	7.34
	삼성풍림2차	2종	1998년 12월	275.57	3,870.10	1,172.76	112	10.47
	삼성한일	3종	2001년 12월	285.28	4,225.30	1,280.39	127	10.08
	삼성힐스테이트1단지	3종	2009년 1월	276.72	42,862.40	12,988.61	1144	11.35
	삼성힐스테이트2단지	3종	2009년 1월	273.06	34,315.40	10,398.61	926	11.23
	상아2차	3종	1981년 11월	178.21	27,282.10	8,267.30	478	17.30
	서광	3종	1998년 11월	774.25	3,432.40	1,040.12	304	3.42
	석탑	3종	1996년 5월	361.79	3,372.60	1,022.00	139	7.35
	선릉LG에클라트(A동)	일상	2004년 6월	341.77	2,005.20	607.64	125	4.86
	선릉LG에클라트(B동)	일상	2004년 7월	700.66	4,529.20	1,372.48	293	4.68
	쌍용플래티넘	일상	2003년 12월	715.16	2,568.00	778.18	88	8.84
	아이파크삼성	3종	2004년 5월	296.32	32,259.00	9,775.45	449	21.77

동명	단지명	용도 지역	입주년월	용적률	총대지 면적 (㎡)	총대지 면적 (평)	세대수	세대당 평균 대지지분 (평)
삼성동	진흥	3종	1984년 4월		22,649.90	6,863.61	255	26.92
	청구	3종	1992년 5월	261.62	6,944.40	2,104.36	167	12.60
	푸른솔	3종	1996년 4월	291.06	1,826.60	553.52	61	9.07
	풍림1차	3종	1998년 7월	366.61	6,609.70	2,002.94	252	7.95
	한솔	3종	1998년 11월	202.99	7,200.80	2,182.06	263	8.30
	현대	3종	1999년 5월	251.52	6,303.40	1,910.12	198	9.65
	홍실	2종	1988년 11월	172.39	25,656.00	7,774.55	384	20.25
세곡동	세곡리엔파크1단지	2종	2011년 3월	198.92	15,089.05	4,572.44	395	11.58
	세곡리엔파크2단지	2종	2011년 3월	192.93	18,947.40	5,741.64	396	14.50
	세곡리엔파크3단지	2종	2011년 3월	160.99	20,791.70	6,300.52	363	17.36
	세곡리엔파크5단지	2종	2011년 11월	169.73	40,422.70	12,249.30	546	22.43
	세곡푸르지오	3종	2012년 9월	174.18	54,585.30	16,541.00	912	18.14
수서동	강남데시앙포레	3종	2014년 8월		52,329.00	15,857.27	787	20.15
	까치마을	3종	1993년 9월	208.40	36,700.00	11,121.21	1403	7.93
	동익	3종	1993년 11월	199.95	15,122.59	4,582.60	330	13.89
	삼성	3종	1997년 11월	211.35	31,614.90	9,580.27	680	14.09
	삼익	3종	1992년 10월	224.94	23,706.91	7,183.91	645	11.14
	수서한아름	3종	1993년 11월	249.88	27,072.00	8,203.64	498	16.47
	신동아	3종	1992년 10월	203.20	31,862.70	9,655.36	1162	8.31
신사동	대원칸타빌	2종	2001년 7월	293.20	4,759.80	1,442.36	130	11.10
	로데오현대	2종	1998년 11월	308.88	5,077.80	1,538.73	138	11.15
	신성	3종	1996년 10월	195.55	2,438.25	738.86	55	13.43
	압구정하이츠파크	3종	2004년 6월	297.24	7,525.50	2,280.45	86	26.52
	현대맨션	2종	1981년 9월		5,932.10	1,797.61	126	14.27
압구정동	미성1차	3종	1982년 11월	93.93	24,903.50	7,546.52	322	23.44
	미성2차	3종	1987년 12월		46,955.20	14,228.85	910	15.64
	신현대(9,11,12차)	3종	1982년 5월		156,277.30	47,356.76	1924	24.61
	영동한양1차	3종	1977년 12월	211.23	38,323.40	11,613.15	936	12.41
	한양2차	3종	1978년 9월	143.37	26,855.30	8,137.97	296	27.49
	한양3차	3종	1978년 11월	293.13	14,238.00	4,314.55	312	13.83
	한양4차	3종	1978년 12월	187.16	21,613.10	6,549.42	286	22.90
	한양5차	3종	1979년 11월	192.13	21,164.10	6,413.36	343	18.70
	한양6차	3종	1980년 12월		8,768.10	2,657.00	227	11.70
	한양7차	3종	1981년 6월	320.15	8,669.50	2,627.12	239	10.99

동명	단지명	용도지역	입주년월	용적률	총대지 면적 (㎡)	총대지 면적 (평)	세대수	세대당 평균 대지지분 (평)
압구정동	한양8차	3종	1984년 4월	195.03	9,554.70	2,895.36	90	32.17
	현대1,2차	3종	1976년 6월	224.77	72,674.00	22,022.42	960	22.94
	현대10차	3종	1982년 6월	228.69	7,886.00	2,389.70	144	16.60
	현대13차	3종	1984년 7월	150.98	16,598.40	5,029.82	234	21.49
	현대3차	3종	1976년 11월	131.77	22,076.70	6,689.91	432	15.49
	현대4차	3종	1977년 7월	124.98	18,497.90	5,605.42	170	32.97
	현대5차	3종	1977년 12월	170.72	16,033.00	4,858.48	224	21.69
	현대6,7차	3종	1979년 6월		63,320.90	19,188.15	1288	14.90
	현대65동 (대림아크로빌)	3종	2004년 2월	240.92	6,544.80	1,983.27	56	35.42
	현대8차	3종	1981년 4월	298.53	22,095.60	6,695.64	515	13.00
역삼동	강남역우정에쉐르	일상	2004년 2월	536.14	327.50	99.24	52	1.91
	개나리4차	3종	1979년 1월	235.40	20,087.50	6,087.12	264	23.06
	개나리래미안	3종	2006년 8월	273.25	21,883.30	6,631.30	438	15.14
	개나리푸르지오	3종	2006년 8월	275.36	16,397.70	4,969.00	332	14.97
	개나리sk뷰	3종	2012년 8월	257.67	12,289.00	3,723.94	240	15.52
	경남	3종	2002년 5월	384.12	4,845.00	1,468.18	164	8.95
	금호어울림	3종	2003년 12월	299.16	8,596.20	2,604.91	183	14.23
	대림역삼	3종	1997년 10월	325.24	3,456.70	1,047.48	129	8.12
	대우디오빌플러스	일상	2004년 5월	861.83	4,095.30	1,241.00	168	7.39
	동부센트레빌	3종	1998년 4월	350.69	5,316.60	1,611.09	206	7.82
	래미안그레이튼 (진달래2차)	3종	2010년 6월	266.40	20,795.90	6,301.79	442	14.26
	래미안그레이튼 (진달래3차)	3종	2009년 12월	271.29	19,521.00	5,915.45	452	13.09
	래미안펜타빌	3종	2007년 11월	273.98	18,319.40	5,551.33	288	19.28
	세방하이빌1차	2종	2003년 2월	299.93	1,221.30	370.09	48	7.71
	쌍용플래티넘밸류	일상	2007년 2월	640.63	4,814.30	1,458.88	166	8.79
	역삼2차아이파크	3종	2008년 12월	273.70	5,919.20	1,793.70	150	11.96
	역삼디오빌	일상	2002년 6월	966.62	2,867.60	868.97	457	1.90
	역삼디오슈페리움	일상	2006년 9월	745.06	1,890.80	572.97	60	9.55
	역삼래미안	3종	2005년 10월	276.16	34,111.40	10,336.79	1050	9.84
	역삼롯데캐슬노블	3종	2007년 4월	249.89	9,379.40	2,842.24	117	24.29
	역삼우정에쉐르1	일상	2004년 6월	548.89	972.80	294.79	69	4.27
	역삼우정에쉐르2	일상	2004년 8월	545.76	719.00	217.88	70	3.11
	역삼월드메르디앙	2종	2005년 11월	232.07	4,467.30	1,353.73	93	14.56
	역삼푸르지오	3종	2005년 12월	283.18	24,001.10	7,273.06	738	9.86

동명	단지명	용도 지역	입주년월	용적률	총대지 면적 (㎡)	총대지 면적 (평)	세대수	세대당 평균 대지지분 (평)
역삼동	역삼한스빌	3종	1996년 11월	376.27	3,564.00	1,080.00	216	5.00
	역삼e편한세상	3종	2005년 12월	282.26	26,977.69	8,175.06	840	9.73
	역삼아이파크	3종	2006년 9월	273.98	23,909.60	7,245.33	541	13.39
	우림루미아트2	일상	2003년 3월	521.79	327.42	99.22	42	2.36
	은하수	3종	1992년 7월	1,266.50	421.00	127.58	63	2.03
	한화진넥스빌	일상	2001년 2월	1,045.76	1,802.90	546.33	294	1.86
	현대까르띠에710	3종	2001년 11월	298.54	9,062.52	2,746.22	137	20.05
	sk허브젠	일상	2005년 8월	649.34	1,444.60	437.76	56	7.82
일원동	가람	2종	1993년 3월	109.95	41,067.48	12,444.69	496	25.09
	개포한신	3종	1984년 3월	179.57	20,876.00	6,326.06	364	17.38
	개포현대4차	3종	1987년 2월	199.00	6,734.00	2,040.61	142	14.37
	대우	2종	1983년 12월	93.02	9,612.00	2,912.73	110	26.48
	목련타운	3종	1993년 9월	249.46	34,790.00	10,542.42	650	16.22
	삼성사원	2종	1986년 11월	120.90	5,796.10	1,756.39	80	21.95
	상록수	2종	1993년 3월	109.95	61,530.00	18,645.45	740	25.20
	샘터마을	3종	1994년 2월	249.70	33,201.00	10,060.91	628	16.02
	수서1단지	3종	1992년 11월	189.55	79,603.00	24,122.12	2934	8.22
	일원우성7차	3종	1987년 12월	157.72	47,483.30	14,388.88	802	17.94
	청솔빌리지	1종	1993년 12월	89.99	25,045.00	7,589.39	291	26.08
	푸른마을	3종	1994년 1월	249.73	33,201.00	10,060.91	930	10.82
	한솔	2종	1994년 6월	108.02	47,008.00	14,244.85	570	24.99
	현대	2종	1983년 12월	228.68	17,209.80	5,215.09	465	11.22
자곡동	강남한양수자인		2014년 3월		91,362.00	27,685.45	1304	21.23
	래미안강남힐즈	3종	2014년 6월	159.95	80,350.20	24,348.55	1020	23.87
	래미안포레	2종	2014년 3월		63,977.00	19,386.97	1070	18.12
청담동	건영	3종	1994년 9월	397.61	6,019.20	1,824.00	240	7.60
	삼성청담공원	3종	1999년 8월	271.50	15,954.60	4,834.73	391	12.37
	삼익	3종	1980년 5월		27,541.80	8,346.00	888	9.40
	삼환	3종	1999년 11월	264.94	6,780.20	2,054.61	184	11.17
	신동아	3종	1997년 2월	285.33	3,588.60	1,087.45	106	10.26
	진흥	3종	1984년 7월	178.83	28,385.60	8,601.70	375	22.94
	청담대우유로카운티	3종	2003년 10월	282.56	10,190.50	3,088.03	196	15.76
	청담동양파라곤	2종	2006년 3월	225.67	9,936.40	3,011.03	92	32.73
	청담래미안로이뷰	3종	2014년 1월	370.71	6,531.30	1,979.18	177	11.18
	청담삼성1차	3종	1997년 12월	314.21	4,475.00	1,356.06	158	8.58

동명	단지명	용도지역	입주년월	용적률	총대지 면적 (㎡)	총대지 면적 (평)	세대수	세대당 평균 대지지분 (평)
청담동	청담삼성3차	3종	1999년 10월		7,389.00	2,239.09	217	10.32
	청담아이파크	3종	2014년 2월	423.36	3,556.90	1,077.85	108	9.98
	청담우방	3종	1999년 10월	333.15	3,412.40	1,034.06	100	10.34
	청담자이	3종	2011년 10월	266.71	24,393.10	7,391.85	688	10.74
	청담현대3차	3종	1999년 6월	324.73	10,622.10	3,218.82	317	10.15
	청담e편한세상1차	3종	2002년 12월	296.25	11,489.40	3,481.64	271	12.85
	청담e편한세상2차	2종	2006년 4월	229.47	7,745.40	2,347.09	142	16.53
	청담e편한세상4차	3종	2010년 10월	247.07	5,213.70	1,579.91	94	16.81
	한신오페라하우스	2종	2002년 11월	252.07	3,402.20	1,030.97	63	16.36
	현대1차	3종	1982년 12월	174.38	7,004.10	2,122.45	96	22.11
	현대2차	3종	1988년 5월		10,728.00	3,250.91	214	15.19
● 노원구								
공릉동	공릉2단지라이프	3종	1994년 12월		8,403.10	2,541.94	660	3.85
	공릉3단지라이프	3종	1994년 12월		22,738.70	6,878.46	840	8.19
	공릉8단지청솔	3종	2000년 11월	249.98	11,294.60	3,416.62	278	12.29
	공릉9단지청솔	3종	2000년 11월	193.61	15,818.30	4,785.04	297	16.11
	공릉대동2차	3종	1999년 10월	374.42	5,254.60	1,589.52	190	8.37
	공릉두산힐스빌	3종	2000년 10월	310.60	18,602.20	5,627.17	579	9.72
	공릉미소지움	3종	2004년 12월	286.80	7,871.30	2,381.07	198	12.03
	공릉삼익2차	3종	2004년 05월	284.33	7,649.60	2,314.00	237	9.76
	공릉삼익4단지	3종	1994년 12월	202.88	17,223.20	5,210.02	525	9.92
	공릉신도1차	3종	2002년 03월	325.81	11,771.10	3,560.76	342	10.41
	공릉한보	3종	2000년 10월	281.37	19,699.10	5,958.98	561	10.62
	노원프레미어스엠코	일상	2016년 02월	587.44	5,309.40	1,606.09	234	6.86
	동부	3종	1996년 04월	267.26	10,834.50	3,277.44	295	11.11
	동신	3종	1999년 12월	375.65	12,426.10	3,758.90	452	8.32
	비선	3종	1999년 07월	219.02	21,935.90	6,635.61	700	9.48
	삼익(737)	3종	1995년 09월	245.04	33,185.10	10,038.49	845	11.88
	우방	3종	2000년 05월	249.91	17,875.20	5,407.25	494	10.95
	우성(공릉)	3종	1995년 10월	375.64	9,202.75	2,783.83	363	7.67
	우성(태릉)	3종	1985년 10월	114.95	26,882.00	8,131.81	432	18.82
	태강	3종	1999년 07월	226.25	52,158.40	15,777.92	1676	9.41
	태능현대	2종	1984년 11월	87.71	54,839.00	16,588.80	632	26.25
	태릉현대홈타운 스위트1단지	2종	2004년 02월	89.48	10,171.00	3,076.73	60	51.28

동명	단지명	용도 지역	입주년월	용적률	총대지 면적 (㎡)	총대지 면적 (평)	세대수	세대당 평균 대지지분 (평)
공릉동	태릉현대홈타운 스위트2단지	2종	2004년 02월	89.60	12,979.70	3,926.36	74	53.06
	풍림	3종	2001년 09월	252.08	54,309.60	16,428.65	1601	10.26
	화랑타운	3종	2000년 01월	167.67	26,244.50	7,938.96	436	18.21
	효성(742)	3종	1995년 06월	119.96	24,924.50	7,539.66	340	22.18
	효성(746)	3종	1999년 12월	251.03	8,439.60	2,552.98	196	13.03
	효성화운트빌	3종	2000년 12월	245.23	30,799.90	9,316.97	564	16.52
상계동	건영	3종	2003년 11월	396.50	2,711.20	820.14	87	9.43
	극동늘푸른	2종	2000년 04월	243.79	11,408.50	3,451.07	299	11.54
	금호어울림	3종	1995년 05월	301.45	7,406.00	2,240.32	230	9.74
	노원우성	3종	1992년 07월	262.40	5,131.70	1,552.34	137	11.33
	노원현대	3종	1997년 01월	195.09	10,837.70	3,278.40	259	12.66
	대동청솔	3종	2001년 05월	375.10	9,732.80	2,944.17	358	8.22
	대림	3종	1988년 06월	210.68	27,318.10	8,263.73	538	15.36
	두산	3종	1994년 10월	224.71	27,263.30	8,247.15	763	10.81
	미도	3종	1988년 04월	229.30	29,523.80	8,930.95	600	14.88
	미주동방벽운	3종	2000년 06월	250.11	27,836.00	8,420.39	491	17.15
	벽산	3종	1989년 05월	355.63	31,631.50	9,568.53	1590	6.02
	보람	3종	1988년 06월	197.59	139,661.7	42,247.66	3315	12.74
	불암동아	3종	1999년 11월	353.71	19,889.00	6,016.42	673	8.94
	불암현대	3종	1999년 12월	348.65	23,990.30	7,257.07	826	8.79
	상계대림(1301)	3종	2002년 07월	326.31	7,152.50	2,163.63	230	9.41
	상계대림(172)	3종	1989년 08월	269.88	22,251.90	6,731.20	675	9.97
	상계동양메이저 (동양엔파트)	3종	2003년 09월	300.25	16,749.10	5,066.60	448	11.31
	상계불암대림	3종	2000년 03월	322.31	20,443.80	6,184.25	634	9.75
	상계신동아	3종	1995년 06월	297.76	12,313.70	3,724.89	385	9.68
	상계우방	3종	2000년 06월	312.98	9,934.80	3,005.28	274	10.97
	상계주공10단지	3종	1988년 09월	169.37	110,030.2	33,284.14	2654	12.54
	상계주공11단지	3종	1988년 09월	100.38	85,205.00	25,774.51	1944	13.26
	상계주공12단지	3종	1988년 10월	196.87	59,801.60	18,089.98	1739	10.40
	상계주공13단지	3종	1989년 04월	189.20	31,959.50	9,667.75	939	10.30
	상계주공14단지	3종	1989년 04월	158.93	102,733.3	31,076.82	2265	13.72
	상계주공15, 16단지	3종	1988년 09월	184.17	170,507.8	51,578.61	4492	11.48
	상계주공1단지	3종	1988년 05월	176.83	80,281.00	24,285.00	2064	11.77
	상계주공2단지	3종	1987년 11월	171.86	82,366.70	24,915.93	2029	12.28

동명	단지명	용도 지역	입주년월	용적률	총대지 면적 (㎡)	총대지 면적 (평)	세대수	세대당 평균 대지지분 (평)
상계동	상계주공3단지	3종	1988년 05월	178.50	99,571.50	30,120.38	2213	13.61
	상계주공4단지	3종	1988년 03월	204.02	72,094.80	21,808.68	2136	10.21
	상계주공5단지	2종	1987년 11월	93.36	33,854.60	10,241.02	840	12.19
	상계주공6단지	3종	1988년 05월	193.65	95,146.70	28,781.88	2646	10.88
	상계주공7단지	3종	1988년 07월	196.75	89,570.20	27,094.99	2634	10.29
	상계주공8단지	2,3종	1988년 05월	88.78	39,613.50	11,983.08	830	14.44
	상계주공9단지	3종	1988년 10월	207.41	98,541.80	29,808.89	2830	10.53
	상계중앙하이츠1차	3종	1997년 10월	297.47	15,035.20	4,548.15	437	10.41
	상계중앙하이츠2차	3종	1998년 09월	379.12	20,408.30	6,173.51	795	7.77
	상계중앙하이츠5차	3종	1996년 10월	319.18	4,949.70	1,497.28	142	10.54
	상계한일유앤아이	2,3종	2005년 02월	244.43	11,642.70	3,521.92	305	11.55
	상계현대1차	3종	1993년 04월	256.19	12,500.70	3,781.46	331	11.42
	상계현대2차	3종	1993년 12월	286.19	15,301.10	4,628.58	465	9.95
	상계현대3차	3종	1993년 08월	243.51	20,342.20	6,153.52	494	12.46
	성림	3종	1997년 03월	373.20	5,893.70	1,782.84	240	7.43
	성원	3종	1999년 08월	344.51	5,253.40	1,589.15	174	9.13
	수락리버시티3단지		2009년 12월	184.13	33,451.00	10,118.93	696	14.54
	수락리버시티4단지		2009년 12월	189.20	23,687.00	7,165.32	548	13.08
	수락파크빌	3종	2001년 05월	230.09	24,589.20	7,438.23	468	15.89
	수락현대	2종	1995년 09월	188.96	11,113.10	3,361.71	216	15.56
	우림루미아트	3종	2004년 11월	248.49	7,779.70	2,353.36	175	13.45
	우림루미아트2차	2,3종	2004년 12월	238.85	4,335.90	1,311.61	100	13.12
	은빛1단지	3종	1998년 11월	246.66	39,257.50	11,875.39	1391	8.54
	은빛2단지	3종	1998년 10월	260.34	34,367.70	10,396.23	1313	7.92
	임광	3종	1989년 05월	208.21	25,297.00	7,652.34	420	18.22
	중계센트럴파크		2016년 03월	224.78	18,986.90	5,743.54	457	12.57
	청솔상계양우	3종	2002년 07월	258.02	11,008.40	3,330.04	251	13.27
	청암1단지	3종	2001년 06월	221.51	10,829.00	3,275.77	234	14.00
	청암2단지	3종	2001년 06월	263.60	16,922.00	5,118.91	602	8.50
	코오롱	3종	1997년 12월	263.22	7,354.80	2,224.83	215	10.35
	한신	2종	1995년 10월	211.42	18,649.10	5,641.35	397	14.21
	한신(1277)	2종	1997년 04월	315.62	8,922.70	2,699.12	290	9.31
	한신1차	3종	1987년 03월	192.45	16,145.00	4,883.86	420	11.63
	한신2차	3종	1988년 05월	307.12	16,121.00	4,876.60	471	10.35
	한신3차	3종	1990년 05월	249.73	13,619.20	4,119.81	348	11.84
	한양	3종	1988년 05월	202.46	24,455.60	7,397.82	492	15.04

동명	단지명	용도지역	입주년월	용적률	총대지 면적 (㎡)	총대지 면적 (평)	세대수	세대당 평균 대지지분 (평)
월계동	그랑빌	3종	2002년 10월	358.80	91,736.60	27,750.32	3003	9.24
	대동	3종	1997년 09월	282.97	8,194.70	2,478.90	258	9.61
	동신	2종	1983년 07월		43,886.00	13,275.52	864	15.37
	동원베네스트	3종	2005년 03월	249.73	7,588.23	2,295.44	205	11.20
	롯데캐슬루나	2종	2006년 11월	199.96	50,855.00	15,383.64	801	19.21
	미륭,미성,삼호3차	3종	1986년 07월	131.83	199,858.90	60,457.32	3930	15.38
	사슴3단지	3종	1995년 06월	196.53	24,326.97	7,358.91	884	8.32
	삼창	2종	1985년 12월	192.05	14,067.00	4,255.27	296	14.38
	삼호4차	3종	1987년 07월	157.61	40,243.20	12,173.57	910	13.38
	서광	3종	1994년 10월	265.22	9,568.90	2,894.59	274	10.56
	성북역신도브래뉴	2종	2005년 05월	254.07	6,178.40	1,868.97	157	11.90
	성원4단지	3종	1995년 06월	212.88	22,607.13	6,838.66	713	9.59
	월계극동	2종	1996년 08월	275.85	6,898.50	2,086.80	199	10.49
	월계대우	3종	1998년 07월	269.70	16,964.00	5,131.61	344	14.92
	월계역신도브래뉴	3종	2005년 06월	248.36	9,647.60	2,918.40	223	13.09
	월계주공2단지	3종	1992년 10월	227.00	91,490.10	27,675.76	2002	13.82
	월계풍림아이원	3종	2005년 12월	269.11	17,400.20	5,263.56	484	10.88
	월계흥화브라운빌	3종	2004년 10월	273.23	8,976.20	2,715.30	233	11.65
	유원	2종	1998년 04월	283.65	5,102.90	1,543.63	154	10.02
	청백3단지	3종	1998년 08월	257.36	11,900.60	3,599.93	458	7.86
	청백4단지	3종	1998년 09월	250.00	16,358.80	4,948.54	520	9.52
	초안1단지	3종	1998년 04월	266.25	10,939.00	3,309.05	410	8.07
	초안2단지	3종	1997년 11월	223.19	17,317.00	5,238.39	571	9.17
	초안산쌍용스윗닷홈	3종	2006년 03월	238.92	9,542.50	2,886.61	225	12.83
	현대(929)	3종	2000년 11월	320.82	41,297.30	12,492.43	1281	9.75
중계동	건영2차	3종	1991년 01월	242.78	27,967.10	8,460.05	742	11.40
	건영3차	3종	1995년 12월	217.10	45,825.00	13,862.06	948	14.62
	경남,롯데,상아	3종	1989년 06월	234.93	72,403.10	21,901.94	1890	11.59
	경남아너스빌	3종	2002년 12월	357.35	8,924.80	2,699.75	299	9.03
	대림벽산	3종	1993년 06월	224.26	25,356.30	7,670.28	400	19.18
	대호	3종	1999년 09월	394.70	4,706.70	1,423.78	126	11.30
	동진	2종	1988년 09월	148.19	6,498.00	1,965.65	210	9.36
	라이프,청구,신동아	3종	1993년 08월	215.39	57,100.00	17,272.75	960	17.99
	롯데우성	3종	1993년 07월	208.30	35,370.00	10,699.43	568	18.84
	벽산3차	3종	1999년 10월	375.39	6,870.50	2,078.33	259	8.02

동명	단지명	용도 지역	입주년월	용적률	총대지 면적 (㎡)	총대지 면적 (평)	세대수	세대당 평균 대지지분 (평)
중계동	삼성	3종	1999년 10월	307.83	15,768.20	4,769.88	478	9.98
	성원	3종	1996년 01월	368.95	10,946.70	3,311.38	402	8.24
	신안	3종	1999년 06월	278.69	8,522.40	2,578.03	250	10.31
	신안동진	3종	1993년 05월	218.32	29,420.00	8,899.55	468	19.02
	양지대림	3종	1998년 12월	328.38	17,487.00	5,289.82	508	10.41
	양지대림2차	3종	1999년 02월	331.46	20,560.10	6,219.43	652	9.54
	염광	3종	1996년 06월	384.89	21,497.70	6,503.05	791	8.22
	중계그린	3종	1990년 08월	191.71	111,775.9	33,812.21	3481	9.71
	중계금호타운	3종	1997년 01월	355.99	10,468.00	3,166.57	424	7.47
	중계무지개	3종	1991년 11월	193.33	81,233.20	24,573.04	2433	10.10
	중계우성3차	3종	1998년 08월	320.81	6,058.80	1,832.79	213	8.60
	중계주공10단지	3종	1995년 04월	207.69	11,675.00	3,531.69	330	10.70
	중계주공2단지	3종	1992년 06월	207.71	48,278.90	14,604.37	1800	8.11
	중계주공4단지	3종	1991년 09월	187.56	28,908.70	8,744.88	690	12.67
	중계주공5단지	3종	1992년 04월	182.80	89,931.00	27,204.13	2328	11.69
	중계주공6단지	3종	1993년 03월		19,142.60	5,790.64	600	9.65
	중계주공7단지	3종	1993년 03월	176.35	20,863.80	6,311.30	630	10.02
	중계주공8단지	3종	1993년 03월	198.31	23,402.00	7,079.11	696	10.17
	중계한화꿈에그린 더퍼스트		2014년 09월	270.88	12,734.00	3,852.04	283	13.61
	중계현대2차	2종	1993년 11월	173.10	7,917.50	2,395.04	140	17.11
	중앙하이츠	3종	1998년 06월	293.38	16,642.20	5,034.27	499	10.09
	청구3차	3종	1996년 07월	196.86	43,114.80	13,042.23	780	16.72
	청암3단지	2종	2003년 09월	169.10	11,220.20	3,394.11	180	18.86
	한화꿈에그린	2,3종	2005년 03월	242.09	20,521.00	6,207.60	448	13.86
	현대2차	3종	1991년 02월	252.32	11,629.40	3,517.89	313	11.24
	현대3차	3종	1992년 01월	172.95	6,952.50	2,103.13	130	16.18
	현대4차1단지	2종	1993년 11월	198.52	9,536.40	2,884.76	211	13.67
	현대5차	3종	1998년 12월	197.73	13,629.00	4,122.77	268	15.38
하계동	극동.건영.벽산	3종	1988년 06월	231.56	67,511.30	20,422.17	1980	10.31
	미성	3종	1989년 06월		29,849.60	9,029.50	685	13.18
	삼익선경	3종	1993년 06월	219.09	23,750.00	7,184.38	396	18.14
	장미	3종	1990년 07월		65,069.70	19,683.58	1880	10.47
	청구(284)	3종	1988년 10월	214.91	50,993.70	15,425.59	660	23.37

동명	단지명	용도 지역	입주년월	용적률	총대지 면적 (㎡)	총대지 면적 (평)	세대수	세대당 평균 대지지분 (평)
하계동	청솔	3종	1989년 10월		37,239.80	11,265.04	1192	9.45
	하계1차청구	3종	1997년 06월	198.22	36,912.00	11,165.88	700	15.95
	하계우방	2종	1999년 12월	395.87	6,873.40	2,079.20	288	7.22
	하계현대	3종	1997년 07월	252.05	28,506.40	8,623.19	730	11.81
	학여울청구	3종	1999년 12월	214.89	59,489.60	17,995.60	1476	12.19
	한신	3종	1988년 10월	214.91	50,993.70	15,425.59	1200	12.85
	한신동성	3종	1993년 03월	219.57	32,110.00	9,713.28	498	19.50
	현대.우성	3종	1988년 09월	160.01	65,382.60	19,778.24	1320	14.98
● 서초구								
반포동	가든맨션3차	3종	1982년 11월		29,761.90	9,002.97	424	21.23
	라인	3종	1995년 11월	141.31	5,436.60	1,644.57	85	19.35
	래미안퍼스티지	3종	2009년 07월	269.99	133,060.0	40,250.65	2178	18.48
	반포경남	3종	1978년 11월	183.00	59,516.00	18,003.59	1056	17.05
	반포두산힐스빌	2종	2001년 09월	299.95	1,946.60	588.85	76	7.75
	반포리체	3종	2010년 10월	243.70	47,661.20	14,417.51	1076	13.40
	반포미도1차	3종	1986년 11월	177.49	75,777.00	22,922.54	1260	18.19
	반포미도2차	3종	1989년 05월		18,864.00	5,706.36	435	13.12
	반포자이	3종	2008년 12월	270.02	194,458.5	58,823.70	2991	19.67
	반포푸르지오	3종	2000년 11월	283.63	7,748.20	2,343.83	237	9.89
	반포현대(30-15)	3종	1987년 06월	231.00	3,447.90	1,042.99	80	13.04
	반포힐스테이트	3종	2011년 09월	269.70	20,679.60	6,255.58	397	15.76
	삼호가든맨션5차	3종	1985년 12월	183.99	13,691.60	4,141.71	168	24.65
	신반포15차	3종	1982년 06월	124.00	30,441.60	9,208.58	180	51.16
	신반포23차	3종	1984년 01월		5,089.26	1,539.50	200	7.70
	신반포3차	3종	1978년 10월		72,585.30	21,957.05	1140	19.26
	신반포궁전	3종	1984년 02월	155.01	10,833.10	3,277.01	108	30.34
	한신서래	3종	1988년 01월	216.51	21,408.00	6,475.92	414	15.64
방배동	대우효령	3종	1992년 12월		19,224.00	5,815.26	364	15.98
	래미안방배에버뉴	3종	2005년 10월	259.40	7,213.40	2,182.05	96	22.73
	롯데캐슬헤론	준주거	2006년 06월	518.80	12,625.10	3,819.09	337	11.33
	방배경남	2종	1980년 06월		33,638.40	10,175.62	450	22.61
	방배동부센트레빌	3종	2004년 11월	283.69	7,466.20	2,258.53	122	18.51
	방배래미안	2종	2003년 10월	201.70	16,247.70	4,914.93	303	16.22
	방배래미안아트힐	3종	2004년 12월	294.81	31,851.61	9,635.11	588	16.39
	방배롯데캐슬로제	2종	2009년 08월	209.69	14,117.20	4,270.45	130	32.85

동명	단지명	용도 지역	입주년월	용적률	총대지 면적 (㎡)	총대지 면적 (평)	세대수	세대당 평균 대지지분 (평)
방배동	방배롯데캐슬아르떼	2종	2013년 11월	247.20	39,197.60	11,857.27	683	17.36
	방배브라운스톤	3종	2005년 08월	249.05	6,904.10	2,088.49	145	14.40
	방배서리풀e-편한세상	2종	2010년 02월	206.21	30,592.00	9,254.08	496	18.66
	방배아이파크	2종	2006년 06월	249.40	7,946.40	2,403.79	138	17.42
	방배우성	2종	1990년 01월		11,799.90	3,569.47	468	7.63
	방배자이	3종	2003년 10월	294.72	9,322.40	2,820.03	136	20.74
	방배현대홈타운1차	3종	1999년 11월	272.17	24,650.00	7,456.63	644	11.58
	방배현대홈타운2차	3종	2001년 09월	298.16	15,627.30	4,727.26	384	12.31
	방배e-편한세상1차	3종	2003년 09월	291.48	14,283.40	4,320.73	199	21.71
	방배e-편한세상3차	2종	2006년 03월	232.88	20,075.90	6,072.96	192	31.63
	삼익	3종	1981년 12월		29,470.20	8,914.74	408	21.85
	삼호1차	3종	1975년 11월		17,398.50	5,263.05	420	12.53
	삼호2차	3종	1976년 04월		6,418.10	1,941.48	264	7.35
	삼호3차	준주거	1976년 12월		4,820.80	1,458.29	216	6.75
	삼호4차	3종	1983년 06월		43,467.00	13,148.77	481	27.34
	신동아	3종	1982년 10월		16,042.70	4,852.92	493	9.84
	쌍용예가클래식	3종	2007년 04월	271.79	11,500.10	3,478.78	216	16.11
	임광1,2차	3종	1985년 10월	184.91	31,503.20	9,529.72	418	22.80
	임광3차	3종	1988년 04월	229.66	11,681.30	3,533.59	316	11.18
	현대멤피스	3종	2001년 10월	172.99	12,074.60	3,652.57	206	17.73
서초동	경남아너스빌(1455-9)	2종	2005년 10월	262.58	3,435.50	1,039.24	141	7.37
	롯데캐슬클래식	3종	2006년 06월	296.70	40,678.80	12,305.34	990	12.43
	무지개	3종	1978년 12월		60,420.20	18,277.11	1074	17.02
	삼풍	3종	1988년 07월		144,012.4	43,563.75	2390	18.23
	서초교대e편한세상	3종	2010년 05월	268.33	20,164.70	6,099.82	411	14.84
	서초래미안	3종	2003년 05월	320.96	45,939.20	13,896.61	1129	12.31
	서초롯데캐슬프레지던트	3종	2014년 11월	283.69	13,237.50	4,004.34	273	14.67
	서초삼성가든스위트	3종	2000년 06월	277.14	13,341.80	4,035.89	141	28.62
	서초삼성래미안	3종	2001년 05월	295.61	12,795.30	3,870.58	299	12.95
	서초유원	3종	1993년 11월	265.32	21,871.80	6,616.22	590	11.21
	서초자이	3종	2006년 04월	257.80	11,878.60	3,593.28	184	19.53
	서초한빛삼성	3종	1999년 11월	281.95	10,279.20	3,109.46	264	11.78
	서초한신	2종	2001년 12월	275.58	8,508.22	2,573.74	194	13.27
	서초현대	3종	1999년 11월	309.34	9,568.30	2,894.41	299	9.68

동명	단지명	용도지역	입주년월	용적률	총대지면적(㎡)	총대지면적(평)	세대수	세대당 평균 대지지분(평)
서초동	서초현대4차	3종	2000년 12월	296.40	6,319.70	1,911.71	160	11.95
	서초e-편한세상1차	3종	2004년 08월	276.53	8,904.50	2,693.61	154	17.49
	서초e-편한세상2차	3종	2005년 02월	243.92	8,852.20	2,677.79	159	16.84
	서초e-편한세상3차	3종	2005년 12월	268.14	5,293.90	1,601.40	77	20.80
	서초e-편한세상5차	2종	2005년 12월	270.07	11,430.30	3,457.67	161	21.48
	신동아1차	3종	1978년 12월		42,602.00	12,887.11	893	14.43
	신동아2차	3종	1979년 03월	192.00	9,272.20	2,804.84	104	26.97
	아남	3종	1990년 01월		6,845.70	2,070.82	166	12.47
	우성1차	3종	1979년 03월	211.00	56,409.30	17,063.81	786	21.71
	우성5차	3종	1998년 06월	295.52	13,081.40	3,957.12	408	9.70
	진흥	3종	1979년 08월		33,189.40	10,039.79	615	16.32
	현대	3종	1989년 12월	196.86	19,985.80	6,045.70	412	14.67
양재동	양재우성	3종	1991년 11월		38,256.00	11,572.44	794	14.57
잠원동	강변	3종	1987년 06월	243.22	13,351.20	4,038.74	360	11.22
	금호베스트빌	3종	2002년 11월	298.91	5,612.50	1,697.78	117	14.51
	녹원한신	3종	1995년 09월	258.53	8,888.50	2,688.77	240	11.20
	동아	3종	1999년 07월	316.02	29,714.90	8,988.76	991	9.07
	래미안신반포팰리스	3종	2016년 06월		34,816.59	10,532.02	762	13.82
	롯데캐슬갤럭시1차	3종	2002년 08월	312.45	11,939.60	3,611.73	256	14.11
	롯데캐슬갤럭시2차	3종	2004년 04월	299.92	21,376.40	6,466.36	428	15.11
	미주파스텔	3종	2002년 07월	324.07	2,316.10	700.62	91	7.70
	반포우성	3종	1978년 11월		26,607.70	8,048.83	408	19.73
	반포한신타워	3종	1996년 05월	271.30	9,116.70	2,757.80	248	11.12
	블루힐하우스	3종	1999년 11월	358.13	3,427.10	1,036.70	125	8.29
	신반포10차	3종	1980년 12월		29,993.20	9,072.94	876	10.36
	신반포11차	3종	1981년 10월		26,747.90	8,091.24	398	20.33
	신반포12차	3종	1982년 04월		17,712.20	5,357.94	312	17.17
	신반포13차	3종	1982년 04월		13,243.20	4,006.07	180	22.26
	신반포14차	3종	1983년 11월		10,543.40	3,189.38	178	17.92
	신반포16차	3종	1983년 06월		25,812.48	7,808.28	396	19.72
	신반포17차	3종	1983년 06월		16,252.30	4,916.32	216	22.76
	신반포18차	3종	1983년 07월		16,912.82	5,116.13	308	16.61
	신반포19차	3종	1983년 07월		13,389.10	4,050.20	242	16.74

동명	단지명	용도 지역	입주년월	용적률	총대지 면적 (㎡)	총대지 면적 (평)	세대수	세대당 평균 대지지분 (평)
잠원동	신반포20차	3종	1983년 12월		9,534.10	2,884.07	112	25.75
	신반포21차	3종	1984년 12월	170.15	7,664.10	2,318.39	108	21.47
	신반포22차	3종	1983년 11월		9,168.80	2,773.56	132	21.01
	신반포24차	3종	1984년 10월	148.34	11,896.10	3,598.57	132	27.26
	신반포25차	3종	1984년 10월	176.41	10,630.00	3,215.58	169	19.03
	신반포26차	3종	1984년 11월	193.00	4,990.60	1,509.66	66	22.87
	신반포27차	3종	1985년 01월	175.58	5,480.20	1,657.76	156	10.63
	신반포2차	3종	1978년 07월		81,968.00	24,795.32	1572	15.77
	신반포4차	3종	1979년 10월		85,381.40	25,827.87	1212	21.31
	신반포6차	3종	1980년 05월		34,322.90	10,382.68	560	18.54
	신반포7차	3종	1980년 04월		약24000	7,260.00	320	22.69
	신반포8차	3종	1980년 12월		45,064.30	13,631.95	864	15.78
	신반포9차	3종	1980년 12월		14,122.60	4,272.09	286	14.94
	신반포청구	3종	1998년 01월	328.67	9,674.60	2,926.57	347	8.43
	신화	3종	1997년 10월	374.02	3,801.00	1,149.80	166	6.93
	잠원대우아이빌	2종	2001년 07월		2,881.80	871.74	168	5.19
	잠원브라운스톤	3종	2003년 09월	297.09	2,893.00	875.13	83	10.54
	잠원월드메르디앙	2종	2002년 02월	291.33	4,192.30	1,268.17	107	11.85
	잠원중앙하이츠(B동)	3종	1998년 12월	349.33	3,173.70	960.04	126	7.62
	잠원한신	3종	1992년 07월	237.95	22,281.60	6,740.18	540	12.48
	잠원한신그린	3종	1993년 01월	227.43	6,395.50	1,934.64	150	12.90
	잠원현대	3종	1992년 12월	299.59	8,001.50	2,420.45	244	9.92
	잠원현대훼밀리	3종	1997년 08월	342.47	2,856.40	864.06	113	7.65
	잠원훼미리	3종	1992년 06월	836.05	10,133.10	3,065.26	288	10.64
	킴스빌리지	3종	1996년 12월	266.17	2,557.50	773.64	160	4.84
	한강	3종	1989년 07월	240.48	19,205.37	5,809.62	450	12.91
	한신로얄	3종	1992년 05월	268.43	7,215.20	2,182.60	208	10.49
	한신타운	3종	1989년 06월	245.77	3,920.60	1,185.98	110	10.78
● 송파구								
가락동	금호	3종	1997년 8월	397.52	20,625	6,239	915	6.82
	대림	3종	1988년 11월	287.51	16,768	5,072	443	11.45
	삼환	3종	1984년 11월	207.00	40,749	12,327	648	19.02
	쌍용1차	3종	1996년 11월	343.00	55,641	16,832	2,065	8.15
	쌍용2차	3종	1999년 10월	355.82	13,041	3,945	492	8.02
	쌍용3차	2종	2005년 7월	299.15	3,124	945	99	9.54

동명	단지명	용도 지역	입주년월	용적률	총대지 면적 (㎡)	총대지 면적 (평)	세대수	세대당 평균 대지지분 (평)
가락동	우성1차	3종	1986년 12월	210.30	35,044	10,601	839	12.63
	우성2차	3종	1997년 10월	397.92	3,727	1,127	162	6.96
	풍림	3종	1995년 11월	260.39	3,767	1,139	105	10.85
	한신	3종	1992년 12월		9,389	2,840	256	11.09
	극동	3종	1984년 12월	222.13	40,112	12,134	555	21.86
	동부센트레빌	3종	2001년 11월	299.96	13,785	4,170	264	15.79
	래미안파크팰리스	3종	2007년 11월	249.77	41,001	12,403	919	13.50
	미륭	3종	1986년 11월	211.74	20,297	6,140	435	14.11
	송파동부센트레빌	2종	2005년 2월	253.76	8,731	2,641	206	12.82
거여동	거여1단지	3종	1997년 12월	275.57	23,446	7,092	1,004	7.06
	거여2단지 효성,동아	3종	1997년 12월	235.13	27,941	8,452	478	17.68
	거여4단지	3종	1997년 8월	240.54	15,689	4,746	546	8.69
	거여5단지	3종	1997년 8월	344.14	14,586	4,412	605	7.29
	삼호	3종	1999년 6월	135.06	4,078	1,234	142	8.69
	쌍용스윗닷홈거여역1차	2종	2006년 4월	199.88	5,508	1,666	95	17.54
	어울림	3종	2003년 11월	321.08	5,519	1,669	140	11.92
	우방1차	3종	1999년 5월	324.23	7,926	2,398	257	9.33
	현대1차	3종	1991년 12월		21,604	6,535	497	13.15
	현대2차	3종	1992년 4월		8,146	2,464	280	8.80
	현대3차	3종	1993년 11월		12,905	3,904	303	12.88
마천동	마천금호	2종	1998년 5월	303.51	5,966	1,805	199	9.07
	마천금호어울림1차	2종	2002년 3월	352.75	7,229	2,187	215	10.17
	마천금호어울림2차	2종	2006년 4월	226.36	8,734	2,642	173	15.27
	마천삼익	2종	1996년 11월	360.70	2,879	871	96	9.07
	송파파크데일1단지	2종	2011년 2월	192.01	38,840	11,749	812	14.47
	송파파크데일2단지	2종	2011년 2월	190.37	41,867	12,665	889	14.25
	신동아	3종	2001년 6월	274.65	4,652	1,407	134	10.50
	우방	2종	2002년 5월	346.98	6,953	2,103	247	8.51
	한보	2종	1996년 6월	212.35	3,509	1,061	84	12.64
	현대그린빌	2종	1998년 6월	315.50	3,895	1,178	70	16.83
문정동	건영	3종	1996년 10월		21,263	6,432	545	11.80
	동아	2종	1996년 11월	267.62	2,415	730	78	9.36
	문정래미안	3종	2004년 9월	292.91	89,497	27,073	1,696	15.96
	문정시영	3종	1989년 3월		34,530	10,445	1,316	7.94
	문정푸르지오1차	3종	1999년 10월	308.53	7,063	2,136	233	9.17

동명	단지명	용도지역	입주년월	용적률	총대지면적(㎡)	총대지면적(평)	세대수	세대당 평균 대지지분(평)
문정동	문정푸르지오2차	3종	2001년 4월	345.05	4,850	1,467	165	8.89
	문정푸르지오3차	2종	2002년 8월	341.19	4,707	1,424	150	9.49
	한전현대	3종	1993년 9월	399.74	2,338	707	120	5.89
	세양청마루	3종	2004년 4월	251.12	4,891	1,480	157	9.42
	올림픽훼미리타운	3종	1988년 12월	194.70	237,831	71,944	4,494	16.01
	현대1차	3종	1984년 11월	205.40	33,954	10,271	514	19.98
방이동	대림가락(방이대림)	3종	1985년 3월	176.00	35,241	10,660	480	22.21
	방이금호어울림	2종	2001년 5월	284.12	4,773	1,444	144	10.03
	올림픽선수기자촌	3종	1989년 1월	137.62	488,207	147,683	5,539	26.66
	방이한양3차	3종	1985년 2월	152.66	20,081	6,074	252	24.10
	코오롱	3종	1991년 10월	288.00	29,896	9,043	758	11.93
석촌동	한솔	3종	2000년 10월	336.19	11,259	3,406	393	8.67
송파동	가락삼익맨숀	3종	1984년 12월	207.08	62,060	18,773	936	20.06
	래미안송파파인탑	3종	2012년 1월	253.74	28,498	8,620	769	11.21
	미성맨션	3종	1985년 1월	199.80	28,960	8,760	378	23.18
	성지	3종	1993년 1월		10,286	3,112	298	10.44
	송파삼성래미안	3종	2001년 12월	290.66	37,134	11,233	845	13.29
	송파KCC	3종	2003년 9월	267.99	3,868	1,170	106	11.04
	송파 SK	3종	2001년 12월	294.77	2,481	751	71	10.57
	한양1차	3종	1983년 12월	189.00	41,068	12,423	576	21.57
	한양2차	3종	1984년 10월	165.59	53,123	16,070	744	21.60
신천동	미성	3종	1981년 6월		72,802	22,023	1,350	16.31
	장미1,2,3차	3종	1979년 1월	184.00	202,572	61,278	3,522	17.40
	진주	3종	1981년 10월		112,559	34,049	1,507	22.59
	파크리오	3종	2008년 8월	283.63	279,928	84,678	6,864	12.34
오금동	가락상아	3종	1984년 12월	194.03	13,580	4,108	226	18.18
	가락우창	3종	1985년 5월	180.99	16,697	5,051	264	19.13
	대림	3종	1988년 12월	229.27	27,125	8,205	749	10.95
	삼성	3종	1989년 5월		9,720	2,940	215	13.68
	상아2차	3종	1988년 11월	231.90	24,571	7,433	750	9.91
	아남	2종	1992년 3월		8,314	2,515	299	8.41
	오금우방	3종	2000년 12월	359.52	5,600	1,694	196	8.64
	현대2,3,4차	3종	1984년 12월	223.60	103,381	31,273	1,316	23.76
	현대백조	3종	1997년 1월		12,936	3,913	438	8.93

동명	단지명	용도 지역	입주년월	용적률	총대지 면적 (㎡)	총대지 면적 (평)	세대수	세대당 평균 대지지분 (평)
잠실동	레이크팰리스	3종	2006년 12월	273.27	126,629	38,305	2,678	14.30
	리센츠	3종	2008년 7월	275.25	219,218	66,313	5,563	11.92
	아시아선수촌	3종	1986년 5월	152.25	150,161	45,424	1,356	33.50
	우성1,2,3차	3종	1981년 12월		119,759	36,227	1,842	19.67
	우성4차	3종	1983년 9월	194.00	31,631	9,568	555	17.24
	엘스	3종	2008년 9월	275.99	231,605	70,060	5,678	12.34
	주공5단지	3종	1978년 4월		353,988	107,081	3,930	27.25
	트리지움	3종	2007년 8월	274.75	157,006	47,494	3,696	12.85
	현대	3종	1990년 8월	257.00	13,239	4,005	336	11.92
장지동	송파파인타운10단지	3종	2007년 8월	197.86	21,598	6,533	545	11.99
	송파파인타운11단지	3종	2007년 8월	199.24	16,770	5,073	333	15.23
	송파파인타운12단지	3종	2011년 1월	197.71	8,528	2,580	149	17.31
	송파파인타운13단지		2011년 1월	186.59	12,111	3,664	197	18.60
	송파파인타운1단지	2종	2009년 12월	143.31	16,702	5,052	221	22.86
	송파파인타운2단지	2종	2008년 10월	146.47	21,112	6,386	374	17.08
	송파파인타운3단지	3종	2008년 8월	229.24	28,910	8,745	625	13.99
	송파파인타운4단지	2종	2008년 4월	147.11	12,186	3,686	181	20.37
	송파파인타운5단지	3종	2008년 9월	239.71	16,911	5,116	455	11.24
	송파파인타운6단지	3종	2008년 8월	231.82	22,744	6,880	564	12.20
	송파파인타운7단지	3종	2008년 1월	239.67	20,174	6,103	537	11.36
	송파파인타운8단지	3종	2008년 10월	238.66	20,553	6,217	700	8.88
	송파파인타운9단지	3종	2008년 1월	234.00	23,459	7,096	796	8.92
	위례2차아이파크(C1-2블럭)		2016년 5월	299.96	24,109	7,293	495	14.73
	위례송파푸르지오		2015년 1월	209.91	37,158	11,240	549	20.47
	위례아이파크		2015년 11월	274.93	21,044	6,366	400	15.91
풍납동	갑을	3종	1996년 7월	322.58	2,578	780	85	9.17
	극동	3종	1987년 12월	285.72	11,085	3,353	415	8.08
	대동	2종	1999년 1월	254.86	3,312	1,002	93	10.77
	대아	3종	1998년 3월	282.55	5,474	1,656	140	11.83
	동아한가람	3종	1994년 12월	342.72	22,662	6,855	782	8.77
	미성맨션	2종	1985년 6월	202.43	19,505	5,900	275	21.46
	삼용	3종	1988년 1월	129.89	2,314	700	50	14.00
	송파해모로	2종	2006년 6월	239.84	5,698	1,724	114	15.12
	송파현대힐스테이트	2종	2006년 2월	223.50	8,955	2,709	166	16.32
	신동아	2종	1993년 12월		4,548	1,376	135	10.19

동명	단지명	용도 지역	입주년월	용적률	총대지 면적 (㎡)	총대지 면적 (평)	세대수	세대당 평균 대지지분 (평)
풍납동	신성노바빌	3종	2000년 9월	391.21	5,656	1,711	236	7.25
	쌍용	3종	1994년 7월		12,948	3,917	417	9.39
	씨티극동	3종	1998년 5월	283.31	15,470	4,680	442	10.59
	우성	3종	1984년 2월	181.77	21,722	6,571	495	13.27
	토성현대	2종	1986년 7월	194.48	4,803	1,453	132	11.01
	풍납현대	3종	1995년 11월	249.96	26,928	8,146	708	11.51
	한강극동	3종	1995년 7월	226.33	40,677	12,305	895	13.75
	현대리버빌1지구	3종	1999년 11월	276.80	21,050	6,368	557	11.43
	현대리버빌2지구	3종	1999년 12월	319.36	10,635	3,217	384	8.38
● 영등포구								
당산동	래미안당산1차	3종	1995년 05월	364.34	10,148.6	3,069.9	348	8.8
	강변래미안	3종	2002년 06월	336.57	25,890.3	7,831.8	801	9.8
	드림리버빌	3종	2002년 11월	298.97	2,486.0	752.0	69	10.9
	드림시드	준주거	2005년 10월	384.86	1,781.0	538.8	64	8.4
당산동1가	당산코오롱	준공업	1996년 08월	303.14	5,948.0	1,799.3	109	16.5
	진로	준공업	1997년 08월	353.65	14,149.5	4,280.2	461	9.3
	당산신동아파밀리에	준주거	2008년 01월	241.36	6,003.8	1,816.1	167	10.9
당산동2가	현대	준공업	1994년 06월		23,881.1	7,224.0	783	9.2
	대우	준공업	1999년 10월	399.45	7,547.2	2,283.0	536	4.3
당산동3가	삼익	준공업	1979년 04월		8,133.0	2,460.2	176	14.0
	한양	준공업	1986년 02월	184.62	17,029.2	5,151.3	338	15.2
	동부센트레빌	준공업	2003년 06월	276.94	21,800.2	6,594.5	467	14.1
	당산어울림2차	준공업	2009년 11월	249.27	5,577.4	1,687.2	125	13.5
	당산쌍용예가클래식	준공업	2010년 07월	242.95	13,131.6	3,972.3	284	14.0
	당산계룡리슈빌1단지(도시형)	준공업	2014년 09월	249.92	3,397.3	1,027.7	146	7.0
	당산계룡리슈빌2단지(도시형)	준공업	2014년 09월	249.93	3,397.2	1,027.6	146	7.0
	당산계룡리슈빌3단지(도시형)	준공업	2014년 11월	234.17	4,485.5	1,356.9	149	9.1
당산동4가	유원제일	준공업	1983년 12월		17,693.0	5,352.1	360	14.9
	현대2차	준공업	1986년 04월	167.44	6,106.7	1,847.3	116	15.9
	당산현대3차	준공업	1989년 03월		18,571.0	5,617.7	509	11.0
	당산삼성2차	준공업	1997년 09월	393.30	9,807.7	2,966.8	392	7.6

동명	단지명	용도 지역	입주년월	용적률	총대지 면적 (㎡)	총대지 면적 (평)	세대수	세대당 평균 대지지분 (평)
당산동 4가	한강	준공업	1999년 03월	338.18	7,517.3	2,274.0	265	8.6
	현대5차	준공업	2000년 03월	373.35	25,732.7	7,784.1	976	8.0
	당산금호어울림	준공업	2002년 09월	294.51	10,954.7	3,313.8	292	11.3
	당산반도유보라팰리스	준공업	2010년 03월	246.46	19,065.5	5,767.3	299	19.3
당산동 5가	현대	준공업	1983년 06월		8,148.0	2,464.8	144	17.1
	상아	준공업	1983년 07월		21,280.0	6,437.2	400	16.1
	유원제일2차	준공업	1984년 09월	199	28,654.1	8,667.8	410	21.1
	성원	준공업	1997년 10월	419.90	7,085.5	2,143.4	205	10.5
	당산효성1차	준공업	1999년 12월	280.59	16,978.3	5,135.9	480	10.7
	당산효성타운2차	준공업	2001년 10월	269.96	10,329.1	3,124.5	258	12.1
	반도보라빌	준공업	2002년 09월	240.44	2,846.8	861.2	67	12.9
	당산삼성래미안	준공업	2003년 12월	299.71	68,115.4	20,604.8	1391	14.8
	당산디오빌	준주거	2005년 02월	399.47	3,224.3	975.3	212	4.6
대림동	무림	2종	1981년 09월		7,642.0	2,311.7	110	21.0
	우성1차	3종	1985년 11월	159.52	18,024.0	5,452.2	435	12.5
	신동아	3종	1987년 01월		19,348.0	5,852.7	591	9.9
	성락	2종	1989년 01월	448	2,786.0	842.8	80	10.5
	현대1차	3종	1992년 04월	259.09	17,854.5	5,401.0	476	11.3
	우성2차	3종	1992년 11월	265.32	4,248.9	1,285.3	120	10.7
	현대2차	3종	1992년 11월	312.90	9,138.7	2,764.4	280	9.9
	성원(650)	2종	1995년 11월	399.02	4,864.7	1,471.6	220	6.7
	현대3차	준공업	1997년 10월	325.82	38,598.4	11,676.0	1162	10.0
	대림현대	3종	1998년 07월		6,079.3	1,839.0	217	8.5
	대림코오롱	준공업	1998년 10월	352.56	13,697.4	4,143.4	481	8.6
	대림한신1차	3종	1998년 12월	292.55	4,729.5	1,430.7	143	10.0
	대림한신2차	3종	1999년 12월	298.48	7,908.1	2,392.2	234	10.2
	대림문영칸타빌레	2종	2001년 07월		4,712.4	1,425.5	133	10.7
	대림갑을명가	3종	2005년 10월	213.79	7,618.7	2,304.6	157	14.7
	신대림자이1단지	준주거	2007년 09월	495.46	3,813.9	1,153.7	155	7.4
	신대림자이2단지	일상	2007년 09월		4,178.9	1,264.1	159	8.0
	新대림한솔솔파크	3종	2008년 10월	244.58	10,780.7	3,261.1	232	14.1
	신대림신동아파밀리에	2종	2013년 08월	239.90	8,412.3	2,544.7	185	13.8
	신대림2차신동아파밀리에	2종	2016년 07월		12,816.0	3,876.8	233	16.6

동명	단지명	용도 지역	입주년월	용적률	총대지 면적 (㎡)	총대지 면적 (평)	세대수	세대당 평균 대지지분 (평)
도림동	도림청구	준공업	1997년 11월	282.60	6,351.5	1,921.3	200	9.6
	한라	2종	1998년 08월	399.24	3,187.4	964.2	142	6.8
	동아에코빌	준공업	2000년 01월	379.48	9,258.6	2,800.7	346	8.1
	영등포아트자이	준공업	2014년 03월	249.31	36,379.4	11,004.7	689	16.0
문래동2가	남성맨션	준공업	1983년 11월		18,370.5	5,557.1	390	14.2
문래동3가	국화맨션	준공업	1983년 12월		17,794.0	5,382.7	270	19.9
	문래공원한신	준공업	1988년 07월	234.50	12,960.7	3,920.6	367	10.7
	문래건영	준공업	1998년 05월	292.28	4,859.2	1,469.9	141	10.4
	문래우정	준공업	1998년 12월	372.96	2,869.6	868.1	98	8.9
	문래해태	준주거	1999년 09월	400	2,227.5	673.8	101	6.7
	문래자이	준공업	2001년 11월	249.79	68,661.3	20,769.9	1302	16.0
	문래힐스테이트	준공업	2003년 06월	264.57	44,195.5	13,369.1	776	17.2
	문래동원데자뷰	준공업	2004년 12월	239.49	2,492.6	754.0	54	14.0
	문래태영데시앙	준공업	2005년 09월	249.82	3,457.2	1,045.8	68	15.4
	문래금호어울림	준공업	2006년 09월	249.68	6,018.1	1,820.5	134	13.6
문래동4가	삼환	준공업	2001년 09월	356.73	9,962.0	3,013.5	382	7.9
	리버뷰신안인스빌	준공업	2008년 05월	249.52	5,564.3	1,683.2	121	13.9
	리버뷰신안인스빌2단지	준공업	2008년 05월	245.19	4,025.1	1,217.6	91	13.4
문래동5가	진주맨션	준공업	1984년 02월	165.27	11,188.2	3,384.4	160	21.2
	문래두산위브	준공업	1988년 11월	232.03	14,897.2	4,506.4	383	11.8
	현대3차	준공업	1991년 11월		6,120.6	1,851.5	166	11.2
	현대5차	준공업	1992년 02월	290.10	9,549.6	2,888.7	282	10.2
	문래대림	준공업	2000년 01월	429.10	4,571.7	1,382.9	200	6.9
문래동6가	한신	준공업	1985년 01월	183.98	9,964.0	3,014.1	186	16.2
	현대1차	준공업	1986년 12월	221.54	10,491.9	3,173.8	264	12.0
	현대2차	준공업	1987년 10월	251.18	11,923.7	3,606.9	390	9.2
	유원	준공업	1991년 05월	258.01	4,908.8	1,484.9	134	11.1
	문래미원	준공업	1996년 09월	286.23	5,855.7	1,771.3	170	10.4
	베어스타운	준공업	1997년 05월	331.67	8,470.5	2,562.3	304	8.4
	문래현대6차	준공업	1997년 07월	308.92	8,292.6	2,508.5	270	9.3
	대원	준공업	1998년 10월	328.49	6,007.5	1,817.3	218	8.3

동명	단지명	용도 지역	입주년월	용적률	총대지 면적 (㎡)	총대지 면적 (평)	세대수	세대당 평균 대지지분 (평)
신길동	전철	2종	1976년 06월	115	3,078.0	931.1	164	5.7
	신미	3종	1981년 06월		8,832.9	2,671.9	130	20.6
	우창	3종	1983년 08월		9,607.0	2,906.1	214	13.6
	삼성	3종	1984년 04월	169.68	15,945.0	4,823.3	384	12.6
	건영	3종	1985년 09월	405.57	12,098.3	3,659.7	386	9.5
	신길우성1차	3종	1986년 09월	176.20	32,058.4	9,697.6	688	14.1
	신길우성2차	3종	1986년 09월	191.76	33,758.0	10,211.7	725	14.1
	삼두	2종	1987년 12월	220.91	4,412.0	1,334.6	160	8.3
	신길우성3차	3종	1988년 09월	189.19	23,321.0	7,054.6	477	14.8
	신길우성4차	3종	1990년 12월	157.87	21,646.0	6,547.9	476	13.8
	신길우성5차	3종	1993년 05월	257.15	12,467.0	3,771.3	321	11.7
	한성	3종	1997년 04월	254.04	17,896.3	5,413.6	420	12.9
	삼환	3종	1997년 05월	246.84	43,278.9	13,091.8	1174	11.2
	신길경남	3종	1999년 06월	345.50	10,779.7	3,260.8	368	8.9
	삼성래미안	3종	2000년 11월	289.44	28,731.0	8,691.1	826	10.5
	신기목련	2종	2001년 06월	207.95	6,792.0	2,054.6	108	19.0
	신길대성유니드	2종	2003년 06월	306.59	4,538.5	1,372.9	134	10.2
	보라매경남아너스빌	3종	2005년 08월	296.24	24,695.0	7,470.2	669	11.2
	보라매두산위브	3종	2005년 11월	244.64	8,876.9	2,685.3	164	16.4
	신길뉴타운한화꿈에그린	3종	2008년 06월	216.79	15,942.5	4,822.6	284	17.0
	신길자이	3종	2010년 01월	233.60	9,025.8	2,730.3	198	13.8
	래미안영등포프레비뉴	2종	2015년 12월		39,762.6	12,028.1	777	15.5
양평동 1가	신동아	준공업	1982년 04월		20,567.0	6,221.5	495	12.6
	삼환	준공업	1994년 10월	257.78	3,567.2	1,079.1	95	11.4
	양평한신	준공업	1996년 12월	339.67	4,701.8	1,422.3	165	8.6
	이너스삼성	준공업	2005년 10월	246.33	1,844.1	557.8	51	10.9
양평동 2가	양평벽산블루밍	준공업	1990년 01월	246.80	13,184.4	3,988.3	417	9.6
	오목교벽산블루밍	준공업	1996년 12월	365.44	2,571.9	778.0	114	6.8
	삼성래미안	준공업	1998년 07월	361.31	10,592.1	3,204.1	388	8.3
	상록수	준공업	2000년 02월	384.28	2,863.0	866.1	106	8.2
양평동 3가	현대2차	준공업	1990년 08월	248.69	11,711.9	3,542.8	312	11.4
	현대3차	준공업	1991년 04월	248.86	5,622.1	1,700.7	145	11.7
	양평삼호	준공업	1998년 05월	371.60	5,303.9	1,604.4	213	7.5

동명	단지명	용도 지역	입주년월	용적률	총대지 면적 (㎡)	총대지 면적 (평)	세대수	세대당 평균 대지지분 (평)
양평동 3가	경남아너스빌	준공업	1998년 08월		3,902.9	1,180.6	179	6.6
	거성파스텔	준공업	1999년 05월	365.57	15,779.9	4,773.4	532	9.0
	삼천리	준공업	2000년 06월	333.57	5,549.1	1,678.6	179	9.4
	양평동6차현대	준공업	2000년 12월	371.77	19,246.2	5,821.9	770	7.6
	양평우림루미아트	준공업	2004년 10월	289.14	5,762.8	1,743.2	170	10.3
	양평역월드메르디앙	준공업	2005년 12월	248.91	4,737.0	1,432.9	116	12.4
	양평태승훼미리	준공업	2008년 06월	247.89	2,761.8	835.4	53	15.8
	삼익플라주(101동)	준공업	2009년 02월		2,903.3	878.2	70	12.5
양평동 4가	약산	준공업	1984년 08월	446.86	1,242.8	375.9	91	4.1
	성원	준공업	1993년 07월	344.60	12,557.7	3,798.7	372	10.2
	삼호한숲	준공업	2000년 02월	376.31	5,444.5	1,647.0	216	7.6
	경남아너스빌	준공업	2000년 03월		5,035.7	1,523.3	198	7.7
양평동 5가	양평한신	준공업	1996년 04월	282.68	40,564.5	12,270.7	1215	10.1
	동보	준공업	1998년 10월	320.48	5,385.2	1,629.0	184	8.9
양평동 6가	한솔	3종	1999년 08월	382.78	5,582.3	1,688.6	219	7.7
	동양	준공업	2000년 08월	269.37	9,774.6	2,956.8	263	11.2
여의도동	초원(순복음)	일상	1971년 08월		1,861.0	562.9	153	3.7
	시범	3종	1971년 12월		98,843.0	29,899.9	1790	16.7
	삼익	3종	1974년 07월		18,565.0	5,615.9	360	15.6
	은하	3종	1974년 12월		18,565.0	5,615.9	360	15.6
	대교	3종	1975년 09월	215	31,699.0	9,588.9	576	16.6
	한양	3종	1975년 11월		34,879.0	10,550.9	588	17.9
	공작	일상	1976년 08월		16,830.0	5,091.1	373	13.6
	수정	일상	1976년 08월		15,537.0	4,699.9	329	14.3
	서울	일상	1976년 09월		16,929.0	5,121.0	192	26.7
	삼부	일상 3종	1976년 10월		62,634.0	18,946.7	873	21.7
	목화	3종	1977년 10월		11,570.0	3,499.9	312	11.2
	진주	일상	1977년 10월		13,509.0	4,086.5	380	10.8
	화랑	3종	1977년 10월		9,395.0	2,842.0	160	17.8
	광장	3종	1978년 06월		43,042.0	13,020.1	744	17.5

동명	단지명	용도지역	입주년월	용적률	총대지 면적 (㎡)	총대지 면적 (평)	세대수	세대당 평균 대지지분 (평)
여의도동	미성	3종	1978년 06월		40,882.0	12,366.7	577	21.4
	장미	3종	1978년 06월		13,250.0	4,008.1	196	20.4
	콤비	일상	1994년 08월	838.19	4,939.0	1,494.0	98	15.2
	리버타워	일상	2000년 02월	971.73	4,426.0	1,338.9	98	13.7
	대우트럼프월드 I	일상	2002년 10월		5,289.0	1,599.9	282	5.7
	대우트럼프월드II	일상	2003년 07월		4,602.0	1,392.1	218	6.4
	여의도금호리첸시아	일상	2003년 12월	799.81	6,944.0	2,100.6	248	8.5
	롯데캐슬엠파이어	일상	2005년 05월	942.87	8,783.0	2,656.8	406	6.5
	롯데캐슬아이비	일상	2005년 12월	899.83	9,917.0	2,999.9	445	6.7
	여의도자이	일상	2008년 04월	549.59	24,862.0	7,520.7	580	13.0
영등포동	순영웰라이빌	3종	2002년 01월	297.71	4,906.2	1,484.1	136	10.9
	영등포푸르지오	준공업	2002년 06월	249.98	97,794.0	29,582.6	2462	12.0
	두산위브	3종	2004년 10월	229.02	11,737.8	3,550.7	271	13.1
영등포동4가	영등포대성그랑그루(도시형)	준주거	2012년 10월	399.12	1,153.1	348.8	147	2.4
영등포동5가	영등포현대프라자	준주거	1998년 10월	460.23	2,952.7	893.2	115	7.8
영등포동7가	경남아너스빌	준공업	1998년 12월	360.41	16,653.6	5,037.7	600	8.4
	영등포브라운스톤	3종	2004년 03월	294.38	4,329.6	1,309.7	118	11.1
영등포동8가	영등포삼환	준공업	1999년 06월	369.91	14,334.2	4,336.1	520	8.3
	당산푸르지오	준공업	2004년 09월	355.07	19,898.5	6,019.3	538	11.2
● 용산구								
도원동	도원삼성레미안	3종	2001년 08월	289.95	52461.9	15869.65	1458	10.88
문배동	삼라마이다스빌	3종	2004년 07월	547.06	2216.1	670.37	95	7.06
	용산아크로타워	준주거	2007년 05월	538.91	6022.8	1821.89	208	8.76
	용산이안프리미어	일상	2007년 03월	773.63	4735.8	1432.57	188	7.62
	용산큐브(도시형)	일상	2013년 03월	835.85	797.3	241.18	99	2.44

동명	단지명	용도 지역	입주년월	용적률	총대지 면적 (㎡)	총대지 면적 (평)	세대수	세대당 평균 대지지분 (평)
문배동	용산CJ나인파크	준주거	2007년 07월	538.22	8745.7	2645.56	280	9.45
	용산KCC웰츠타워	일상	2015년 03월	880.56	4465	1350.66	232	5.82
	지오베르크	일상	2004년 12월	563.13	1626.9	492.14	72	6.84
	프라임팰리스(도시형)	3종	2012년 12월	731.14	879.7	266.11	81	3.29
보광동	리버빌	3종	2000년10월	305	7648.1	2,313.55	242	9.56
	신동아	3종	1992년 9월	333	15703.2	4,750.22	226	21.02
산천동	리버힐삼성	3종	2001년 01월	315.05	36710.4	11104.77	1102	10.08
	한강타운	3종	1999년 11월	215.7	10366	3135.71	289	13.12
서빙고동	금호베스트빌	3종	2002년 10월	292.27	8289.1	2507	172	14.58
	그린파크	3종	2000년 3월	298.96	4670.1	1413	123	11.49
	신동아	3종	1983년6월	223.95	111179	33632	1326	25.36
신계동	용산e편한세상	2종	2011년 2월	250	36949.5	11177	699	15.99
신창동	세방리버하이빌	2종	2005년 3월	249.14	7334.9	2218.8	176	12.61
용산동5가	파크타워	2종	2008년 10월	495.60	45,882	13,879	888	15.60
원효로4가	강변삼성스위트	3종	1999년 12월	358.50	7,513	2,273	300	7.60
	산호	3종	1977년 04월		26,456	8,003	554	14.40
이촌동	강변	3종	1971년 01월		3,058	925	146	6.30
	강촌	3종	1998년 01월	423.50	30,988	9,374	1,001	9.40
	그린	3종	1999년 06월	384.40	12,185	3,686	499	7.40
	대림	3종	1994년 05월	398.00	15,857	4,797	638	7.50
	동부센트레빌	3종	2001년 05월	296.00	12,781	3,866	309	12.50
	동원베네스트	2종	2005년 09월	248.60	4,433	1,341	103	13.00
	래미안첼리투스	3종	2015년 08월	328.70	23,236	7,029	460	15.30
	로얄맨숀	3종	1972년 09월	443.20	2,859	865	72	12.00
	미주맨션B동	3종	1976년 08월		2,136	646	50	12.90
	반도	3종	1977년 01월	213.00	16,809	5,085	192	26.50
	북한강(성원)	3종	1997년 08월	376.80	6,772	2,049	340	6.00
	빌라(빌라맨션)	3종	1974년 04월		4,106	1,242	70	17.70
	삼익	3종	1979년 11월		17,191	5,200	252	20.60
	왕궁	3종	1975년 04월	148.00	17,621	5,330	250	21.30

동명	단지명	용도 지역	입주년월	용적률	총대지 면적 (㎡)	총대지 면적 (평)	세대수	세대당 평균 대지지분 (평)
이촌동	이촌두산위브트레지움	3종	2008년 09월	297.40	3,186	964	84	11.50
	이촌삼성리버스위트	3종	2002년 05월	290.60	15,104	4,569	244	18.70
	이촌우성	3종	1995년 12월	322.00	7,215	2,183	243	9.00
	이촌코오롱	3종	1999년 11월		24,918	7,538	834	9.00
	장미맨숀	3종	1976년 07월	166.00	5,053	1,529	66	23.20
	점보	3종	1974년 07월		5,549	1,679	144	11.70
	타워맨션	3종	1974년 01월		2,472	748	60	12.50
	한가람	3종	1998년 09월	358.20	57,017	17,247	2,036	8.50
	한강대우	3종	2000년 03월	355.20	26,371	7,977	834	9.60
	한강맨션	3종	1971년 03월	101.00	78,467	23,736	660	36.00
	현대맨숀	3종	1975년 10월	210.00	18,817	5,692	653	8.70
	현대한강	3종	1997년 03월	383.00	12,155	3,677	516	7.10
	LG한강자이	3종	2003년 04월	281.90	46,115	13,950	656	21.30
이태원	남산대림	2종	1994년 12월	106.70	37,446	11,327	400	28.30
	용산	2종	1969년 11월		1,555	471	96	4.90
	이태원주공	2종	1993년 05월		14,984	4,533	130	34.90
	청화	3종	1982년 09월	196.00	47,872	14,481	578	25.10
청암동	청암천년명가자이	3종	2005년 08월	250.00	15,529	4,698	170	27.60
한강로1가	용산대우월드마크	3종	2007년 10월	975.80	5,221	1,579	160	9.90
	용산파크자이		2005년 12월	789.60	13,506	4,085	310	13.20
한강로2가	아스테리움용산		2012년 07월	697.60	7,221	2,184	128	17.10
	용산파크e-편한세상	3종	2007년 06월	250.00	6,795	2,055	146	14.10
	한강로대우아이빌		2004년 09월	799.10	1,902	575	110	5.20
	한강로벽산메가트리움	3종	2005년 06월	697.90	9,240	2,795	248	11.30
한강로3가	용산시티파크1단지		2007년 08월	549.00	15,971	4,831	421	11.50
	용산시티파크2단지		2007년 08월	548.30	8,380	2,535	208	12.20
	지에스한강에클라트		2006년 07월	748.40	2,941	890	89	10.00
	한강대우트럼프월드Ⅲ	3종	2004년 05월	632.00	6,240	1,887	123	15.30
	한강로쌍용스윗닷홈	3종	2003년 09월	249.80	4,629	1,400	98	14.30
	한강로우림필유	2종	2006년 09월	199.40	7,676	2,322	144	16.10
	한양철우	3종	2006년 09월		3,535	1,069	60	17.80

동명	단지명	용도 지역	입주년월	용적률	총대지 면적 (㎡)	총대지 면적 (평)	세대수	세대당 평균 대지지분 (평)
한남동	동원베네스트	준주거	2008년 12월	508.62	2686	813.94	129	6.31
	리버탑	3종	2000년 6월	285.35	3854.5	1168.03	119	9.82
	한남리첸시아	준주거	2004년 4월	499.44	6365	1928.79	371	5.20
	한남하이페리온	2종	2002년 12월	299.95	10535.6	3192.61	122	26.17
	한남힐스테이트	3종	2003년 10월	222.85	17712.2	5367.33	283	18.97
	현대리버티하우스	준주거	2001년 2월	724.62	2681.22	812.49	80	10.16
효창동	세양청마루	3종	2006년 04월	249.90	2,657	804	66	12.20
	효창맨션	2종	1969년 07월		964	292	61	4.80
	효창베네스	3종	2002년 03월	245.20	4,144	1,253	87	14.40
	효창파크푸르지오	3종	2010년 08월	244.00	12,861	3,890	307	12.70
	효창한신	2종	1987년 10월	161.50	8,431	2,550	120	21.30
후암동	브라운스톤남산	2종	2004년 06월	169.00	9,989	3,022	90	33.60
	후암미주	2종	1980년 06월		8,532	2,581	226	11.40